HANDBOOK
POWER
Internal Medicine
Endocrinology

POWER MANUAL SERIES

내분비내과

군자출판사

Power 내과 핸드북 06 3rd edition

첫째판 1쇄 발행	|	**2009년 9월 25일**
셋째판 1쇄 발행	|	**2020년 9월 21일**
셋째판 2쇄 발행	|	**2024년 4월 17일**

지 은 이	신규성
발 행 인	장주연
출 판 기 획	김도성
표지디자인	김재욱
발 행 처	군자출판사(주)
	등록 제4-139호(1991. 6. 24)
	본사 (10881) **파주출판단지** 경기도 파주시 회동길 338(서패동 474-1)
	전화 (031) 943-1888 팩스 (031) 955-9545
	홈페이지 | **www.koonja.co.kr**

ⓒ 2024년, 파워 내과 핸드북 06 (3판) / 군자출판사(주)
본서는 저자와의 계약에 의해 군자출판사에서 발행합니다.
본서의 내용 일부 혹은 전부를 무단으로 복제하는 것은 법으로 금지되어 있습니다.

* 파본은 교환하여 드립니다.
* 검인은 저자와의 합의 하에 생략합니다.

ISBN   979-11-5955-604-3
        979-11-5955-490-2(세트)

정가 10,000원
세트 95,000원

머리말

　7년 만에 파워내과-핸드북의 세 번째 개정판이 나오게 되었습니다. 그동안 많은 분야에서 진단과 치료에 큰 변화가 있었고, 그에 따라 파워내과 본책은 상당히 두꺼워졌습니다. 핸드북은 휴대가 목적이기 때문에 본책 내용의 일부가 빠지기는 했지만, 각종 시험 준비에는 충분하리라 생각합니다.

　최근 의료계는 많은 변화를 겪고 있습니다. 각종 인증 제도를 통해 의료의 질은 점점 향상되고 있고, 전공의법을 통해 인턴/레지던트들의 삶의 질도 많이 향상되었습니다. 다만 사회의 변화에 따라 새로운 문젯거리들도 생겨나는데, 선(善)과 정의를 짓밟는 극우 패륜 사이트에 물든 일부 사람들도 그중 하나일 것입니다. 중요한 의료정책관련 문제가 닥쳤을 때, 그런 일부의 행적들은 오히려 협상력을 약화시키고, 국민들의 지지도 잃게 만들어버렸습니다. 의학은 스펙트럼이 매우 넓기 때문에 전공과, 직종, 병원별로 다양한 이해관계들이 얽혀있고 모두를 만족시키기란 매우 어렵습니다. 의사들끼리도 서로 이해하기 힘든데 어떤 정책을 결정하고 국민들도 이해시키려면 깊은 고민과 성찰, 신중한 접근이 필요할 것입니다. 항상 의사들의 뒤통수만 쳐왔던 복지부는 COVID-19 사태를 틈타 (국민이 아닌) 자신들만을 위한 정책을 획책했습니다. 하지만 기본적인 한계와 일부의 과오들로 인해 또다시 의사만 공공의 적 신세가 됩니다.

　가장 유능한 인재로 의대에 들어온 만큼 그에 걸맞은 도덕성과 사회역사적 소양도 갖추어야 올바른 목소리를 강하게 낼 수 있습니다. 패륜 사이비 세력에 동화된 의사의 말은 누구도 귀담아 들어 주지 않을 것입니다. 시험공부만 열심히 하고 이익만 추구하는 삶은 그런 괴물이 될 위험이 있습니다. 파워내과 및 핸드북의 취지는 시험공부의 부담을 조금이라도 덜자는 것이므로, 의학 이외에 다른 인문사회적 학습과 경험에도 더 많은 시간을 투자할 수 있기를 바랍니다.

　끝으로 이번 개정판이 나오기까지 애써주신 군자출판사의 장주연 사장님과 김도성 차장님을 비롯한 직원 여러분들 모두에게 감사를 드립니다.

2020년 9월 1일
신 규 성

v

■ **파워내과 핸드북의 특징**
  1. 내과학의 중요 내용을 간략하게 정리하여 학습의 방향을 제시
  2. 파워내과의 80~90% 정도 분량으로 충실하고 업데이트된 내용
  3. 의사국가고시를 포함한 각종 시험의 마지막 정리용
  4. 항상 가볍게 휴대하면서 참고할 수 있도록 과목별로 분책

■ **안내**
  1. 여러 시험에 출제가 되었거나 출제 가능성이 높은 부분들은
     ★, !, 굵은 글자, 밑줄 등으로 중요 표시를 하였으니 학습할 때
     꼭 확인을 하시기 바랍니다.
  2. 각종 약자는 군자출판사 홈페이지의 약자풀이를 참고하시기 바랍니다.
     약자나 용어는 대한의협 및 각 학회에서 사용되는 것과 실제 임상에서
     통용되는 것을 함께 사용하여 학습의 편의를 도모하였습니다.

■ 파워내과 핸드북의 본문에는 네이버(NHN)의 나눔글꼴이 사용되었습니다.

목차
contents

내분비
내과

1
서론

호르몬의 종류

구조적 분류	호르몬	분비 기관
Amino acid 유도체	dopamine	시상하부
	melatonin	송과선
	catecholamines (epinephrine, norepinephrine)	부신수질
	thyroid hormones	갑상선
Small peptides	ACTH	뇌하수체 전엽
	AVP (vasopressin), oxytocin	뇌하수체 후엽
	GnRH, GHRH, TRH, CRH, somatostatin (췌장도)	시상하부
	Ghrelin	위
	calcitonin	갑상선
	ANP	심장
	angiotensin (angiotensinogen이 분해되어 생성)	혈장 및 여러 장기
	bradykinin (kininogen이 분해되어 생성)	
Large peptides (proteins)	GH, prolactin, TSH, LH, FSH	뇌하수체 전엽
	PTH	부갑상선
	HCG	태반, trophoblast
	insulin, glucagon	췌장
	EPO (erythropoietin)	신장
	IGF-1, angiotensinogen, thrombopoietin	간
Steroid 유도체 (cholesterol)	glucocorticoids (e.g, cortisol)	부신피질
	mineralocorticoids (e.g., aldosterone)	부신피질
	androgens (e.g., testosterone)	부신피질, 정소
	estrogens (e.g., estradiol)	난소 여포
	progesterone	황체, 태반
Vitamins	calciferol	피부
	calcitriol (active vitamin D)	신장

* glycopeptide ; TSH, LH, FSH, hCG → α, β subunit으로 구성

• 단일 전구체에서 여러 호르몬의 생합성 예

POMC (pro-opiomelanocortin)

→ ⌈ ACTH (corticotropin) → α-MSH + corticotropin-like intermediate peptide (CLIP)
　 ⌊ β-lipotropin (LPH) → γ-LPH + β-endorphin

　　　　　　　　　　↓　　　　　　　↓

　　　　　　　β-MSH　　　γ-endorphin → α-endorphin

호르몬의 작용 기전

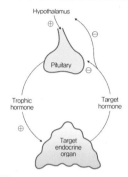

Pituitary에 의한 target endocrine organs의 feedback control

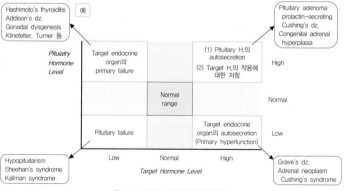

Target H.과 trophic H.과의 관계

■ 호르몬의 기능

(1) growth ; GH

(2) homeostasis 유지 ; thyroid hormone, cortisol, PTH, vasopressin, mineralocorticoids, insulin

(3) reproduction ; LH, FSH, GnRH

내분비 기능 장애의 원인

1. 호르몬 과다/기능항진(hyperfunction)

① neoplastic ; benign (e.g., pituitary adenoma [Cushing' dz. 등], adrenal adenoma, pheochromocytoma), malignant (e.g., MTC, carcinoid tumor), ectopic, MEN

② autoimmune (e.g., Grave's dz.-TSH receptor antibody[TRAb])

③ iatrogenic (e.g., Cushing's syndrome, hypoglycemia)

④ infectious/inflammatory (e.g., subacute thyroiditis)

⑤ hereditary ; enzyme mutations (e.g., glucocorticoid-remediable hyperaldosteronism[GRA]), activating receptor mutations (e.g., LH receptor [남자의 성조숙증], $G_s\alpha$ [GH 분비 종양 등])

2. 호르몬 부족/기능저하(hypofunction)

① autoimmune (e.g., type 1 DM, Hashimoto's thyroiditis, Addison's dz.)

② iatrogenic (e.g., RTx/수술에 의한 hypopituitarism, hypothyroidism)

③ infectious/inflammatory (e.g., adrenal insufficiency, hypothalamic sarcoidosis)

④ hormone mutations

⑤ enzyme defects (e.g., 21-hydroxylase deficiency)

⑥ developmental defects (e.g., Kallmann syndrome, Turner syndrome)

⑦ nutritional/vitamin deficiency (e.g., vitamin D deficiency, iodine deficiency)

⑧ hemorrhage/infarction (e.g., Sheehan's syndrome, adrenal insufficiency)

3. 호르몬 저항성(hormone resistance)

① receptor mutations

② signaling pathway mutations (e.g., Albright's hereditary osteodystrophy)

③ postreceptor (e.g., type 2 DM, leptin resistance)

■ 참고: 노화에 따른 호르몬 변화

감소	변화×	증가
GH	Prolactin (남성)	CCK (cholecystokinin)
Prolactin (여성)	TSH	LH
LH (남성)	T3, T4	FSH
IGF-I	Epinephrine	ACTH & cortisol (약간 증가)
DHEA & DHEAs	GLP-1 (glucagon-like peptide 1)	Epinephrine (초고령)
Testosterone	GIP (gastric inhibitory peptide)	Norepinephrine
Estrogen (estradiol)	Insulin	PTH
25(OH) vitamin D		
Calcitonin		
Renin, aldosterone		
VIP, melatonin		

호르몬과 수용체

1. General hormone classes

	Group I	Group II
Types	**Steroids**, iodothyronines, calcitriol, retinoids	**Polypeptieds**, proteins, glycoproteins, catecholamines
방출(분비)	Diffusion	Exocytosis
Solubility	지용성(lipophilic)	수용성(hydrophilic)
Transport proteins	존재	없음
반감기	길다 (수시간~수일)	짧다 (수분)
Receptor	Intracellular	Plasma membrane
Mediator	Receptor-hormone complex	cAMP, cGMP, Ca^{2+}, metabolites of complex, phosphoinositols, kinase cascades

2. Hormone Receptors의 분류

종류	호르몬의 예
Intracellular (nuclear) receptors	
Transcription regulatory proteins	Glucocorticoids, mineralocorticoids, estradiol, androgens, progesterone, thyroid hormones (T3, T4), vitamin D, retinoic acid
Membrane receptors	
1. G protein-coupled 7-transmembrane receptors (GPCRs)	LH, FSH, TSH, ACTH, MSH, GHRH, CRH, TRH, GnRH, parathyroid hormone, epinephrine, somatostatin, vasopressin, glucagon, angiotensin II, prostaglandins, serotonin, α/β-adrenergic
2. Tyrosine kinase receptors	Insulin, IGF-I, PDGF, EGF (epidermal growth factor), FGF (fibroblast growth factor), NGF (nerve growth factor)
3. Cytokine receptors	GH (growth hormone), PRL (prolactin), leptin
4. Serine-threonine kinase receptors	TGF-β, MIS (müllerian-inhibiting substance), BMP (bone morphogenetic protein), activin, inhibin

2
뇌하수체 전엽 질환

- 뇌하수체(pituitary gland) ; 무게 약 600 mg, 안장(sella turcica) 안에 위치
  - anterior pituitary (adenohypophysis) ; GH, prolactin (PRL), ACTH, TSH, LH, FSH
  - posterior pituitary (neurohypophysis) ⋯ hypothalamus에 의해 직접 innervation
    ; vasopressin (AVP, ADH), oxytocin

Pituitary Hormone 분비의 조절인자 ★

	촉진 인자	억제 인자
Growth hormone (GH)	GHRH, ghrelin	Somatostatin, IGF-1 (somatomedin C)
Prolactin (PRL)	TRH, VIP, estrogen	Dopamine
ACTH (POMC)	CRH, AVP, gp-130, cytokines	Glucocorticoids
TSH	TRH	T4, T3, somatostatin, dopamine, glucocorticoids
LH & FSH	GnRH, estrogen (일시적 상승)	Testosterone, estrogen (지속적 노출)
FSH	Activin	Inhibin

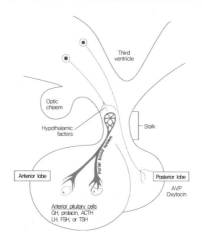

뇌하수체 선종 (Pituitary adenomas)

: 성인에서 pituitary hormone 과다분비 및 과소분비의 m/c 원인 (두개내 종양의 ~15% 차지)

1. 병리소견

(1) acidophilic (eosinophilic) ; somatotroph (GH), lactotroph (prolactin)

(2) basophilic ; thyrotroph (TSH), gonadotroph (LH, FSH), corticotroph (ACTH)

(3) chromophobic ; non-functioning tumors

2. 종류

뇌하수체 선종의 종류	생성되는 호르몬	질환	빈도(%)
Lactotroph (prolactinoma)	Prolactin	Hypogonadism, mass effects	40~45 (m/c)
Somatotroph	GH	Acromegaly/gigantism	15~20
Corticotroph	ACTH	Cushing's disease	10~12
Thyrotroph	TSH	Hyperthyroidism	1~3
Nonfunctioning/Gonadotroph	α,β-subunit, FSH	Mass effects, hypopituitarism	20~25
α-subunit	Free α-subunit	Mass effects, hypopituitarism	5
Null cell	None	Mass effects, hypopituitarism	10

• macroadenoma ≥1 cm, microadenoma <1 cm
• 분비되는 호르몬에 의한 분류에서도 prolactin 과다분비가 m/c (약 60%)

3. 임상양상

(1) 뇌하수체 선종의 mass effects
  • 두통 (but, adenoma 크기와의 상관성은 부족함)
  • 시야장애(visual field defect) ; bitemporal hemianopsia가 m/c (∵ optic chiasm의 압박)
  • 외안근 마비(oculomotor palsies)
    - 종양이 외측으로 커지면서 해면동 벽의 뇌신경들을 압박하여 발생
    - 제3 (m/c), 4, 6 뇌신경(cranial nerves)을 침범 → 복시/겹보임(diplopia)
    - 이것이 발생하면 visual field defect는 보통 나타나지 않는다
  • 뇌하수체기능저하증(hypopituitarism) → 증상은 뒤의 '뇌하수체기능저하증' 부분 참조
    - nonfunctioning adenoma에 의한 hypothalamic-pituitary stalk의 압박으로 발생
    - 특히 GH, gonadotropin deficiency가 흔함
    * prolactin level은 약간 상승 (∵ pituitary stalk 압박에 의한 PIF 감소로)

(2) 시상하부 침범에 의한 mass effects
  ; 체온 조절장애, 식욕/갈증 장애, 비만, DI, 수면장애, 행동장애, 성조숙 or hypogonadism,
    자율신경 조절장애(e.g., paradoxical vasoconstriction, tachycardia)

4. 검사

(1) MRI (± gadolinium-enhancement)
- 정상 뇌하수체 높이 ; 소아 6 mm, 성인 8 mm (임신/사춘기 때는 10~12 mm까지 커지기도 함)

(2) 호르몬 검사
- functioning pituitary adenoma의 증상에 따른 호르몬 검사 예
  - acromegaly → serum IGF-I, oral glucose tolerance test (OGTT)
  - prolactinoma → serum PRL
  - Cushing's syndrome → 24hr urine free cortisol, dexamethasone suppression test, ACTH
- MRI에서 pituitary adenoma가 의심될 때 시행할 기본적인 호르몬 검사 ★
  ; prolactin, IGF-I, (GH), 24hr urine free cortisol (and/or dexamethasone suppression test),
  (ACTH), FSH, LH, estradiol (E2) or testosterone, TSH, free T4, α-subunit 등

(3) 면역조직화학염색(IHC)
- 수술 뒤 얻은 검체로 임상양상 및 호르몬 검사 결과의 확인 가능
- 진단이 불확실하거나, 비기능성(nonfunctioning) 종양의 확진 가능

5. 치료

(1) 수술
- prolactinoma (lactotroph adenoma)를 제외하고는 수술이 원칙
- 대부분 <u>transsphenoidal surgery</u>^{경접형골/접접골[나비뼈]경유 수술}로 시행 (두개강을 침범하지 않는 장점)
  - endonasal approach, endoscopic surgery
  - Cx ┌ 일시적(~20%) ; CSF leak, DI, inappropriate ADH secretion, arachnoiditis, 출혈 등
       └ 영구적(~10%) ; DI, hypopituitarism, optic nerve injury, CNS damage 등
- frontal or middle cranial fossa, optic nerves 침범시에는 craniotomy^{개두술} 고려

(2) RTx.
- 수술/약물치료에 실패시, 수술의 금기 or 수술 거부시 등에만 사용
- stereotactic radiosurgery (SRS) ; gamma knife 등으로 한 번에 강력한 방사선 조사
  └ Ix ; 종양이 optic pathway^{시각경로}에서 3~5 mm 이상 떨어져 있고, 크기가 3 cm 미만인 경우
- optic pathway에 가깝거나 크기가 큰 종양은 fractionated RTx. (여러 번 나누어 조사)
- Cx ; hypopituitarism (흔함, 20~30%) / 드물게 시각경로 손상, 뇌신경 손상, 2차 종양 등

■ Nonfunctioning (& Gonadotropin-producing) pituitary adenoma ★
- 흔한 pituitary adenoma (약 1/4 차지), 남>여, 나이가 들수록 증가
- 진단시 대개 macroadenoma, 대부분 gonadotroph cells에서 유래
- 대부분 무증상, CT or MRI 검사 중 우연히 발견됨
- <u>dynamic pituitary reserve test</u> (stimulation/suppression) 시행! → 기능성 종양인지 확인
- Sx ; mass effects (e.g., 두통, 시각장애), hypopituitarism의 증상

- 호르몬 과다에 의한 증상은 거의 일으키지 않고, 대신 pituitary stalk 압박 등에 의한 호르몬 결핍 [GH↓(m/c), LH↓(→ hypogonadism)]과 prolactin 약간 상승이 흔함!
- 소량의 FSH 분비 (but, 호르몬 작용은 없음) 및 testosterone 감소가 특징적
- free α-subunit↑ (10~15%에서), free FSH β-subunit↑ → tumor marker로도 이용됨
- paradoxical response to TRH : gonadotropins or subunits (e.g., LH β)↑ [정상인에서는 無]
- Tx
  - 증상이 없고 시각상실의 위험이 없는 microadenoma ⇨ 정기적인 MRI + 시야검사로 F/U
  - macroadenoma ⇨ 수술(trans-sphenoidal surgical resection)!
    ; 시각장애는 약 80%에서 호전되지만, hypopituitarism (호르몬 결핍) 호전은 적음!
  - 수술 이후 종양이 남아있는 경우 ⇨ adjuvant RTx.
  - dopamine agonist나 somatostatin analogues는 거의 효과 없음

■ Null cell pituitary tumor
- pituitary tumor의 약 10% 차지, 남성 및 폐경후 여성에서 호발
- mass effects (시야결손, 두통 등), hypopituitarism, prolactin만 약간 상승 (∵ pituitary stalk 압박)

■ TSH-secreting adenoma (Pituitary hyperthyroidism)
- 드묾 ; pituitary adenoma의 1~3% ((hyperthyroidism의 1% 미만 차지)
- 대부분 macroadenoma (→ mass effects 동반) & locally invasive
- TSH : LH 및 FSH와 구조 비슷 (→ α-subunit 공유), 분비의 변화 폭이 적고 반감기가 김
- TSH 분비↑ ⇨ T$_3$↑, T$_4$↑ ; hyperthyroidism, diffuse goiter
- "inappropriate/nonsuppressed TSH secretion" (갑상선호르몬↑ & TSH ↑~N)의 D/Dx
  - TSH-secreting tumor : TRH에 대한 TSH의 반응 거의 없음, α-subunit↑
  - pituitary resistance to thyroid H. : TRH에 대한 TSH 반응 정상/증가, AD 유전, 갑상선호르몬 β receptor의 mutation 때문
  - dysalbuminemic hyperthyroxinemia syndrome : 혈청 갑상선호르몬 결합단백의 mutation 때문
- 30%에서는 다른 호르몬도 함께 분비 (GH, prolactin)
- TSH의 α-subunit ↑↑ (α-subunit/TSH > 1)
- Tx
  ① 수술(transsphenoidal resection) : TOC
    - microadenoma의 대부분과 macroadenoma의 50~60% 완치됨
    - 우선 3~4개월의 약물치료(e.g., somatostatin analogue)로 euthyroidism 상태를 만든 뒤 수술
    - somatostatin ananlogue를 사용 못하면 dopamine agonist (bromocriptine, cabergoline) 고려
    - hyperthyroidism 증상 조절을 위해 β-blocker, 항갑상선제 사용 가능
      (항갑상선제는 TSH↑ & 종양 크기↑ 위험으로 수술 직전에만 단기간 고려)
  ② somatostatin ananlogue (e.g., octreotide) ; 수술 전처치 & 수술 이후 residual dz. 치료에 사용
    - 대부분 euthyroidism (T$_3$, T$_4$ 정상화) 획득, TSH & α-subunit 50% 이상에서 정상화
    - 50~60%에서 갑상선 크기 감소, 시야장애는 75%에서 개선됨
  ③ 갑상선절제(thyroidectomy) ; 약물 치료가 실패한 symptomatic goiter 환자에서 고려

성장호르몬 (Growth hormone, GH)

1. 생리학

Growth Hormone 분비의 조절

종류	분비 촉진	분비 억제
시상하부	GHRH	Somatostatin (SRIF)
Amines	α_2-agonist (norepinephrine, clonidine) β-blocker (propranolol) Dopamine agonists 　(levodopa, bromocriptine, apomorphine) Serotonin agonist (L-tryptophan)	β-agonist α_2-blocker (yohimbine) Dopamine blockers (chlorpromazine) Serotonin blockers (methysergide, 　cyproheptadine)
호르몬	IGF-I 감소 (e.g., LC) Vasopressin Estrogen, Glucagon[†], Ghrelin	IGF-I 증가 (e.g., obesity) Progestogens Glucocorticoids (chronic)*
영양소	Hypoglycemia[†] Free fatty acids 감소 Amino acid (L-arginine)[†]	혈중 glucose 증가 Free fatty acids 증가
기타	Sleep (deep sleep onset)[†] Exercise, stress, trauma, sepsis 등[¶] Chronic malnutrition or fasting Cholinergic (muscarinic) stimuli 　(pyridostigmine [acetylcholinesterase inhibitor])	Muscarinic cholinergic antagonists 　(atropine) REM sleep Obesity

* glucocorticoids는 초기에는 GH 분비를 자극
[†] cholinergic stimulation을 통할 것으로 추정　[¶] α-adrenergic stimulation을 통할 것으로 추정

- somatotroph cells에서 분비 (전체 ant. pituitary cells의 50% 차지), 나이가 들수록 분비 크게 감소
- pulsatile secretion, half-life 20~30분, 밤에 잠들기 시작할 때 최고 level
  (일일 전체 분비량은 여자가 더 많음, pulsatility는 남자가 더 높음)
- GH의 생리적 효과의 많은 부분은 IGF-I에 의해 간접적으로 발현됨
- IGF-I (insulin-like growth factor I, somatomedin C)
  - GH의 자극에 의해 주로 간에서 합성됨 (GH↑ → IGF-I 분비↑, IGF-I 운반단백 [IGFBP3]↑)
  - GH 분비의 (-) feedback으로도 작용 (e.g., LC 환자 : IGF-I↓ → GH↑)
  - GH excess의 진단에 이용됨 (↔ GH deficiency의 진단에는 부족함!)
  * hypocaloric state (e.g., cachexia, malnutrition, sepsis) : GH resistance 유발 → IGF-I↓
- insulin에 대한 GH의 작용
  ① sugar uptake와 fatty acid release에는 antagonist 작용 (counter-regulatory H.)
  ┌ GH deficiency → insulin-induced hypoglycemia
  └ GH excess → insulin resistance
  ┌ hypoglycemia → GH 분비↑
  └ hyperglycemia → GH 분비↓　(but, type 1 DM에서는 paradoxical GH↑)
  * lipolysis 촉진 → circulating fatty acid↑ (→ 복부 지방↓)
  ② amino acid uptake에는 agonist 작용 (anabolic effect) → 단백 합성 촉진

2. GH excess : 말단비대증(Acromegaly) & 거인증(Gigantism)

(1) 개요

- GH-secreting pituitary adenoma (somatotroph adenoma)가 대부분의 원인 (98%)
  - functioning pituitary adenoma중 두 번째로 m/c
  - 약 40%에서 guanine nucleotide stimulatory protein α subunit (Gs-α) gene의 mutation 有
  - 대부분 macroadenoma (75~80%) (c.f., Cushing's dz.나 prolactinoma는 microadenoma)
       ↳ mass effect에 의한 다른 pituitary hormones 분비↓ 가능 (e.g., gonadotropins)
  - mixed tumors도 흔함 (25%) : 다른 호르몬도 같이 분비 (주로 prolactin)
  - 30~40%에서 hyperprolactinemia 동반 → hypogonadism & galactorrhea도 흔함
    - GH & PRL를 동시에 분비하는 adenoma ; serum PRL 대개 >200 ng/mL (μg/L)
    - 종양의 pituitary stalk 압박 (∵ PIF↓) ; serum PRL 대개 <200 ng/mL (μg/L)
- 서서히 진행하는 드문 질환, 30~40대에 호발, 남=여, 젊을수록 tumor size 크고 aggressive
- tumor size와 GH or IGF-I level은 상관관계가 없음
- 드물게 GHRH 분비 종양에 의해서도 발생 가능 ; hypothalamic hamartoma, choristoma, ganglioneuroma, bronchial carcinoid, pancreatic islet cell tumor, SCLC, adrenal adenoma, MTC, pheochromocytoma ...

(2) 임상양상

1. Musculoskeletal 　손/발의 말단 비대 (m/c) 　턱나옴증(prognathism) 　이마돌출(frontal bossing) 　근력약화(proximal myopathy) 　관절통/관절염 　Carpal tunnel syndrome, kyphosis	5. Neuropsychiatric 　두통, 졸림 　시야장애
	6. Cardiopulmonary 　고혈압 (30~40%) 　심비대, 심근병증, 부정맥, HF, CAD 　수면 무호흡증 (obstructive + central): >60%
2. Cutaneous 　피부주름 증가 (예: 이마) 　연조직 두께 증가 　피부연성유종(쥐젖, skin tags) 　기름진 피부, 다모증(hypertrichosis) 　다한증(hyperhidrosis) ; 악수할 때 축축 　흑색가시세포증(acanthosis nigricans)	7. Metabolic 　Glucose intolerance or DM 　Hypercalciuria 　Hyperphosphatemia
	8. 기타 　Goiter (40~80%) 　Colonic polyps (33%) 　Inguinal hernia (33%) 　Nasal polyp (15%) 　Sinusitis 　Generalized organomegaly (기능은 정상) 　Heat intolerance 　체중 증가 　굵고 울려 퍼지는 목소리 　쉽게 피곤함
3. Oral/dental (adjectival, as at) 　부정교합(malocclusion) 　이빨 사이의 간격 증가 　혀 비대(macroglossia), 입술 비대	
4. Reproductive : Hypogonadism (약 1/2) 　성욕감퇴, 발기부전 　희발월경(oligomenorrhea) 　젖분비과다(유루증, galactorrhea) - 여성에서	

- bony & soft tissue enlargement 발생 (손/발의 말단 비대, 턱나옴증, 이마돌출 등)
- 성장판/골단 폐쇄(epiphyseal closure) ┌ 이전 발생시 (소아/청소년) → gigantism
　　　　　　　　　　　　　　　　　　　└ 이후 발생시 (성인) → acromegaly
- insulin resistance (80%) → insulin level↑ ; glucose intolerance (50%), clinical DM (25%)
- hypercalciuria (∵ 1,25(OH)$_2$ vitamin D의 증가 때문에) → renal stone (25%)

- hypercalcemia ; acromegaly 자체에 의한 것이 아니라,
  primary hyperparathyroidism (MEN type 1)에 의한 것임
- serum phosphate↑ (50%, ∵ renal tubular reabsorption 증가로)
- HTN (1/3에서) : plasma volume & total-body sodium 증가로 (∵ sodium & water retention)
  (→ renin & aldosterone은 감소)
- 심혈관질환 (30~40%) ; HTN, LVH, diastolic dysfunction (HF), cardiomyopathy, arrhythmia
- upper airway obstruction, OSA (>60%)
- hyperprolactinemia (30~40%) ; galactorrhea, amenorrhea, libido 감소, hirsutism
  (hypogonadotropic hypogonadism)
- 갑상선비대(goiter) 흔함 (∵ IGF-1↑ 등), 갑상선기능은 대개 정상!, hyperthyroidism (3~7%),
  일부는 mass effect에 의한 central hypothyroidism도 가능
- <u>colon polyp</u> (1/3) → 대장암의 위험이 높으므로 50세 이상에서 skin tag가 있는 환자는
  colonoscopy로 screening할 것을 권장
- 일부에서는 골다공증도 발생 가능 (∵ mass effect → hypogonadism → bone turnover↑)

(3) 검사소견

① basal GH level or random GH level
- GH의 pulsatile secretion 때문에 진단/선별검사에 도움 안됨!
- 정상에서도 상승되어 있을 수 있음
  (특히 여자, 운동, 수면, 스트레스, 신부전, uncontrolled DM, sepsis 시에)

② insulin-induced hypoglycemia, arginine, GHRH에 의한 GH 상승폭 증가

③ paradoxical response
- TRH, GnRH 투여시 GH↑ (정상에선 반응 없음)
- dopamine (L-dopa, bromocriptin) 투여시 GH↓ (정상에선 GH↑)

④ 다른 호르몬
- <u>prolactin</u> : 25~30%에서 GH와 같이 상승되므로 반드시 측정!
- 종양의 mass effects에 의해 gonadotropins, sex steroids, thyroid H. 등이 떨어질 수 있음

⑤ 영상검사
- conventional skull x-ray or sellar coned-down view (90% 이상 비정상)
  : skull thickening, sinus와 air cell 비대, prognathism
- MRI : 더 잘 보이고 치료계획을 위해 필요 (90%에서 pituitary tumor)

(4) 진단

① serum <u>IGF-I</u> level↑ ⋯ 선별검사로 유용
- 24시간 GH 분비량 및 dz. activity와 비례 (e.g., hand volume, heel pad thickness, 사망률)
- 전형적인 증상 + IGF-I level 확실히 증가되었으면 진단 가능

② <u>oral glucose tolerance test (OGTT)</u> (= glucose loading GH suppression test) ⋯ 확진!
- glucose 75 g 경구 투여 1~2시간 뒤 serum GH level 1 μg/L (ng/mL) 이상이면 진단
  (acromegaly 환자의 85% 이상은 2 μg/L 이상을 보임)
- 새로운 ultrasensitive 검사에서는 정상인은 GH level 더 낮게 억제되므로 감별에 도움
- but, 약 20%에서는 paradoxical GH level↑ 보임, 치료 후 완치 판정 때도 이용 가능

(5) 예후

- 서서히 진행하여, 자연관해도 올 수 있음
- 전체적인 사망률은 3~4배↑ → 치료 안하면 평균 10년 수명 감소
- 주요 사망원인 : 심혈관 및 뇌혈관 질환, 호흡기 질환, 악성종양 ...

(6) 치료

① 치료 목표

  ① 완치 [기준] : IGF-I 정상화, OGTT 뒤 GH <1 μg/L

  ② tumor size 감소 또는 안정화

  ③ 정상 pituitary function의 보존

② 수술 : trans-sphenoidal surgical resection (TOC)

- 치료 효과 빠르다 : GH level은 1시간 내에, IGF-I level은 3~4일 내에 정상화됨!

   (soft tissue swelling은 즉시 회복되지만, bony enlargement는 회복 안됨!)

- 완치율 (종양 크기가 작을수록 높음) ; microadenoma ~70%, macroadenoma <50% /

   치료전 GH level <40 μg/L → 75% / 치료전 GH level >40 μg/L → 35%

- 재발이 흔함 (∵ macroadenoma라 다 떼어낼 수 없어서) : 최대 10%

   ┌ GH response to OGTT : 완치여부 판정에 유용
   └ GH response to TRH : 재발가능성 예측에 유용

- 15%에서 hypopituitarism 발생

③ 내과적 치료

  ① somatostatin analogues (DOC)

내과적 치료(somatostatin analogue)의 적응증
1. 매우 큰 macroadenoma의 수술 전 크기 감소 (adjuvant therapy)
2. 심한 증상의 빠른 완화
3. 수술이 불가능한 노인 환자
4. 수술 실패 or 거부시

   ┌ octreotide (SC, 반감기 2시간), lanreotide (IM, 10~14일 지속)
   └ long-acting (6주 지속, 1회/월 투여) ; octreotide-LAR(IM), lanreotide-LAR (SC)

- 기전 : SSTR$^{somatostatin\ receptor}$2와 SSTR5 (GH-분비 종양에 多)를 통해 GH 분비 억제
- 60~70%에서 수일~수주 이내에 증상(두통, 연조직비후, 다한, 수면무호흡, 심부전 등) 호전
- 70%에서 GH level <5 μg/L (60%에서는 <2 μg/L), 75%에서 IGF-I level 정상화
- 40~50%에서 tumor size 감소 (치료 중단 시엔 다시 커짐)
- 장기간 사용해도 desensitization은 없음

  * pasireotide (Signifor®) ; 2세대 somatostatin analogue (주로 SSTR5에 작용), 1세대가 효과

    없는 경우 고려 (1회/월 IM), glucose intolerance 및 DM 발생 위험이 높으므로 주의

  ② GH receptor antagonists (pegvisomant) : GH의 변형체(mutated GH molecule), 매일 SC

- 말초에서 GH이 GH receptor에 결합하는 것을 방해 → 90% 이상에서 IGF-I 정상화!

   (GH level은 변화 없음 / 종양 크기는 더 커질 수 있으므로 IGF-I & MRI F/U 필요)

- long-acting somatostatin analogue와 병합 투여시 효과 증가 → 불응성 환자에 효과적

③ **dopamine agonists** ; <u>cabergoline</u> (m/g), bromocriptine
  • somatostatin analogs보다는 효과 적음, prolactin도 같이 분비할 때 효과적
  • 임상적인 호전은 90%에서 보이나, GH level이 5 μg/L 이하로 감소되는 경우는 20%,
    IGF-I 정상화는 10%에서 뿐 / tumor size 감소는 드묾
  • 경구 복용이 장점, IGF-I level이 낮은 작은 종양에서는 수술 대신 초치료로도 고려 가능

④ **방사선 치료**
  • primary tx.로는 권장 안됨 (3rd Tx.) : 치료효과(호르몬 level 정상화) 느리고 (5~10년),
    hypopituitarism 합병이 흔하기 때문 (→ ~40%에서 replacement Tx. 필요)
  • 적응 ; 수술과 내과적 치료에 실패시, 수술의 금기 or 수술 거부시
  • conventional external RTx., high-energy stereotactic radiosurgery, or fractionated RTx.

수술
↓ 실패 or 불가능
Somatostatin analogue
↓ 실패
용량↑, GH receptor antagonist or dopamine agonist 추가
↓ 실패
RTx, 재수술, GH receptor antagonist

3. Adult GH deficiency (AGHD)

  • 원인 ; hypothalamic or pituitary somatotroph damage (e.g., 외상, 수술, RTx, 종양)
  • 임상양상
    – 체성분 변화 ; 체중 증가, fat mass (특히 복부지방)↑, lean body mass (지방제외체중, 근육)↓
    – bone mineral density↓ (→ fracture↑), hyperlipidemia, atherosclerosis, LV dysfunction, HTN,
      plasma fibrinogen↑ 등 ⇨ cardiovascular mortality 3~4배 증가
    – 운동 능력↓, 삶의 질↓, 우울증 ...
  • 유년기에 GH 결핍으로 치료를 받은 환자의 ~20%는 성인이 되어 검사하면 충분한 GH level을 보임
  • 진단 (GH의 pulsatile secretion 때문에 어느 한 시점의 GH level은 진단에 사용×)
    ① serum IGF-I ↓ (AGHD의 ~25%에서는 low-normal을 보이므로 확진에는 부족함)
    ② GH 분비 자극검사(stimulation test) : peak GH response가 3 μg/L 미만이면 진단
      – 권장 ; GHRH-GHRP-6, arginine-GHRH, macimorelin (ghrelin receptor agonist) 등
      – 기타 ; insulin-induced hypoglycemia, L-dopa, arginine glucagon 등
  • 치료 : 확진되면 GH 보충 고려 (비용-효과, 부작용, 주사 불편함 등을 고려하여 선택적으로)
    – long-term GH 치료의 효과 (기대만큼 효과가 큰 건 아니므로 무조건 치료하는 건 아님)
      ; lean body mass↑, fat mass↓, HDL↑ (but, total cholesterol과 insulin은 큰 변화 없음),
        bone mineral density↑ (남자만), 삶의 질 개선, 일부 심장기능 호전 등
    – C/Ix ; active malignancy, intracranial HTN, uncontrolled DM & retinopathy
    – Cx ; peripheral edema (fluid retention), arthralgias, carpal tunnel syndrome, paresthesias,
      glucose intolerance (type 2 DM 환자는 복부지방 감소에 따라 혈당조절 개선 가능)
    – 치료효과 monitoring : serum <u>IGF-I</u> level
    – 여성에서는 dose↑, 노인에서는 dose↓ / GH resistance 시에는 IGF-I 투여

■PROLACTIN (PRL)

1. 생리학

- lactotroph에서 분비 (전체 ant. pituitary cells의 약 20% 차지 → 임신시는 70%까지 증가)
- GH와 구조 약간 비슷 (lactotroph와 somatotroph는 같은 전구세포에서 유래)
- 임신중 pituitary size 2배 증가 (∵ estrogen 때문, postpartum lactation 준비) → 출산뒤 정상화
- 정상 serum prolactin level : 10~25 μg/L (여), 10~20 μg/L (남)
- pulsatile secretion, half-life 약 50분, REM sleep 때 분비 최대 (오전 4~6시에 peak level)
- 정상 상태에서 prolactin의 분비는 hypothalamus에 의해 <u>억제됨!!</u>
  (hypothalamic prolactin inhibitory factor [PIF] : 주로 **dopamine**)
  ⇨ hypothalamic destruction, suprasellar & parasellar mass (∵ pituitary stalk 압박),
     pituitary stalk의 손상 등 때 prolactin 분비는 증가됨 (다른 호르몬은 다 감소!)
- <u>prolactin 분비</u>
  - 촉진 : TRH, methyldopa, arginine, chlorpromazine, cimetidine, VIP, estrogen, sucking, stress ...
  - 억제 : **dopamine** (L-dopa, bromocriptine), glucocorticoids, thyroid hormone, endothelin,
    calcitonin, opiate antagonist (e.g., naloxone), serotonin antagonist (e.g., methylsergide) ...

2. 고프로락틴혈증(hyperprolactinemia)

(1) 원인 ★

┌───┐

① **생리적 원인**
  <u>임신</u>, <u>수유(첫 6주)</u>, 상상임신(pseudocyesis), 유두자극, 성교, 수면, 음식섭취, 운동, <u>스트레스</u>(수술, 마취, MI 등)

② **약물**
  1. Dopamine receptor antagonists ; Phenothiazines (<u>chlorpromazine</u>, perphenazine), Butyrophenones
     (haloperidol), Thioxanthines, <u>Metoclopramide</u>, Sulpiride, <u>Risperidone</u>
  2. Dopamine 합성 억제제 ; α-<u>Methyldopa</u>
  3. Catecholamine depletors ; Reserpine
  4. 항우울제 ; TCA (e.g., imipramine, amitriptyline, amoxapine), <u>SSRI</u> (e.g., fluoxetine, sertraline, escitalopram)
  5. 호르몬 ; Estrogens, 경구피임약, Antiandrogens, TRH
  6. Opiates, Narcotics, Nicotine, H₂-RA (e.g., cimetidine, ranitidine), Verapamil (∵ dopamine 분비 억제)

③ **질병**
  1. Pituitary tumors
     <u>Prolactinoma</u> (PRL >100 μ g/L의 m/c 원인)
     Adenomas secreting GH & prolactin (<u>acromegaly</u>)
     Adenomas secreting ACTH & prolactin (Nelson's syndrome and Cushing's disease)
     <u>Adenoma의 pituitary stalk 압박</u> (∵ PIF↓)
  2. Hypothalamic-pituitary stalk disease
     Granulomatous diseases (e.g., sarcoidosis, histiocytosis X)
     Tumors (e.g., craniopharyngioma, meningioma, metastasis)
     Vascular abnormalities (aneurysm 포함), <u>Lymphocytic hypophysitis</u>
     Cranial irradiation, Stalk section, <u>Empty sella syndrome</u>
  3. Primary <u>hypo</u>thyroidism (∵ TRH↑)
  4. <u>Chronic renal failure</u> (∵ PRL 청소율↓)
  5. <u>Cirrhosis</u>, Chest wall stimulation or trauma (e.g., post-surgery, herpes zoster), Seizures

└───┘

■ **Prolactinoma**

- m/c pituitary adenoma (40~45%), 20~40세 여성에서 호발, 거의 다 benign tumor
  - microadenoma (<1 cm) ; 대부분, 남:여 = 1:20
  - macroadenoma (≥1 cm) ; 남:여 ≒ 1:1, local invasion도 가능
- PRL level은 대개 tumor size와 비례함
- 남자의 tumor가 더 큼 (∵ 특별한 Sx이 없어서 늦게 발견되므로)
- microadenoma가 macroadenoma로 자라는 경우는 드물다! (약 5%)
- mixed tumors도 有 (e.g., GH + PRL, ACTH + PRL) → 확진 : 면역조직화학염색(IHC)
- 대부분은 sporadic, 드물게 MEN1의 일부로 발생 가능

(2) 임상양상

- hypogonadism ; oligomenorrhea or amenorrhea, irregular menses, infertility (anovulation)
  (∵ prolactin이 GnRH를 억제하므로)
- galactorrhea (젖흐름증, 유루증) ; 덜 흔함(24~80%), 대개 bilateral
- libido 감소, vaginal dryness, dyspareunia, osteopenia, 체중증가
- bone mineral density 감소, hirsutism[남성형다모증] (∵ estrogen↓)
- 두통, 시야장애 (양이측반맹[bitemporal hemianopsia]이 m/c)

* 남성 ; libido 감소, impotence, 정자생산↓ (∵ testosterone↓, LH & FSH↓), 두통,
  시신경 압박으로 인한 시야장애 등이 주요 증상 (gynecomastia나 galactorrhea는 드묾)

(3) 감별진단

① pregnancy : 약 10배까지 상승, 보통 prolactin <200 μg/L
② drugs (경미한 PRL↑의 m/c 원인) : 보통 prolactin <100 μg/L
③ hypothalamus & pituitary stalk dz. : prolactin <150 μg/L (보통 30~100)
④ primary hypothyroidism : TRH↑ (→ prolactin↑, ant. pituitary 커질 수)

* *prolactinoma*
  ⓐ prolactin >200 μg/L면 diagnostic! (다른 원인 없이 100 μg/L 이상은 대개 prolactinoma)
    - prolactin level은 tumor size와 비례함!
    - dopamine agonist 투여는 원인에 관계없이 prolactin level을 낮추므로 도움 안 된다
  ⓑ TRH stimulation test (prolactin response to TRH) : 정확하진 않음
    - prolactinoma : 반응 없거나 소량 증가
    - 다른 원인 or 정상 : 2배 이상 증가
  ⓒ sellar MRI : 다른 원인들을 R/O한 뒤, adenoma를 확인하기 위해 시행
    - microadenoma는 발견하기 어려우므로 screening test로는 유용 하지 않다
    - bromocriptine 치료로 size 감소 보임

* DDx 위한 검사 ; 약물복용력조사, 임신반응검사, 갑상선기능검사, 신장기능검사, 간기능검사 등

(4) Prolactinoma의 치료

① 치료의 대상

(1) macroadenoma : 대부분 치료 필요

(2) microadenoma : 모두 치료가 필요한 건 아님 (약 30%는 자연 호전됨)

  • Ix. ┌ 크기가 증가하는 경우
  │ 임신이나 규칙적인 생리(mense)를 원할 때
  │ libido 감소, acne, hirsutism, 심한 galactorrhea
  └ osteoporosis 발생 위험시 (amenorrhea, 남자의 hypogonadism)

  • 아무런 증상이 없고 임신을 원하지 않으면 치료 안 해도 됨 (∵ macroadenoma로 진행 드묾)

② dopamine agonists

  • 모든 원인의 hyperprolactinemia에서 first TOC! (macroadenoma 포함)

    → 대부분 증상 호전 & adenoma 크기 감소 (생리가 회복된 여성의 fertility rate는 정상임)

  • 치료효과 monitoring : 임상증상, PRL level, tumor size (by MRI)

  • PRL level이 정상(<20)으로 감소되고 tumor size가 줄어든 뒤에도 최소 2년 이상 유지요법
    (MRI 상 adenoma가 2년 이상 안 보이는 경우에는 dopamine agonist 중단 시도)

  • 약 20%는(특히 남자) dopamine agonist 치료에 저항성 (∵ receptor↓ or postreceptor defect)

  • 부작용 ; 변비, 코막힘, 구강건조, 악몽, 불면증, 현기증, N/V, postural hypotension
    (GI trouble이 심하면 intravaginal bromocriptine tablet 투여)

(1) cabergoline : D_2-specific, long-acting ergot dopamine agonist (e.g., 0.5~1.0 mg 2회/주)

  – bromocriptine보다 효과 좋고 부작용 적어 초치료로 선호됨

  – microadenoma의 ~80%, macroadenoma의 ~70%에서 PRL level 정상화(<20 μg/L)

  – mass effect (두통, 시야장애)는 며칠 이내, 성기능은 몇 주 이후 호전됨

  – PRL level 정상화 이후에는 최저 용량으로 유지 치료함

  – 2 mg/week 이상의 용량이 필요하면 2년마다 심초음파 F/U 권장

  – 반감기가 길므로 임신을 원하는 환자에게는 권장 안됨

(2) bromocriptine : short-acting (e.g., 2.5 mg tid) ⇨ 임신을 원하는 환자에서 선호됨

  – microadenoma 및 macroadenoma의 ~70%에서 PRL level 정상화

  – 반응이 없거나 부작용이 심할 때에는 cabergoline으로 대치

(3) 기타 ; quinagolide (non-ergot dopamine agonist, 2nd line, 심장판막역류 발생×)

③ 수술 : transsphenoidal surgery

  • Ix. ┌ dopamine agonist에 반응이 없거나, 복용이 불가능할 때
  │ macroadenoma인 여성이 임신을 원하지만 bromocriptine의 부작용을 견디지 못할 때
  └ rapidly-growing macroadenoma, persistent visual field defect

  • 수술 성공률 (PRL 정상화) : microadenoma는 약 70%, macroadenoma는 약 30%

  • ~20%에서 1년 이내에 hyperprolactinemia 재발 (macroadenoma는 장기 재발률 50% 이상)

    → 수술 뒤에도 long-term bromocriptine 치료 필요

④ 방사선 치료

  • 치료효과 제한적, 다른 호르몬의 결핍을 일으킬 수 있으므로 거의 사용 안함

  • Ix : dopamine agonist and/or 수술에 반응 없는 large, aggressive tumor

⑤ **임신시의 치료**

- 임신 중 prolactinoma의 크기는 일부에서 증가됨 (∵ estrogen↑ 등)
  ; microadenoma는 드묾(3~5%), macroadenoma는 15~30%에서
- dopamine agonist (e.g., bromocriptine)는 임신이 확인되면 중단함! (비교적 안전하기는 하지만)
- 1~3개월마다 시야장애 및 두통 평가 → 두통이 심하거나 시야장애시 MRI 시행
  c.f.) 주기적 PRL level 검사는 권장 안됨 (∵ 임신 중 안 올라갈 수도, 종양 크기와 비례×)
- 종양 크기 증가가 확인되면 dopamine agonist 재투여 시작 (종양 크기에 관계없이)
  ; bromocriptine or cabergoline (bromocriptine에 반응 없으면 cabergoline 시도)
- dopamine agonists에 반응이 없고 시야장애가 심하면 2nd trimester에 수술
  (3rd trimester면 조기분만이 가능할 때까지 수술 연기)
- 출산 이후에도 수유를 위해 증상(e.g., 시야장애)이 없으면 dopamine agonist는 중단 권장

* acromegaly와는 달리 prolactinoma는 약물(dopamine agonist) 치료가 choice임!

뇌하수체(기능)저하증 (Hypopituitarism)

1. 원인

선천성(congenital)	후천성(acquired)
Pituitary aplasia/dysplasia	Tumors
Septo-optic dysplasia (*HESX-1* mutations)	Large pituitary adenomas (m/c)
; hypothalamic dysfunction, hypopituitarism	Hypothalamic tumors ; craniopharyngioma, germinoma,
→ GH 결핍, TSH 결핍, central DI	chordoma, meningioma, glioma ...
Tissue-specific factor mutations	Pituitary metastasis (e.g., breast, lung, colon ca.)
PROP-1 mutations (선천성의 흔한 원인)	Primary pituitary carcinoma, Lymphoma/leukemia, Rathke's cyst
; panhypopituitarism	Infiltrative/Inflammatory diseases
PIT-1 mutations ; GH, PRL, TSH 결핍	Lymphocytic hypophysitis (autoimmune)
TPIT mutations ; ACTH 단독 결핍	Eosinophilic granuloma
Developmental hypothalamic dysfunction	Hemochromatosis, Amyloidosis, Sarcoidosis,
Kallmann syndrome (*KAL* 등의 mutations)	Histiocytosis X, Granulomatous hypophysitis
; GnRH 단독isolated 결핍 →	Vascular diseases
gonadotropin deficiency (→ 9장 참조)	Pituitary apoplexy (pituitary infarction)
Bardet-Biedl syndrome (BBS)	Sheehan's syndrome (postpartum pituitary infarction)
Laurence-Moon syndrome (LMS)	Diabetic peripartum necrosis
Leptin & leptin receptor mutations	Vasculitis (temporal arteritis, Takayasu's arteritis)
Prader-Willi syndrome	Carotid aneurysm, DIC, HFRS, Sickle cell disease
Pituitary gonadotropin deficiency	Destructive-traumatic events
; GPR54, kisspeptin (GnRH receptor),	Trauma (head injury), Surgery, Radiation
DAX-1, LH-β or FSH-β subunit 등의	Stalk section
proteins gene mutations	Infection
Primary empty sella syndrome	Fungal (histoplasmosis, *Pneumocystis carinii/jiroveci*)
Congenital CNS mass	Parasitic (toxoplasmosis), Tuberculosis, Syphilis
Encephalocoele	Idiopathic (?Autoimmune disease)

■ **Craniopharyngioma (두개인두종)**

• 보통 소아에서 발생 (20대 이상에서도 45%), 소아 뇌종양의 5~10% 차지, 남=여

• 태아의 뇌 형성 과정 중 Rathke's pouch 잔유물에서 유래

• 약 90%에서 hypopituitarism, 약 10%에서 DI 발생 (소아의 약 1/2은 성장지연도 동반)

• 흔히 large, solid or cystic, locally invasive / 상당수가 부분적으로 석회화되어 있음

• MRI/CT ; supracellar calcification, sellar enlargement, cysts

• Tx ; partial resection + RTx. / 대부분 평생 hormone replacement 필요.

■ **Lymphocytic hypophysitis**

• pituitary에 lymphocyte가 침윤되어 커지고 hypopituitarism이 발생, 원인 모름(자가면역?)

• 임신 말기와 출산 후 여성에서 호발

• Sx ; mass effect (e.g., 두통, 시야장애), hypopituitarism (e.g., ACTH↓, TSH↓, hypogonadism)

• DI, hyperprolactinemia, GH excess, autoimmune thyroiditis 등도 동반 가능

• MRI/CT에서 흔히 mass lesion으로 보임 (→ adenoma 등과 감별해야 됨)

• Tx ; glucocorticoid (심하면 수술도 병행)

■ **Pituitary apoplexy (뇌하수체 졸중)**

• 갑작스런 뇌하수체로의 출혈 or 뇌하수체의 경색에 의해 발생

 - 뇌하수체 종양을 가지고 있는 것을 모르던 환자에서 호발 (유발요인 없이도 발생 가능)

 - 유발요인 ; DM, HTN, 항응고제, 외상, shock, 뇌압의 변화, 임신, sickle cell anemia ...

• acute Sx ; 심한 두통, N/V, 시야장애/시력저하, 의식저하, 수막자극증(meningismus)

  (심한 경우 severe hypoglycemia, hypotension, CNS hemorrhage 등도 발생 가능)

• 후유증 ; hypopituitarism (ACTH↓에 의한 cortisol deficiency가 가장 빨리 발생)

 - ant. pituitary hormone 결핍이 흔함 (gonadotropin, ACTH, TSH 등)

 - 뇌하수체 기능은 대부분에서 정상으로 회복됨 (가역적)

• D/Dx : aneurysm rupture (→ CT, MRI, angiography)

• Tx. : acute pituitary apoplexy는 neurosurgical emergency

 - urgent surgical decompression (transsphenoidal) + high-dose glucocorticoid

 - 시력저하나 의식저하가 없는 경우는 high-dose glucocorticoid를 투여하며 F/U 가능

■ **Sheehan's syndrome (postpartum pituitary infarction)**

• 원인

 ┌ 임신중 pituitary gland 비대 (→ ischemia에 취약)
 └ 분만시 과다 출혈로 인한 hypotension, vasospasm으로 pituitary infarction 발생 → hypopituitarism

 - DM 환자는 과다 출혈이 없어도 infarction에 취약함

• 뇌하수체의 70~80% 이상이 파괴되어야 기능부전 발생, 대부분 서서히 증상 발생

• prolactin deficiency (젖이 안 나옴, 가장 초기 소견) → gonadotropin (FSH) deficiency (m/c, amenorrhea, infertility) → panhypopituitarism ; 대부분 출산 15~20년 뒤 증상 발생

• post. pituitary 침범(central DI)은 5% 정도로 드뭄 (∵ ischemia에 잘 견딤)

2. 임상양상

* tumors의 경우 "mass effects"도 존재
* hormone deficiency의 전형적인 순서 : GH → gonadotropin (LH, FSH) → TSH → ACTH
  - isolated GH or gonadotropin의 단독 결핍이 흔하다
  - 영구적인 ACTH or TSH deficiency는 드물다

(1) prolactin deficiency ; 산후 수유 불가능 (lactation 안됨)

(2) GH deficiency
  • 소아 : 성장지연(저신장), 지방량 증가
  • 성인 : 눈/입 주위 잔주름, 정신운동성 지연, 공복시 저혈당, 중심성 비만,
    DM 환자에서 insulin에 대한 sensitivity 증가, cardiovascular mortality 증가!

(3) gonadotropin (LH, FSH) deficiency
  • 여성 ; 월경장애, 무월경, 불임, 유방위축, 건성피부, 성욕감퇴, dyspareunia, osteopenia ...
  • 남성 ; 고환위축, 성욕감퇴, impotence, 음모손실, 근력저하, osteopenia ...

(4) TSH deficiency (hypothyroidism)
  • TSH, ACTH 결핍은 대개 hypopituitarism 말기에 나타남
  • 발육부전 (소아), 피로/무기력, 변비, 체중증가, cold intolerance, puffy skin, 창백, 정신작용지연,
    서맥, hoarseness 등 (goiter는 없음) / primary hypothyroidism 정도로 심해지는 않음

(5) ACTH deficiency (cortisol deficiency)
  • 피로/무기력, 식욕감퇴, 탈수, 기립성 저혈압, N/V, 피부/유두 탈색, 음모/액모의 손실,
    공복시 저혈당, hyponatremia (SIAD-like) ...
  • stress에 대한 비정상적인 반응 (fever, hypotension, hyponatremia), mortality ↑
  • renin-angiotensin-aldosterone system은 정상이므로 true adrenal crisis는 드묾
  • primary adrenal insufficiency (Addison's dz)와의 차이점
    ① mineralocorticoid의 분비는 유지됨 (cortisol과 androgen의 분비만 감소됨)
      → hyperkalemia나 Na⁺ loss는 일으키지 않는다
    ② hyperpigmentation 없이 창백한 피부색만 보임

(6) AVP deficiency (D.I.)
  • primary defects가 hypothalamus나 high pituitary stalk 일 때
    (anterior pituitary hypofunction과 mild hyperprolactinemia도 흔히 동반)
  • polyuria, 갈증 증가

(7) 일반적 증상
  • anemia : 갑상선호르몬과 남성호르몬 부족과 관련
  • 신경정신증상 : 정신작용지연, 무감각, 망상, 의심
  • 탄수화물대사 : hypoglycemia, DM 환자에서 insulin 요구량 감소

3. 진단

- 기저 뇌하수체 및 표적 호르몬 검사로 대략적인 pituitary function 파악
  ; TSH, free T4, cortisol, ACTH, prolactin, GH, IGF-1, LH, FSH, estradiol or testosterone 등
- 정확한 진단은 provocation tests로 pituitary hormone reserves 평가

호르몬	검사
Growth hormone	Insulin-induced hypoglycemia test (insulin stimulation) : m/c
	GHRH (or GHRP) stimulation test
	L-Dopa stimulation test
	L-Arginine stimulation test
Prolactin	TRH stimulation test
ACTH	Insulin-induced hypoglycemia test (insulin stimulation)
	CRH stimulation test
	Metyrapone stimulation test
	Cosyntropin (synthetic ACTH) stimulation test
TSH	TRH stimulation test
FSH, LH	LHRH (GnRH) stimulation test
	Clomiphene stimulation test

- panhypopituitarism 의심시에는 Cocktail stimulation test (복합 뇌하수체 자극 검사) ★
  - ┌ insulin-induced hypoglycemia (m/g) ⇨ GH, ACTH 분비 자극 (→ GH↑, cortisol↑)
  - │   (= insulin tolerance (stimulation) test, ITT)
  - │   ↳ RI 주사 후 저혈당 증상 & glucose 40 mg/dL 이하로 감소되어야 됨!
  - │ TRH (protirelin) ⇨ prolactin, TSH 분비 자극
  - └ LHRH (= GnRH) ⇨ LH, FSH 분비 자극

  - 투여 전/후로 glucose, GH, cortisol, prolactin, TSH, FSH, LH 측정
  - insulin 자극 ; adrenal insufficiency 의심 환자는 심한 저혈당이 유발될 수 있으므로 주의,
    심혈관질환, 뇌혈관질환, DM, seizure 환자는 저혈당 발생시 위험하므로 금기

4. 치료

※ multiple hormone replacement : 투여 순서 ★
  - ┌ 성인 : glucocorticoid (m/i) → thyroid hormone (→ sex hormone)
  - └ 소아 : glucocorticoid → thyroid hormone → GH → sex hormone

(1) ACTH deficiency (m/i) : 가장 먼저!

- cortisol 보충 ; hydrocortisone (m/c), cortisone acetate, prednisone
  ↳ 15~25 mg/day를 2~3번 나누어 투여 (cortisol의 정상 분비 양상처럼)
  - Addison's dz. 때보다는 필요량 적음
  - 수술, 외상, 발열 등의 스트레스 상황에서는 2~3배의 용량이 필요
- mineralocorticoid 보충은 필요 없다 (∵ renin-angiotensin-aldosterone axis는 intact)
- "adrenal crisis"시 → glucocorticoid + 5% glucose in normal saline

(2) TSH deficiency

- T4 ; levothyroxine (L-thyroxine), 증상 없어도 투여, free T_4 level로 치료효과 monitoring
- thyroxine을 먼저 투여하면 cortisol 분해를 촉진시켜 adrenal crisis를 유발 할 수 있으므로, 반드시 glucocorticoid를 먼저 보충해야 됨!

(3) gonadotropin (LH, FSH) deficiency

- 남성 : 임신이 필요 없으면 testosterone 보충 (gels, patches, injections)
  - oral testosterone ; methyltestosterone (효과 적고, 간 독성 때문에 권장×),
    testosterone undecanoate (lipophilic form으로 first-pass hepatic effect를 bypass)
  - serum testosterone level로 치료효과 monitoring (LH 아님)
  - 임신을 원하면 <u>clomiphene citrate</u> or gonadotropins (e.g., hCG, hMG) 투여
    (↳ hypothalamus에서 GnRH 분비 자극)
- 여성 : 임신이 필요 없으면 estrogen + progesterone 보충
  - conjugated estrogen or estradiol skin patch + progesterone or progestin
  - 임신을 원하면 ⇨ 배란 유도

    ┌ pituitary dz. (gonadotropins 결핍) → gonadotropins (e.g., hMG, recombinant FSH)
    └ hypothalamic dz. (GnRH 결핍) → pulsatile GnRH pump (90~120분 간격)

    　　　　　　　　　　　　　　　　　　　　 or gonadotropins

(4) GH deficiency

- 소아는 GH (somatotropin) 골단폐쇄 때까지 투여 (hypothalamic dz.시엔 GHRH가 효과적)
- 성인(adult-onset)은 대부분 GH 투여 권장 안됨 → 앞부분 참조

(5) prolactin : 필요없다

(6) post. pituitary (D.I.)

: desmopressin (DDAVP) intranasal or oral

공터키안/빈안장 증후군 (Empty sella syndrome^ESS)

1. 원인

- 선천적(primary) : pituitary를 덮고 있는 diaphragma sellae의 결함 (± IICP)
  - → suprasellar subarachnoid space가 sella 내로 herniation 됨
  - → 정상 pituitary는 납작해져서 작아지고, sella는 CSF로 채워져 커짐
    (sella의 확장 때문에 X-ray나 CT 상으로는 종양으로 오인 가능)
  - multiparity, obese한 중년 여성에서 호발 (남:여 = 1:5)
- 후천적(secondary) ; pituitary adenoma의 necrosis (ischemia or infarction), 외상, 수술, RTx, 감염

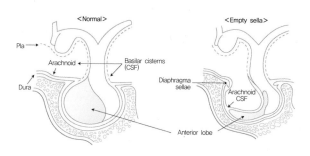

2. 임상양상

- primary ESS는 MRI 검사 중 우연히 발견되는 경우가 많음 (대부분 무증상)
- Sx ; 두통 (m/c), mild hyperprolactinemia (15%), galactorrhea, 불규칙 월경 등
  - 약 30%에서 HTN, 약 10%에서 spontaneous CSF rhinorrhea 동반
  - 시야결손(visual field defect) : optic chiasm이 herniation 되었을 때 발생
- 내분비기능은 대부분 정상, 일부에서 hypopituitarism 발생 가능
  ; isolated GH deficiency (m/c), PRL↑(∵ stalk 압박), 심하면 panhypopituitarism (드묾)

3. 진단 : MRI, CT

- MRI가 sella 내의 CSF를 더 잘 볼 수 있음 (empty & enlarged sella)
- MRI/CT로 진단되었으면 더 이상 자세한 검사는 필요 없다
- D/Dx
  $\left[\begin{array}{l}\text{primary empty sella : pituitary volume 정상}\\ \text{enlarged partially empty sella : pituitary volume 증가 (pituitary adenoma의 degeneration)}\end{array}\right.$
- sellar enlargement를 일으키는 질환 ; pituitary adenoma (bony erosion 보임), hypothalamic mass, cyst, aneurysm, primary hypothyroidism or hypogonadism, IICP, empty sella syndrome …

4. 치료

- 대개 경과관찰(reassurance)
- 수술(transsphenoidal surgery) ; 시야결손(optic chiasmal herniation), CSF rhinorrhea 시

항이뇨호르몬(ADH, AVP, vasopressin)

1. 합성

- ant. hypothalamus의 magnocellular region에서 합성 → post. pituitary로 운반
- 반감기 짧음(10~30분), 대부분 간과 신장에서 분해됨

> ■ Copeptin
> - vasopressin 전구체에서 함께 생성되는 물질
> - 기능은 아직 모름
> - 뇌하수체 후엽에서 vasopressin과 비슷한 자극에 의해 vasopressin과 같은 양으로 분비됨
> - vasopressin보다 반감기가 길어 안정적이고, 측정하기 간편 → vasopressin의 대리표지자(surrogate marker)로 유용
> - DI 원인의 감별진단에 매우 유용함
> - SIAD에는 도움 안 됨 (∵ 원인별로 증가 정도 겹침, 다른 원인들에 의한 증가)

Pre-pro-vasopressin

Signal peptide	AVP	Neurophysin II	Copeptin

↓

Pro-vasopressin

AVP	Neurophysin II	Copeptin

↓

Peptide products

AVP	Neurophysin II	Copeptin

2. 작용

(1) 항이뇨(antidiuretic) 작용 (m/i) : water retention & urine concentration
- G protein-coupled V_2 receptors를 통하여 작용
  (신장의 distal tubule과 medullary collecting duct에 존재)
- aquaporin 2로 구성된 water channels의 permeability↑ → hyperosmotic renal medulla에 의한 osmotic gradient에 따라 역확산 (water 재흡수) → 소변 농축 (소변량↓)

(2) 기타 작용 (고농도시)
- phospholipase C-coupled V_{1a} or V_{1b} receptors를 통하여 작용
- 혈관과 GI tract의 평활근 수축, 간에서 glycogenolysis 촉진, CRH를 통하여 ACTH 분비 촉진

3. vasopressin 분비의 조절

(1) **혈장 삼투압(effective osmotic pr.)**에 의한 조절 … 강력
- 주로 hypothalamus 내의 osmoreceptors에 의해 조절
- plasma osmolality 280 mOsm/kg, Na^+ 135 mEq/L 이상이 되면 AVP 분비가 시작되고, 각각 295, 143이 되면 maximum antidiuresis를 나타냄

(2) **체액량(volume)에 의한 조절** … 더 강력
  • hypovolemia → left atrium의 stretch receptors → AVP 분비 자극
  • blood volume 10% 이상 감소시 AVP 분비가 현저히 증가 (고삼투압에 의한 증가보다 10배까지 가능)
(3) 혈압에 의한 조절 (∵ AVP : 높은 농도에서는 혈관수축 작용 → 혈압 유지)
  • hypotension → carotid A. & aorta의 baroreceptors → AVP 분비 자극
  • 출혈에 의한 저혈압이 AVP 분비의 가장 강력한 자극 (→ 혈관수축 유발)
(4) 신경계에 의한 조절
  • hypothalamus의 neurotransmitters (역할은 명확하지 않음)
    ┌ AVP 분비 억제 ; GABA (gamma-aminobutyric acid)
    └ AVP 분비 촉진 ; acetylcholine, histamine, bradykinin, angiotensin II, neuropeptide Y
(5) 노화(aging) → plasma osmolality 상승에 따른 AVP 분비 반응 항진
(6) 약물의 영향
  • AVP 분비 억제 : ethanol, chlorpromazine, phenytoin, reserpine, 일부 narcotic antagonists …
  • AVP 분비 촉진 : nicotine, morphine, vincristine, vinblastine, cyclophosphamide, clofibrate,
    chlorpropamide, TCA …
(7) 기타 AVP 분비를 증가시키는 원인
  • 오심(nausea) : medulla의 emetic center를 통하여 작용
    → antiemetics (e.g., fluphenazine)로 방지됨
  • 급성 저혈당, glucocorticoid 결핍, 흡연, hyperangiotensinemia …
  • 통증 등의 유해 자극은 오심, 저혈압과 관련되지 않으면 AVP 분비에 영향 없음

■ water deprivation과 water load에 대한 AVP의 반응
  ┌ water deprivation → plasma osmolality↑ & volume↓ → AVP 분비 촉진
  └ water load → plasma osmolality↓ & volume↑ → AVP 분비 억제

요붕증 (Diabetes insipidus, DI)

1. 개요

(1) 정의
  : plasma osmolality (effective solute concentration)가 증가되어 있는데도 불구하고 신장이
    소변을 농축하지 못해 다량의 희석된 소변을 보는 것 (hypotonic polyuria)

(2) 병태생리
  : AVP의 분비 or 반응 감소 → 신장의 collecting tubule에서 water의 재흡수 저하
    → polyuria, 요량↑, 요비중↓, 혈청 Na^+↑, dehydration, plasma osmolality↑
    → thirst center 자극 → polydipsia

(3) 분류

① central/neurogenic DI : AVP 분비의 장애 (vasopressin cells의 80~90%가 파괴되어야만 DI Sx. 발생)

② nephrogenic DI : AVP에 대해 신장이 반응을 못함

③ primary/psychogenic polydipsia : 수분 과다섭취로 plasma osmolality가 저하되어
이차적으로 (AVP↓) 신장의 요농축이 감소된 것 (생리적으로는 정상)

c.f.) Central DI의 4 types

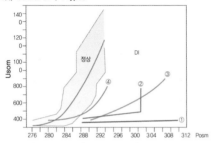

① AVP 분비 못함 (complete central DI)
② osmoreceptor mechanism에 결함이 있으나 심한 탈수 때는 AVP 분비 가능
③ high set osmoreceptor
④ AVP 분비 시작점은 정상이나 분비량 부족 (shift right)

2. 원인

중추성 요붕증(Central DI)의 원인
1. Hypothalamus or pituitary의 neoplastic/infiltrative lesions ; pituitary adenoma, craniopharyngioma, dysgerminoma, meningioma, pinealoma, metastatic tumor (lung, breast), lymphoma, leukemia, histiocytosis X, sarcoidosis
2. Infection ; chronic meningitis, viral encephalitis, toxoplasmosis, AIDS 환자의 brain infection (e.g., HSV, *T. gondii*, CMV)
3. Inflammation ; lymphocytic hypophysitis, Wegener's granulomatosis, SLE, scleroderma
4. Vascular disorder ; Sheehan's syndrome, aneurysm, aortocoronary bypass, hypoxic encephalopathy
5. Pituitary or hypothalamic <u>surgery</u> (보통 수술 1~6일 이후에 발생)
6. Severe <u>head trauma</u> (e.g., skull fracture, hemorrhage)
7. Nontraumatic encephalomalacia ; shock, cardiopulmonary arrest, hypertensive encephalopathy, poisoning, meningitis (모두 brain dead)
8. Congenital malformations ; septooptic dysplasia, midline craniofacial defect, holoprosencephaly, hypogensis/ectopia of pituitary
9. Genetic AVP-NP (neurophysin) II gene mutation (AD-m/c, AR) Xq28 상의 gene mutation (XR) Chromosome 7q deletion Wolfram syndrome (DIDMOAD) : AR 유전 (4p, *WFS 1* gene), DI + DM + OA (optic atrophy) + Deafness
10. Idiopathic DI ; 보통 소아 때 발생하고, 드물게 (<20%) ant. pituitary 장애도 동반

* Central DI 환자의 30~50%에서는 뚜렷한 원인을 찾을 수 없음! (idiopathic central DI)

다뇨(Polyuria) [>3 L/day]의 원인

① 수분 섭취 증가(Primary polydipsia)
1. Psychogenic polydipsia (m/c)
2. Dipsogenic polydipsia (hypothalamic disease) ; histiocytosis X, sarcoidosis, multiple sclerosis, tuberculous meningitis, head trauma → brain MRI 검사
3. Drug-induced polydipsia ; lithium, carbamazepine, thioridazine, chlorpromazine, anticholinergis (구강건조)

② 신장에서 여과된 수분의 재흡수 감소
1. AVP 분비 감소
   - Central DI
   - Drugs에 의한 AVP 분비 억제 (e.g., narcotic antagonists)
2. AVP에 대한 신장의 반응 감소
   - Nephrogenic DI (hereditary)
     (1) vasopressin V_2 receptor (*AVPR2*) gene mutation (XR) ⋯ hereditary nDI의 m/c 원인
     (2) aquaporin-2 gene mutation (AR, AD)
   - Nephrogenic DI (acquired)
     (1) 일부 만성신질환(e.g., chronic GN), obstructive uropathy, 일측성 신동맥 질환, 신장이식, ATN ...
     (2) Hypokalemia (primary aldosteronism 포함)
     (3) Chronic hypercalcemia (hyperparathyroidism 포함)
     (4) Drugs ; lithium, demeclocycline, methoxyflurane, amphotericin B, AG, cisplatin, rifampin, foscarnet
     (5) Systemic disorders ; multiple myeloma, amyloidosis, sickle cell anemia, Sjögren's syndrome
     (6) Pregnancy
     (7) Idiopathic

③ Solute diuresis (U_osm >300 mOsm/kg) ★
1. Glucose ; Hyperglycemia (uncontrolled DM), SGLT2 inhibitor (당뇨 치료제의 부작용)
2. Urea ; Azotemia (ATN)에서 회복, Post-obstructive diuresis, 고단백식, 단백분해(e.g., stress, steroid)
3. High solute intake ; IV fluid 과다, Enteral & parenteral nutrition, 섭취
4. 기타 ; Mannitol (IICP 치료시), Radiocontrast, Hypokalemia, Hypercalcemia, Medullary cystic dz., 이뇨제

3. 임상양상

(1) 다음(polydipsia), 심한 갈증 (특히 찬물을 좋아함)
(2) urine (24hr) : free water clearance 증가 (소변색이 pale)
　　• 소변량 증가(다뇨, polyurea) : >50 mL/kg/day (e.g., 70 kg이면 >3.5 L/day)
　　　→ frequency, enuresis, nocturia (→ 수면장애)
　　• 소변 삼투압 감소 (심한 경우엔 Uosm < Posm)
　　　┌ urine osmolality <300 mOsm/kg
　　　└ urine specific gravity <1.010
　　• 혈장 삼투압 증가 : Posm >287 mOsm/kg
　　　(소변 및 혈장 삼투압이 모두 낮으면 primary polydipsia !)
(3) dehydration
　　• thirst center가 정상이면, polydipsia에 의해 polyuria를 보충하므로 dehydration 발생은 드물다!
　　• 수분섭취가 부족하게 되면 심한 dehydration 발생 가능 (serum osmolality, Na+ 농도 증가)
　　　→ weight loss, weakness, fever, psychic disturbance, prostration, death

4. 진단

* <u>urine osmolality (U$_{osm}$)</u>를 먼저 측정하여

  ┌ >300 mOsm/kg ⇨ solute diuresis (e.g., uncontrolled DM)

  └ ≤300 mOsm/kg ⇨ water diuresis → DI evaluation (e.g., AVP 측정, 수분제한검사)

              (100~300 : mixed diuresis, <100 : water diuresis)

(1) water deprivation test (탈수검사, 수분제한 검사)

: 탈수상태(plasma osmolality >295 mOsm/kg)를 만들면서 매시간 urine osmolality & SG 측정

① 소변 농축됨 : urine osmolality >300 mOsm/kg & specific gravity (SG) >1.010 증가

    ⇨ 정상, primary polydipsia, partial central/nephrogenic DI 등을 감별해야

        → 탈수검사 전후의 plasma AVP level 측정하여 plasma/urine osmolality와 비교 분석

        → 3% hypertonic saline infusion test도 시행하면 감별에 더 도움 (아래 참조)

② 소변 농축 안 됨 : urine osmolality & SG 증가 안 됨

    ⇨ severe central/nephrogenic DI

* central DI와 달리 nephrogenic DI는 탈수 이후 plasma AVP level 증가!

▶ AVP (vasopressin) challenge

: 탈수검사에 연속으로, desmopressin (DDAVP) 투여 1~2시간 뒤에 urine osmolality 측정

① central DI ┌ complete central DI : <u>50% 이상 증가</u>

            └ partial central DI : 10~50% 증가 ┐

② nephrogenic DI : 변화 없거나 약간 증가   ├ 반응이 비슷하여 감별 어려움!

③ 정상, primary polydipsia : 10% 이내로 증가 ┘

    → 탈수(수분제한) 전후의 <u>AVP level</u> 측정,

      hypertonic saline infusion test 시행 (∵ 탈수만으로는 충분한 plasma osmolality↑ 유도 어려움)

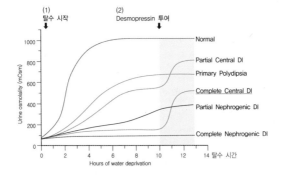

(2) hypertonic (3%) saline infusion test

: plasma osmolality 300 mOsm/kg (Na⁺ >145 mEq/L)가 되면 AVP 측정

- primary polydipsia, partial nephrogenic DI → AVP & urine osmolality 증가
- partial central DI → AVP & urine osmolality 증가가 거의 없음

* primary polydipsia와 partial central DI는 AVP level이 겹쳐서 감별이 어려울 수 있음

⇨ AVP보다 <u>copeptin</u> 측정이 감별에 더 정확함 [hypertonic saline-stimulated copeptin 검사]

; 3% saline infusion 후 ┌ >4.9 pmol/L로 증가하면 primary polydipsia
plasma copeptin └ <4.9 pmol/L면 partial central DI (complete는 더 낮음)

(3) brain MRI

- central DI의 원인(pituitary or hypothalamus 병변)을 확인 (primary polydipsia에도 도움)
- T_1-weighted image (정상 post. pituitary는 대개 "bright spot"으로 보임)
  - bright spot 존재 → central DI (대부분 bright spot 無) R/O 가능,
    primary polydipsia를 강력히 시사!
  - bright spot 無 → central DI, nephrogenic DI 일부(16%), 정상인 일부, empty sella 등
    여러 가능성 (→ 별 도움 안 됨)

	Central DI	Nephrogenic DI	Primary polydipsia
임의 plasma osmolality	↑	↑	↓
임의 urine osmolality	↓	↓	↓
탈수(수분제한)시 urine osmolality	변화 없음~↑	변화 없음	↑
Desmopressin 주사 후 urine osmolality	↑↑~↑	변화 없음~↑	↑
Basal plasma AVP 농도	↓	N~↑	↓
Hypertonic saline 주사 후 plasma AVP	변화 없음~↑	↑	↑
Brain MRI (T1-weighted) 상 bright spot	소실	대개 작거나 소실	존재

c.f.) 호르몬 기능검사로는 hypertonic (3%) saline-stimulated copeptin이 가장 정확하지만,
고장성식염수 주입에 따른 위험성이 있고, 일부 환자에서는 금기임(e.g., HF, epilepsy)

→ "<u>arginine</u>-stimulated plasma copeptin 검사" (최근에 연구됨)
↳ 뇌하수체 전엽 호르몬(e.g., PRL, GH) 뿐만 아니라 후엽 호르몬(AVP) 분비도 자극함

5. 치료

(1) 수분 공급

- 적절한 수분 섭취/공급(e.g., 5% DW) → DI로 인한 대사장애 예방/교정
- polydipsia가 습관화되어 있으므로, 치료 시작 후 물을 필요 이상으로 많이 마셔서
  water intoxication이 발생할 수도 있음 (→ 체중 및 serum Na⁺ check!)

(2) complete central DI

- AVP 보충 ; <u>desmopressin</u> (<u>DDAVP</u>: 1-deamino-8-D-<u>arginine</u> <u>vasopressin</u>)
- desmopressin이 작용시간이 길어 선호됨 (AVP의 3~4배)
- intranasal, oral, SC, IV, IM 등으로 투여

(3) partial central DI

- AVP 보충
- chlorpropamide (Diabinese®)

  ┌ renal tubule에서 AVP의 작용을 증대시킴 (직접 V_2 receptor 활성화)

  │ AVP 분비 ↑

  └ thirst center를 정상화 (→ thirst center defect 환자에 응용)

  - 소아 및 hypopituitarism이 동반된 환자에서는 hypoglycemia를 일으킬 수 있으므로 주의
  - AVP를 분비 못하는 complete central DI에서는 사용 못함

(4) nephrogenic DI

- 원인 질환이 있으면 먼저 치료
- <u>Na^+ restriction</u> (low-sodium diet) +
- <u>thiazide</u> diuretics (hydrochlorothiazide) → Na^+ depletion & volume contraction

  → proximal tubule에서 수분 재흡수 ↑ (AVP의 주 작용부위인 collecting duct로 가는

  수분량 감소 : free water loss 감소) → urine volume↓, GFR↓
- amiloride (K^+-sparing diuretics) : K^+ 소실 방지, 특히 lithium에 의한 DI에 효과적

  (∵ lithium의 distal tubule cells 내로의 유입 억제)
- PG 합성 억제제 ; NSAIDs (e.g., indomethacin, ibuprofen)
  - 보조적으로 다른 약제와 함께 사용
  - PGE의 AVP-inhibitory action을 block

(5) primary polydipsia

- 행동 수정 또는 기저질환의 치료 (e.g., polydipsia with schizophrenia → clozapine)
- AVP를 사용하면 오히려 악화(water intoxication) 가능

Adipsic hypernatremia (Essential hypernatremia)

- 갈증(thirst) 부족 → 소실량 만큼의 수분을 섭취 못함 → hypernatremic, hypertonic dehydration
- hypothalamic osmoreceptors의 결함 (파괴 or 무발생) 때문

  (원인 ; 종양, 육아종, 수술, 외상, 우울증, hydrocephalus, AIDS시 CMV 뇌염 등)
- 대부분 vasopressin (AVP)의 osmoregulation 장애도 동반 (→ 뒤의 그림 참조)
- hypernatremia의 정도는 다양
- hypovolemia의 증상 동반이 흔함 ; tachycardia, postural hypotension, azotemia 등
- 기타 muscle weakness, pain, rhabdomyolysis, hyperglycemia, hyperlipidemia 등이 나타날 수 있음
- 치료 ; 수분 섭취 or 0.45% saline IV (일부 AVP-deficient DI 환자는 desmopressin)

부적절(과다) 항이뇨 증후군
(Syndrome of Inappropriate Antidiuresis, SIAD)

= 항이뇨호르몬 부적절(과다) 분비 증후군(syndrome of inappropriate secretion of ADH, SIADH)

1. 개요

- SIAD : plasma osmolality가 낮은데도 불구하고, ADH (AVP) 분비 or 작용 조절의 이상으로
  소변을 희석하지 못해 (소변 농축 & 양↓) 수분저류(hyponatremia)가 발생한 상태
- DI와 반대의 개념, euvolemic hypotonic hyponatremia (type IIIB)
- SIAD의 병인 : water retention
  - ECFV↑ → glomerular filtration↑, ANP↑, renin↓ → urinary Na^+ excretion↑
    (natriuresis → hypervolemia는 완화되지만[→ edema 無,] hyponatremia 악화)
  - hyponatremia → ICFV↑ → 뇌에서 IICP 유발 (→ acute water intoxication 증상)
- SIAD의 types 및 adipsic hypernatremia (AH)

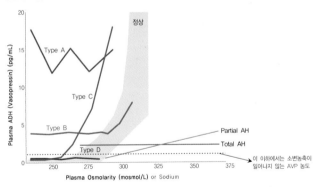

- type A : plasma osmolality에 관계없이 AVP가 매우 높고 변동이 심함
  → osmoregulation의 완전 소실
- type B : plasma osmolality가 정상 이하일 때 basal AVP가 약간 상승되어 있음
  (plasma osmolality가 높아지면 정상 반응을 보임)
  → osmoregulation 기전중 억제 부분의 선택적 결함
- type C : plasma osmolality가 정상보다 낮을 때 AVP 상승 시작 ("down reset osmostat")
- type D : AVP가 낮음(undetectable), AVP의 osmoregulation은 정상으로 추정됨
  → 다른 기전에 의해 inappropriate antidiuresis 발생
  (e.g., vasopressin V_2 receptor activating mutation)

* adipsic hypernatremia (AH) : thirst와 AVP의 osmoregulation 장애

 ┌ total AH : plasma osmolarity에 관계없이 AVP는 소변농축이 가능한 고정된 level 유지
 │   → inappropriate antidiuresis (→ overhydration시 hypotonic hyponatremia 발생 위험)
 └ partial AH : rehydration시 plasma osmolarity/Na가 정상으로 감소되기 전에
    AVP level은 소변희석이 가능한 수준으로 억제됨 (→ polyuria 발생)

c.f.) hypovolemia, hypotension, nausea, glucocorticoid deficiency 등에 의한 osmotically
 inappropriate antidiuresis는 true SIDA에 포함되지 않음

 ⇨ SIAD-like syndrome (2ndary SIAD)으로 간주

  ┌ type Ⅰ : 염분저류 & 부종 상태 (ECFV↑), effective blood volume 감소에 따른 AVP↑ 때문
  │ type Ⅱ : 염분결핍 상태 (e.g., 심한 위장관염, 이뇨제 남용, mineralocorticoid 결핍),
  │   hypovolemia/BP↓에 따른 AVP↑ 때문
  └ type ⅢA : N/V or glucocorticoid 결핍에 의한 AVP 분비 자극 때문, SIAD처럼 euvolemic 상태 (ECFV 정상)

              → 신장내과 2장 hyponatremia 편 참조

SIAD 및 기타 hyponatremia의 감별점

		SIAD-like syndrome			SIAD
		Hypervolemic (Type Ⅰ)	Hypovolemic (Type Ⅱ)	Euvolemic (Type ⅢA)	Euvolemic (Type ⅢB)
병력(history)		CHF, LC, nephrosis ...	Salt & water loss	Adrenal insufficiency, and/or N/V	−
증상	전신부종, 복수	+	−	−	−
	기립성 저혈압	±	±	±	−
검사 소견	Uric acid	↑~N	↑~N	↓~N	↓~N
	BUN, Cr	↑~N	↑~N	↓~N	↓~N
	serum K⁺	↓~N	↓~N*	N	N
	serum albumin	↓~N	↑~N	N	N
	serum cortisol	N~↑	N~↑**	↓***	N
	PRA (renin)	↑	↑	↓	↓
	urine Na⁺	↓	↑/↓****	↑	↑

* aldosterone deficiency에 의한 hypovolemia 시에는 serum K⁺↑
** primary adrenal insufficiency (Addison's dz.)에 의한 경우는 serum cortisol↓
*** N/V이 원인인 경우에는 serum cortisol N~↑
**** extrarenal Na⁺ 소실에 의한 경우는 urine Na⁺↓.
 renal Na⁺ 소실(e.g., 이뇨제, primary adrenal insufficiency)에 의한 경우는 urine Na⁺↑

2. SIAD의 원인 ★

• ectopic AVP secretion↑ : AVP-NP Ⅱ gene의 비정상적인 발현 때문
 ; primary or metastatic malignancy가 주요 원인 (e.g., SCLC)
• eutopic AVP secretion↑ (기전은 잘 모름) ; acute infection, strokes 등이 흔한 원인

1. **악성종양**

   Carcinomas ; lung (SCLC), oropharynx, GI, pancreas, ovary, GU (RCC, bladder, ureter, prostate) ...
   기타 ; thymoma, mesothelioma, bronchial adenoma, carcinoid, gangliocytoma, sarcoma, lymphoma

2. **폐 질환**

   감염 ; 폐렴, 농양, 결핵, aspergillosis
   Asthma, COPD, bronchiectasis, cystic fibrosis
   Pneumothorax, positive-pressure respiration

3. **CNS/신경 질환**

   감염 ; 뇌염, 수막염, 농양, AIDS
   출혈/종괴 ; SDH, SAH, Stroke (CVA), 종양, 외상, hydrocephalus, cavernous sinus thrombosis
   기타 ; multiple sclerosis, Guillain-Barré syndrome, delirium tremens, acute intermittent porphyria
   정신병, 말초신경병

4. **약물**

   AVP 분비/작용을 촉진하는 것 ; chlorpropamide, antidepressants (TCA, SSRI), clofibrate,
   carbamazepine, vincristine, nicotine, narcotics (morphine), ifosfamide, cyclophosphamide,
   NSAIDs, antipsychotic drugs
   AVP analogues ; desmopressin (DDAVP), vasopressin, oxytocin (high-dose)

5. **기타**

   유전성(vasopressin V_2 receptor activating mutation), Idiopathic (주로 노인에서),
   일시적(운동, 수술, 전신마취 통증, 오심, 스트레스 등)

3. 임상양상

- 신경학적 증상 발생은 serum Na^+ 감소의 절대값보다 감소 속도가 더 중요
- mild (Na^+ 130~135 mEq/L) ; 증상 없거나 쇠약감, anorexia, N/V
- severe (Na^+ <120 mEql/L) or acute onset
  - cerebral edema Sx. : restlessness, irritability, confusion, coma, convulsion
  - 체중증가, lethargy
* euvolemia 상태임! (edema, ascites, orthostatic hypotension, dehydration 등 없음)

4. 진단

┌ hyponatremia의 다른 원인들을 R/O해야 SIAD 진단 가능 (→ 신장내과 hyponatermia 편 참조)
└ thyroid, adrenal, renal function 등은 정상이고, 최근에 이뇨제를 사용한 적도 없어야 됨
　　(특히 adrenal insufficiency, hypothyroidism 등 R/O)

(1) 검사소견

- hypotonic hyponatremia (Na^+ <130 mEq/L[mmol/L])
- serum osmolality↓ (<275 mOsm/kg) & urine osmolality↑ (>100 mOsm/kg)
- natriuresis : urine Na^+ >25 mEq/day (>40 mEq/L) ⇨ edema 발생 안함!
  (∵ ECFV↑ → GFR↑, renin↓, ANP↑ → proximal tubule에서 Na^+ 재흡수 감소)
- fractional Na^+ excretion (FE_{Na}) >1%, fractional urea excretion >55%
- serum uric acid (<4), BUN (<10), Cr, albumin 등 감소 (∵ dilution & renal clearance↑)
- acid-base status와 potassium balance는 정상임

(2) 0.9% N/S 투여 (hypovolemic hyponatremia R/O)

┌ SIAD : serum Na$^+$ 변화없거나 5 mEq/L 미만 증가
└ hypovolemia : serum Na$^+$ 5 mEq/L 이상 증가

(3) 수분섭취 제한(water restriction)

┌ SIAD : hyponatremia 및 증상 회복됨
└ renal salt wasting : 회복되지 않음

(4) 수분부하검사 : water load (excretion) test
- 반드시 serum Na$^+$ 125 mEq/L 이상일 때 시행
- lowest urinary osmolality (2시간 뒤)가 100 mOsm/L 이상이면 진단

(5) plasma AVP 측정 : 도움 안됨 (∵ 다른 종류의 hyponatremia에서도 ↑ 가능)

5. 치료

(1) 기저질환에 대한 치료

(2) 수분섭취 제한 (m/i) : urinary + insensible loss보다 적도록 (약 800 mL/day 이하로)
  ⇨ serum sodium 1~2%/day 상승

┌ 음식을 통한 수분섭취 (300~700 mL/day) ≒ insensible loss
└ 순수 수분섭취는 urine output보다 500 mL 이상 적게 유지하면 됨

- subarachnoid hemorrhage 환자는 예외 (∵ cerebral vasospasm 유발 위험)
- serum Na$^+$가 계속 130 mEq/L 이하면 ⇨ 수분제한 외에 oral salt tablets (or oral urea),
  IV hypertonic saline, loop diuretics 등의 투여도 필요함
  - urea ; solute diuresis → water 배설↑ (urine osmolality가 낮을수록 더 효과적)
  - isotonic saline은 효과 거의 없고, 오히려 hyponatremia 악화 위험!

(3) 증상이 심한 경우 (e.g., cerebral edema Sx.)
- hypertonic (3%) saline 200~300 mL를 3~4시간 동안 IV
  (→ serum Na$^+$ 12 mEq/L 상승 or 130 mEq/L에 도달하면 중단)
- loop diuretics (furosemide)도 같이 투여해야 됨
  - high AVP에도 불구하고 free water 재흡수↓(배설↑), urine osmolality↓
  - hypertonic saline에 의한 CHF 발생 감소에 효과적
- 너무 빨리 hyponatremia를 교정하면 central pontine myelinosis 발생 위험 → 신장내과 2장 참조
  (acute hyponatremia는 12 mEq/L/day 이하, chronic hyponatremia는 8 mEq/L/day 이하로)

(4) chronic persistent SIAD의 치료
  ① demeclocycline (→ 1~2주 뒤 효과)
  - 기전 : collecting tubule cells을 억제하여 AVP에 대한 반응성을 감소시킴 → water 배설↑
    (reversible nephrogenic DI 유발)
  - 부작용 : GFR↓ (∵ natriuresis 과다 and/or direct nephrotoxicity), photosensitivity, N/V
    (신독성 발생 위험이 높은 LC 환자에서는 금기)

② fludrocortisone (→ 1~2주 뒤 효과)
  - 기전 : sodium retention↑, thirst 억제
  - 부작용 : hypokalemia (→ K⁺ 보충 필요), HTN

(5) V₂ vasopressin receptor antagonist (RA) : ~vaptan

┌ nonselective vasopressin (V₂) RA ; conivaptan (IV)
│ ↳ V_{1A} receptor (주로 혈관수축 매개)도 억제하므로 심한 저혈압 발생 위험
└ selective vasopressin (V₂) RA ; tolvaptan (oral), lixivaptan, satavaptan, mozavaptan
  - tolvaptan : 수분제한/이뇨제에 반응 없는 severe/persistent SIAD (e.g., SCLC) 치료에 m/g!
    ↳ 간독성이 흔하므로 1~2개월 이상은 사용 금지, 간질환 환자에는 금기
  • 다른 전해질에는 영향 없이 free water excretion을 일으켜 hyponatremia 교정
    ⇨ (hypovolemic hyponatremia, acute hyponatremia를 제외한) 모든 hyponatremia에 사용 가능
  • 다른 치료로 호전이 안 되는 SIAD 환자에서 TOC

  • 반드시 입원해서 시작하고 (수분섭취는 자유), 효과/부작용을 면밀히 관찰해야 됨

4
갑상선 질환

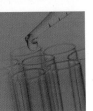

서론

- 갑상선호르몬의 합성 및 분비
  - 식이 요오드(iodine)은 요오드화물(iodide, I⁻)과 요오드산염(iodate, IO_3^-) 형태로 흡수됨
  - 혈중 iodide는 <u>Na⁺/I⁻ symporter (NIS)</u>에 의해 thyrocytes 내로 능동 흡수됨 : "uptake"
  - iodide는 H_2O_2에 의해 "산화"되어 reactive iodine이 됨 : thyroid peroxidase (TPO)가 촉매
  - "organification (iodination)" : reactive iodine은 Tg의 tyrosyl residues와 결합하여 mono(or di)iodotyrosine residues (MIT or DIT) 형성
  - "coupling" : MIT or DIT residues는 서로 짝을 이루어 T_4 (or T_3)-Tg 형성 (TPO가 촉매)
  - lysosomes 내에서 Tg이 "proteolysis"된 뒤 T_4 or T_3가 되어 혈중으로 분비됨 : "release"
    (하루에 T_4 약 100 μg, T_3 약 5 μg이 혈중으로 직접 분비됨)
- 갑상선 기능의 조절
  - TSH (thyroid-stimulating hormone)가 主
    (시상하부의 TRH → 뇌하수체에서 TSH 분비 촉진 → 갑상선에서 $T_{3/4}$ 분비 촉진)
  - 기타 IGF-I, insulin, EGF, TGF-β, endothelins, cytokines & ILs 등도 촉진
  - iodine deficiency → thyroid blood flow↑, NIS↑ → iodide uptake↑
  - excess iodide → 일시적으로 갑상선의 iodide organification 억제 ("<u>Wolff-Chaikoff effect</u>"),
    Tg의 proteolysis도 억제됨 → 갑상선호르몬 합성↓
- 갑상선호르몬의 작용 ; 산소 소비, 열 발생, LDL receptor 발현(→ LDL 분해), 심근 수축 & 이완,
  심박수, 정신 각성도, 호흡 노력, 위장관 운동성, bone turnover 등을 증가시킴
  (태아에서는 뇌 발달 및 골격 성숙에 매우 중요한 역할)

갑상선기능검사

1. 갑상선 호르몬(thyroid hormone)

- T_4 : 30%는 type 1 deiodinase^{D1} (갑상선, 간, 신장) or type 2 deiodinase^{D2} (뇌하수체, 뇌)에 의해
  T_3로 전환됨 (5'-deiodination, outer ring deiodination^{ORD}), 40%는 type 3 deiodinase^{D3} (CNS의
  glial cells)에 의해 reverse T_3 (inactive)로 전환됨 (5-deiodination, inner ring deiodination^{IRD})

호르몬	혈중 결합단백	혈중 총량	Free(%)	반감기	대사활성도	세포내 비율	총생산량
T_4 (thyroxine)	TBG (80%) TTR (10%) albumin (10%)	8 μg/dL	0.02%	7일	1	~20%	90 μg/day
T_3 (triiodo-thyronine)	TBG (70%) albumin (30%)	0.14 μg/dL	0.3%	0.75일	3~4	~70%	32 μg/day

- TBG : thyroxine-binding globulin (T_3보다 T_4에 대한 affinity가 약 20배 더 강함)
- TTR : transthyretin (과거 TBPA: thyroxine-binding prealbumin)

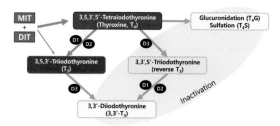

- T_3는 T_4보다 free %가 많고 metabolic activity도 3~4배 크므로, T_4의 작용은 대부분 T_3를 통해 이루어지고, T_4를 T_3의 전구체라 할 수 있음
  (혈중 T_3의 약 80%는 T_4가 deiodination에 의해 T_3로 전환된 것임 / 20%만 직접 분비된 것)

$T_4 \Rightarrow T_3$ 전환(conversion)이 감소하는 경우 (5'-deiodination 억제)	
생리적	태아 및 신생아 초기, 노인 금식 (특히 탄수화물 결핍), 영양실조
병적	각종 급만성 질환 (간, 신장, 심장 등), 발열, 패혈증, 수술, 외상 약물 ; β-blocker, propylthiouracil, amiodarone, glucocorticoid 요오드 포함 조영제 (ipodate, ipanoate), Selenium 결핍

2. T_3-레진 섭취율 (T_3-resin uptake, T_3-RU)

- 환자의 혈청(TBG 함유)에 labeled T_3 (^{125}I-T_3)를 넣은 후 resin을 넣으면, unoccupied TBG와 결합하고 남은 labeled T_3가 resin과 결합되고, resin과 결합된 labeled T_3의 양(%)을 측정하는 것 (thyroid hormone binding ratio, THBR)
- unoccupied TBG와 반비례 (→ TBG를 직접 측정하는 것이 어려우므로 사용)
- 정상치 : 25~35%
  - resin uptake 증가 : TBG↓, hyperthyroidism
  - resin uptake 감소 : TBG↑, hypothyroidism

c.f.) T_3-RU를 사용하는 이유 (T_4-RU가 아닌..) : T_3가 serum proteins에 덜 강하게 결합하므로 T_3-RU가 더 정확 (binding에 변화가 생겨도, T_4의 결합력과 T_3의 결합력의 상대적인 관계는 큰 영향을 받지 않음)

TBG에 영향을 미치는 인자

TBG 증가	TBG 감소
Hypothyroidism, 신생아	Hyperthyroidism
임신, estrogen 제제 (e.g., 경구피임약, HRT)	Cushing's syndrome
Estrogen 분비 종양 (포상기태 등)	Acromegaly, DKA
간염(hepatitis), 간암, Acute intermittent porphyria	심한 간질환 (간부전), 신부전, 신증후군(NS)
Angioneurotic edema, Lymphoma, AIDS	영양실조, 기타 심한 전신질환
Familial TBG excess	Congenital TBG deficiency
Drugs: tamoxifen, raloxifene, methadone,	Drugs: androgens, danazol, glucocorticoids,
5-fluouracil, clofibrate, heroin, mitotane ...	nicotinic acid, L-asparaginase ...

■ 다양한 약물이 T_4와 TBG의 결합을 방해함 (TGB에 대한 affinity는 낮아도 혈중 농도가 훨씬 높음)
 ; phenytoin, carbamazepine, salicylates, salsalate, furosemide, heparin, 일부 NSAIDs 등
  → total T_4는 낮아지지만, free T_4는 정상임 (euthyroid state)

Thyroid hormone과 plasma proteins의 상호작용

		Total T_4 & T_3	FT_4 & FT_3의 % (or T_3-RU)	FT_4 & FT_3 (or FT_4I & FT_3I)
TBG의 일차적 이상	TBG 증가	↑	↓	N
	TBG 감소	↓	↑	N
갑상선 기능의 일차적 이상	Hypothyroidism	↓	↓	↓
	Hyperthyroidism	↑	↑	↑

3. 유리 T_4 지수 (free T_4 index, FT_4I)

$$FT_4I = total\ T_4 \times T_3\text{-RU}$$

- TBG 농도의 변화를 교정하여 실제 갑상선 기능을 잘 반영함
- FT_4 (free T_4)와 비례, FT_4를 간접적으로 보는 검사
  c.f.) TBG 증가 → total T_4↑ & T_3-RU↓ → FT_4I는 정상
- 요즘은 직접 free T_4를 측정하므로 별로 시행 안함

4. 유리 T_4 (FT_4, free T_4)

- total T_4 나 FT_4I 보다 좋다 (∵ protein binding의 변화에 영향을 안 받으므로)
- total hormone 농도보다 실제 갑상선기능(metabolic state)을 더 정확히 반영함!
  c.f.) free T_3 검사는 free T_4 검사에 비해 변동성이 높아, 아직 total T_3 검사가 더 권장됨

5. TSH (thyroid-stimulating hormone)

- 갑상선기능이상(hypothyroidism or hyperthyroidism)의 진단에 가장 유용한 검사
  → TSH가 정상이면 대개 primary thyroid dysfunction은 R/O 가능
- 정상 : 0.4~5.0 (mU/L, μU/mL), 검사기법의 발달로(e.g., CLIA) sensitivity가 매우 높음

- TSH 증가하는 경우
  - primary hypothyroidism (m/c)
  - TSH-secreting pituitary tumor, thyroid hormone resistance, assay artifact
- TSH 감소하는 경우
  - primary hyperthyroidism (m/c)
    - 예) Grave's dz., toxic multinodular goiter, toxic adenoma, subacute thyroiditis, Hashitotoxicosis
  - central (secondary & tertiary) hypothyroidism (감소~정상까지 다양)
  - thyroid hormone 투여
  - 심한 비갑상선질환(sick euthyroid syndrome), acute psychiatric illness
  - hCG-secreting trophoblastic tumors, 임신 1기 (∵ hCG↑ 때문)
  - drugs ; dopamine, glucocorticoids (high-dose), NSAIDs, narcotics, CCB (특히 nifedipine)
- 비갑상선질환에서의 TSH 이상은 대개 일시적이므로 확진이 어려운 경우 며칠 뒤 F/U이 유용함

■ 기본 갑상선기능검사의 참고치 ★

	Normal	Hyperthyroid	Hypothyroid
T_4 (µg/dl)	5~12	>12	<5
free T_4 (ng/dl)	0.8~2	>2	<0.9
T_3 (ng/dl)	80~200	>220	<80
TSH (mU/L, µU/ml)	0.4~5	<0.3	>6

Euthyroid hyperthyroxinemia

질환	FT_4	FT_4I	T_3	TSH	Comments
Increased T_4 binding					
TBG 증가	N	N	↑	N	앞의 표 참조
FDH	N	↑	N, ↑	N	AD 유전
TTR binding 증가	N	↑	N	N	농도 증가(islet-cell tumor) or affinity 증가
Anti-T_4 antibody	N	↑	N	N	Anti-T_3 antibody도 존재 가능
Pituitary & peripheral thyroid hormone resistance	↑	↑	↑		Pituitary resistant만 있으면 환자는 thyrotoxic
Various disorders					
Sick euthyroid syndrome	↑,N	↑	↓	N, ↓	드물다
Acute psychiatric illness	↑,N	↑	N, ↑	N, ↑	몇 주 뒤 자연회복
Hyperemesis gravidarum	↑	↑	N		몇 주 뒤 자연회복
Drugs					
$T_4 \rightarrow T_3$ 전환 억제제					
방사선 조영제	↑	↑	↓	↑	특히 ipodate, iopanoate
Propranolol	↑	↑	↓	N, ↑	특히 대용량 투여시
Amiodarone	↑	↑	↓	↑	처음 몇 달동안은 TSH 증가
Heparin	↑	↑	N	—	적은 IV 용량만 필요
Levothyroxine therapy	↑	↑	N	↓	50%에서 hyperthyroxinemia

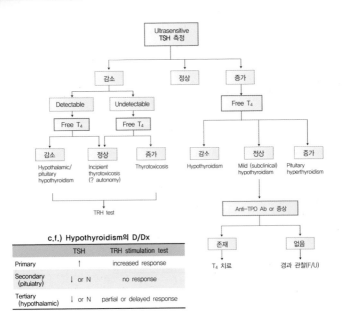

c.f.) **Hypothyroidism의 D/Dx**

	TSH	TRH stimulation test
Primary	↑	increased response
Secondary (pituitatry)	↓ or N	no response
Tertiary (hypothalamic)	↓ or N	partial or delayed response

6. TRH stimulation test

- 방법 : TRH를 투여한 뒤 (200~400 μg IV) TSH의 반응을 봄 (요즘은 거의 시행 안 됨)
- 정상 : TRH 투여 후 약 20분 뒤 TSH가 최고치에 도달함 (기저치보다 5~30 mU/L 상승)

TRH stimulation test 무반응(flat response)의 원인

Secondary (pituitary) hypothyroidism
Hyperthyroidism, Autonomous functioning hot nodule
Glucocorticoid 투여, Cushing's syndrome, Acromegaly, Dopamine 치료
만성 신질환, 우울증, 비갑상선 질환의 일부

---

* Tertiary (hypothalamic) hypothyroidism에서는 감소~지연된 반응을 보이지만,
  실제로는 TSH의 반응이 다양하기 때문에 secondary (pituitary)와 감별에는 제한적임

- 이용
  ① subclinical hyperthyroidism 검출
  ② nonthyroidal illness (SES)와 central (pituitary, hypothalamic) hypothyroidism의 감별
  ③ 소아에서 두경부 RTx 이후 subtle central hypothyroidism 검출
  ④ hyperthyroidism 치료시 종결(remission) 시점 결정

7. Thyroid Scan

- ^{131}I ; 진단, in vivo 기능검사 (RAIU), 치료 등에 많이 이용 (암 전이를 보는데도 좋다)
- diagnostic imaging
  - ^{123}I : radiation이 적어서 좋음
  - ^{99m}Tc : good image quality

■ 방사선 요오드섭취율 (RAIU, radioactive iodine uptake)

- 5~10 μCi의 sodium ^{131}I를 포함한 캡슐이나 용액을 복용 후 4, 24시간 뒤에 thyroid gland의 radioactivity 측정 (^{131}I uptake %를 계산)
- 정상치 : 5~30% (갑상선 기능과 비례) ★

증가하는 경우	감소하는 경우
Primary & secondary hyperthyroidism (e.g., Grave's dz., toxic MNG/adenoma) TSH가 증가하는 경우 Hypothyroidism의 초기 Hashimoto's thyroiditis의 초기 Subacute thyroiditis의 회복기 Thyroid hormone suppression의 회복기 TSH-producing pituitary adenoma 갑상선호르몬의 소실 ; nephrotic syndrome, 만성 설사 Dietary iodine deficiency 임신	Hypothyroidism Hypopituitarism Thyroid gland damage (e.g., thyroiditis, surgery, radioiodine) Severe (high-turnover) Grave's dz. Exogenous thyroid hormone 과다 섭취 Iodine 과다 상태 (섭취) 기타 ; 신부전, 심부전

- '갑상선중독증'인데도 RAIU 감소하는 경우 (thyrotoxicosis without hyperthyroidism) ★
  - factitious thyrotoxicosis (thyrotoxicosis factitia, 인위성 갑상선중독증)
    예) 갑상선호르몬 복용 (살빠지는 약), amiodarone 복용, iodine 과잉섭취 (미역국, 김, 다시마)
  - subacute thyroiditis, painless thyroiditis, postpartum thyroiditis
  - ectopic thyroid tissue, 난소 갑상선종(struma ovarii), 갑상선 전이암 등
  - Hamberger toxicosis, radiation thyroiditis
- ^{131}I의 치료적 용량 결정시에도 이용

■ 과염소산 방출시험 (Perchlorate discharge test)

- 갑상선 호르몬 합성중 organification의 장애 여부 측정
- 방법 : 소량의 ^{131}I 투여 2시간 뒤 RAIU 측정 → perchlorate 투여 후 다시 RAIU 측정
  - 정상 : 섭취만 차단되어 RAIU 10% 미만으로 감소
  - 양성 (organification 장애) : inorganic iodide가 방출되어 15% 이상 감소
- 양성인 경우
  ① Hashimoto's thyroiditis
  ② congenital organification defect
  ③ antithyroid drug (PTU, methimazole)
  ④ radioiodine 치료를 받은 Graves' dz. 환자

8. Antithyroid antibodies

(1) anti-thyroid peroxidase (TPO) Ab (과거 anti-microsomal Ab)

- autoimmune (Hashimoto's) thyroiditis의 90~100% (high titer!), Graves' dz.의 50~80%에서 (+)
- 갑상선기능 정상인 여성의 5~15%, 남성의 ~2%에서도 (+) → 향후 갑상선기능 이상 발생↑

(2) anti-thyroglobulin (Tg) antibody

- autoimmune (Hashimoto's) thyroiditis의 80~90%, Graves' dz.의 50~70%에서 (+)
- anti-Tg만 양성인 경우는 드물므로 보통 anti-TPO Ab 하나만 검사해도 됨

c.f.) anti-TPO/Tg는 autoimmune thyroiditis 환자 가족의 약 1/3, type 1 DM의 약 1/3에서도 (+)

(3) TSH receptor antibody (TSH-R Ab, TRAb)

- IgG이며, 측정 방법에 따라 여러 이름으로 불림
- radioreceptor assay : TBII (TSH-binding inhibitory Ig.)
  - TRAb가 radiolabelled TSH와 TSH receptor의 결합을 억제하는 정도 평가
  - TRAb가 TSH receptor에 결합하는 정도만 측정, 갑상선세포를 자극/억제하는지는 알 수 없음
    (TSI와 TSH-R-blocking Ab를 구별 못함)
- bioassay : 갑상선세포를 자극/억제하는지 여부를 평가

   ┌ TSI (thyroid-stimulating Ig./Ab, TSAb)

   └ TSBAb (TSH-stimulation blocking Ab, TSH-R-blocking Ab)

     (TSH receptor와의 결합 여부는 알 수 없음)

  (a) 갑상선자극면역글로불린(thyroid-stimulating Ig., TSI)
  - TSH receptor에 대한 autoantibody로 갑상선세포의 cAMP 생산 자극, iodide uptake↑,
    갑상선호르몬의 분비와 갑상선세포의 성장 촉진 (thyroid gland의 lymphocyte에서 생성됨)
  - Graves' dz.의 90% 이상에서 (+) : titer는 갑상선 기능과 관련
  - 치료하면 titer는 감소됨 (이 항체의 존재여부가 재발의 지표)
  - * 드물게 태반을 통과하여 fetal or neonatal Graves' dz. (thyrotoxicosis) 유발 가능
    (발생 위험인자 ; 자궁내 태아 성장 부족, 태아 심박수 >160회/분,
    임신 말기 산모의 혈중 TSI level↑)

  (b) 갑상선자극호르몬수용체차단항체(TSH-R-blocking Ab, TSBAb)
  - TSH or TSI의 갑상선세포 자극을 억제하여 hypothyroidism 및 thyroid atrophy를 일으킴
  - autoimmune hypothyroidism (Hashimoto's thyroiditis)의 약 20%에서 (+)
  - 태반을 통과하면 transient neonatal hypothyroidism 유발 가능

9. Thyroglobulin (Tg)

- 참고치 (검사기법에 따라 다양함) : ECLIA (Roche®)의 경우 3.5~77 ng/mL (c.f., RIA는 더 낮음)
- 증가되는 경우 : thyrotoxicosis factitia를 제외한 모든 thyrotoxicosis, thyroiditis, thyroid injury,
  struma ovarii, inflammation, thyroid ca.
- 감소되는 경우 : thyrotoxicosis factitia, thyroid agenesis
- 주로 갑상선 분화함(유두암, 여포암)의 치료 후 F/U에 이용 (>2 ng/mL → 불완전한 치료 or 재발)
- anti-thyroglobulin Ab. 존재시에는 혈중 Tg가 실제보다 아주 낮게 측정되므로 주의 요망

임신과 갑상선 대사

- 요오드 대사의 변화
  - GFR 50% 증가, 세뇨관의 요오드 재흡수 감소 → 소변의 요오드 배설량↑
  - 태아에게 요오드 공급, 출산 후 모유를 통해서도 요오드 분비 → 임산부의 요오드 필요량↑
  　(임신 중 요오드 섭취량이 50 μg/day 이하면 goiter 발생 위험이 증가됨)
- 태반 유리 hCG 증가 (임신 1기) → 갑상선 자극 → free T_4 & T_3↑ (대개 정상 범위 내에서)
  (→ TSH-R↑) → TSH↓ (임신 2기까지)　　　└ transient gestational hyperthyroidism
  　　　　　　　　　　　　　　　　　　　　(└ hyperemesis gravidarum 유발 가능)
- estrogen 증가 → TBG 합성 증가 (임신 전 기간) → total T_4 & T_3↑, T_3-RU↓
  　　　　　　　　　　　　　　　　　　　　(임신 중기에 최고)
- 태반에서 갑상선 호르몬 대사↑
- free T_4 & T_3는 전 임신 기간 동안 대개 정상 범위를 유지함!
- true hyperthyroidism이 의심되면 (Graves' dz.가 m/c) TSH-R Ab (TSI) 등 검사로 R/O

* 임신입덧(hyperemesis gravidarum, transient gestational hyperthyroidism)
  - severe N/V, 체액 및 전해질 불균형 (thyrotoxicosis의 임상 증상은 드묾)
  - 약 1/2에서 free T_4↑, TSH↓ (∵ 임신 초기의 hCG↑ 때문) → 대개 몇 주 지나면 호전됨
  - Tx ; N/V 증상을 완화시키고 수액공급으로 탈수 교정
  　　(임신 20주가 지나도 증상과 갑상성기능 이상이 지속되면 항갑상선제 투여 고려)

참고) 태반 통과	
잘 통과	요오드, 항갑상선제(PTU 등), β-blocker, IgG (anti-TPO, anti-Tg, TSH receptor Ab*), TRH
약간 통과 가능	T_4, T_3
통과 안 함	TSH, Tg

* Graves' dz. 임산부의 약 1%에서 태반을 통과하여 fetal thyrotoxicosis 유발 가능

Sick Euthyroid Syndrome[SES] (Nonthyroidal illness[NTI])

1. 정의

- 비갑상선질환(급/만성 전실질환)으로 인해 thyroid hormone economy에 변화가 생긴 것
  (adaptive state), thyroid 자체의 질환이 아님
- 임상에서 갑상선기능검사 이상을 보이는 경우의 m/c 원인 ; 입원 환자에서 흔함 (특히 ICU 입원시)
  (간질환, 요독증, 심한 감염, AMI, DKA, 수술, 화상, 금식, 정신적 스트레스 등)
- TNF, IL-1, IL-6 등 cytokine의 증가가 원인일 수 있음

2. 검사소견

- total & free T_3↓ (말초 T_4→T_3 conversion [5'-deiodination] 감소 때문) … "low T_3 syndrome" (m/c)
  - rT_3↑ (T_4→rT_3 conversion 증가 및 rT_3의 inactivation [5'-deiodination] 감소[上] 때문)
  - total T_4, TSH, TRH stimulation test 등은 대개 정상임
  - T_3 감소 (rT_3 증가) 정도는 dz. severity와 비례함 (mortality는 T_4 감소 정도와 더 관련)
- 심한 경우(very sick patient)
  - T_3↓↓, total T_4↓ … "low T_3-T_4 syndrome" → poor Px!
  - free T_4 : TBG 변화 등에 따라 다양한 양상을 보일 수 있지만, 심한 경우에는 대개 감소함
  - TSH↓ (대개 0.05~0.3 mU/L), TRH stimulation test에 대한 TSH의 반응은 정상 (일부에서는 둔화)
    ⇨ central hypothyroidism 때와 유사 (D/Dx ; rT_3, TRH stimulation test)
- 회복기 ; 일시적으로 free T_4↑, TSH↑ 가능 → 갑상선기능 정상화됨
- 특정 질환의 예
  - 급성 간 질환 ; 초기에 TBG 증가에 의한 일시적인 T_3 & T_4↑ → 진행되면 감소
  - 급성 정신 질환 ; 5~30%에서 일시적인 total & free T_4↑
  - HIV 감염 ; 초기에는 T_3 & T_4↑ → AIDS로 진행되면 감소 (TSH는 대개 정상)

3. 진단/치료

- 잠정적으로 진단함, 확진은 원인 기저질환이 회복되면 갑상선호르몬도 정상화되는 것
- 특별한 치료 필요 없음 (observation, TFT F/U), 기저 질환의 치료
- thyroid hormone 투여 : 대부분 권장 안 됨! (오히려 해로울 수도 있음)
  ↳ hypothyroidism의 과거력이나 hypothyroidism에 의한 증상이 있는 경우에만 고려

* steroid ⇨ TBG↓, T_4→T_3 conversion [5'-deiodination] 감소

■ 갑상선기능저하증 (Hypothyroidism)

1. 원인

- chronic autoimmune hypothyroidism (Hashimoto's thyroiditis) → 뒷부분 갑상선염 편도 참조
  - hypothyroidism의 m/c 원인 (70~80%)
  - 남:여 = 1:4, 평균 발생 연령 60세, 나이가 들수록 증가
  - ┌Hashimoto's thyroiditis : 림프구 침윤이 主, goiter 동반
    └atrophic thyroiditis (말기에) : fibrosis가 主
  - thyroid follicular destruction의 주기전 ; CD8+ cytotoxic T cell-mediated
  - 다른 autoimmune dz.의 임상양상도 동반 가능
    ; type 1 DM, pernicious anemia, Addison's dz., alopecia areata, vitiligo
  - 약 5%에서는 thyroid-associated ophthalmopathy도 발생

☐ **Primary hypothyroidism (95%)**
1. Goitrous (갑상선종이 있는 경우)
   <u>Autoimmune thyroiditis (Hashimoto's thyroiditis)</u> (m/c, 70~85%)
   Infiltration ; amyloidosis, sarcoidosis, hemochromatosis, scleroderma, cystinosis, Riedel's thyroiditis
   Drugs ; <u>antithyroid drugs</u>, iodine excess (e.g., 방사선조영제), amiodarone, p-aminosalicylic acid,
      phenylbutazone, iodoantipyrine, lithium, aminoglutethimide, IFN-α
   <u>Iodine deficiency</u>
   Heritable biosynthetic defects, Maternally transmitted (iodides, antithyroid agents)
   IL-2 & lymphokine-activated killer cells
2. Thyroprivic (갑상선종이 없는 경우)
   Congenital hypothyroidism ; thyroid dys-/agenesis, dyshormonogenesis, TSH-R mutation
   Infantile hemangioma에서 type 3 deiodinase (→ T4 불활성화)의 overexpression
   Primary (idiopathic)
   Atrophic autoimmune thyroiditis
   Iatrogenic ; radioiodine, <u>thyroidectomy</u>, RTx (e.g., for lymphoma)

☐ **Central hypothyroidism**
1. Secondary (pituitary) hypothyroidism : TSH↓
   Panhypopituitarism, Sheehan's syndrome
   Pituitary tumors, infiltrative dz., trauma, surgery, RTx,
   Isolated TSH deficiency or inactivity (드묾)
   TSH 분비 억제 drugs ; bexarotene, dobutamine, glucocorticoids, octreotide
2. Tertiary (hypothalamic) hypothyroidism : TRH↓
   Infection (encephalitis), tumors, trauma
   Infiltration ; sarcoidosis, histiocytosis
   Congenital defects, idiopathic

■ **Transient hypothyroidism**
1. Painless/silent thyroiditis (산후 갑상선염 포함)
2. Subacute thyroiditis
3. 갑상선이 온전한 환자에서 thyroxine 치료 중단 후
4. Graves' dz. 환자에서 [131]I 치료 or subtotal thyroidectomy 후
5. Maternal TSH-R-blocking Ab의 태반 통과에 의한 neonatal hypothyroidism

■ **Generalized thyroid hormone resistance**
   (일부에서 hypothyroidism 양상을 보임, 특히 hyperthyroidism으로 오진되어 치료받은 경우 흔함)

• radioiodine 치료 후의 hypothyroidism
   − 갑상선의 크기와 radioiodine 투여량에 따라 결정됨
   − 투여 후 1년 이내에 10~40%에서 발생, 이후 매년 5% 내외씩 증가하여,
      10년 이내에 약 50% 이상에서 hypothyroidism 발생

• Wolff-Chaikoff effect
   − excess iodide 투여 → 갑상선의 iodide organification 억제 (일시적, 정상인에서는 안 나타남),
      thyroid hormone 분비 감소
   − radioiodine or 수술로 치료한 Graves' dz., chronic thyroiditis, 태아 등에게
      만성적인 iodide의 과다 투여시 hypothyroidism 발생

* neonatal hypothyroidism
   ① thyroid gland dysgenesis (m/c) : 80~85%
   ② thyroid hormone의 생합성 장애 : 10~15%
   ③ maternal TSH-R-blocking Ab : 5%

2. 임상양상

: 서서히 발생하고 그 진행속도가 느리기 때문에 환자마다 증상 발현이 다양하고 단계적

(1) **피로**, 무기력, 의욕상실, ventilatory drive↓, 기억력↓, 집중력↓, 사고력↓, 자극에 대한 반응↓

(2) 식욕저하, 체중증가 (∵ 주로 fluid retention 때문), 한랭 불내성(cold intolerance), hypothermia

(3) 변비, paralytic ileus, 위산분비 감소(achlorhydria : 약 50%에서)

(4) delayed return of DTR, myalgia, muscle cramp, paresthesia, carpal tunnel & other entrapment syndrome

(5) 피부 : 차고 건조함, sweating↓, 손톱이 연하고 잘 부서지고 홈이 생김, 윤기 없는 모발, 탈모 ...
- glycosaminoglycan의 피부/피하조직 침착 (→ 수분저류) → myxedema점액부종 (특징!)
  : non-pitting edema ; 주로 얼굴puffy face (특히 눈주위), 손등 (심하면 혀와 입술도 커짐)
- carotene 축적 (∵ vitamin A로의 전환 시연) → yellow skin (주로 손바닥, 발바닥)
- 얼굴색은 전반적으로 창백함 (∵ 빈혈, 혈관수축)

(6) low-pitched slurred speech, hoarseness (← 혀와 입술 등이 커짐)

(7) 월경과다, 성욕감소, 무배란, 불임 / prolactin↑에 의한 유루증과 무월경도 가능

(8) 심근수축력↓ & 말초저항↑ → CO↓, diastolic BP↑(20~40%에서 HTN), pulse pr.↓

(9) cardiac enlargement ("myxedema heart") ; pericardial effusion (~30%에서 발생) 때문
- 심장이 작은 경우 ┌ pituitary hypothyroidism : secondary adrenal insufficiency 동반
  └ primary adrenal insufficiency 동반 (Schmidt's syndrome)
- cardiomyopathy는 드묾

(10) 빈혈, 혈소판 기능장애(→ 출혈경향)
- anemia (대개 normocytic or macrocytic) → IDA를 제외하고는 thyroid hormone 투여시 호전됨
  ① thyroid hormone의 결핍 → Hb 합성 장애
  ② folate 흡수장애 → folate deficiency (megaloblastic anemia)
  ③ vitamin B12 결핍 → megaloblastic anemia
  ④ 월경과다, 철분수장애 → IDA

(11) pituitary enlargement (∵ TSH-secreting cells의 hyperplasia 때문 → 치료하면 정상화)

(12) goiter ⇨ Hashimoto's thyroiditis, painless/postpartum thyroiditis, antithyroid drugs

3. 검사소견

- 1차 선별검사 : TSH (m/g), free T4
- 2차 선별검사 : antithyroid Ab. 등

(1) TSH : single most useful test, 치료효과 평가에도 m/g
┌ **primary hypothyroidism** : ↑
└ central hypothyroidism : N or ↓ (inactive TSH가 분비되는 경우에는 약간↑도 가능)

(2) T4, FT4, free T4 ↓
- T3 : T4보다 덜 감소 (약 25%는 정상) → 진단에 별 도움 안되므로 검사 안함
  (∵ TSH↑에 의해 T3가 상대적으로 증가, hypothyroidism에 대한 적응으로 deiodinase↑)

(3) TRH stimulation test : 큰 도움은 안 됨 → 서론(갑상선기능검사) 참조

(4) antithyroid Ab

    – <u>anti-TPO Ab</u> 및 anti-Tg Ab : <u>autoimmune (Hashimoto's) thyroiditis</u>의 95% 이상에서 양성!

    – TSH-R-blocking Ab (TBII) : 10~20%에서 양성, thyroid atrophy도 유발

(5) RAIU

    $\left[\begin{array}{l}\text{감소 : thyroprivic hypothyroidism, secondary/tertiary hypothyroidism}\\\text{증가 : goitrous hypothyroidism}\end{array}\right.$

(6) T_3-RU ↓

(7) 기타

    – cholesterol, LDL, TG, AST, LD, CK, prolactin 등의 증가

    – hyponatremia, hypoglycemia

    – pernicious anemia (1° thyroprivic hypothyroidism의 12%에서)

(8) chest X-ray : cardiomegaly (effusion)

(9) EKG : bradycardia, low-amplitude QRS, flattened/inverted T wave

(10) brain/pituitary <u>MRI</u> : central hypothyroidism 의심시

4. 치료

(1) <u>Levothyroxine (L-thyroxine)</u> : synthetic T_4 (DOC!), 보통 1.6 μg/kg/day (100~150 μg/day)

    – 반감기가 길어서 (7일) 안전하게 사용 & 1일 1회 투여로 충분, 상부 소장에서 약 80% 흡수됨

        ↳ 새로운 평형 상태에 도달하는데 5~6주 이상 소요 (→ <u>6주</u> 이후 용량 조절)

    – 체내에서 T_3로 전환되므로 실제 활성을 지닌 T_3의 농도를 아주 균일하게 유지시킬 수 있음

    – 음식/섬유질/약물에 의해 장흡수 감소 가능 → 아침 공복에 복용 (1시간 뒤 아침 식사 권장)

    – 장기간 사용해도 큰 부작용이 없음

    – 심장질환이 없는 60세 이하 성인은 대개 50~100 μg/day (initial dose)로 시작

        → TSH가 정상화 될 때까지 약 6주마다 12.5~25 μg씩 증량

    – 노인, CAD 동반/의심시 : 12.5~25 μg/day로 시작한 뒤 약 6주마다 12.5~25 μg씩 증량

    – autoimmune dz. 환자는 갑상선 제거한 환자보다 필요량 적음 (∵ 정상 조직이 존재하므로)

    – 치료 상태 평가 지표 (치료 목표, 용량 조절)

        ① <u>TSH</u> 정상화 (m/g)

            $\left[\begin{array}{l}\text{참고치(0.5~5 mU/L)의 lower half}^{(0.5~2)}\text{가 이상적 (고령일수록 높게 유지, 80세면 ~7.5 mU/L)}\\\text{primary hypothyroidism : 4~6주 간격으로 측정}\end{array}\right.$

        ② 임상소견(증상, goiter), T_3 (T_4보다 좋다)

    – TSH가 정상화 되어도 증상 회복에는 3~6개월까지 걸릴 수 있음

    – TSH가 지나치게 suppression되면 심계항진, AF 등 thyrotoxicosis Sx 발생 위험 증가

(2) Liothyronine : synthetic T_3

    – 단기간 사용할 수는 있으나, 장기간 사용에는 부적합 (반감기 짧아 자주 투여, 혈중 농도 유동적)

    – thyroid hormone을 갑자기 중단하거나 진단적 검사가 필요할 때에만 사용

(3) T_4 + T_3 : 특별한 장점이 없어 권장 안됨 (심장질환자에서는 높은 T_3로 인해 부정맥 유발 위험)

    – Ix ; thyroidectomy, ablative radioiodine therapy, T_3가 낮은 경우 ⇨ 13:1~16:1 비율로!

    – Liotrix (comthyroid)는 T_4:T_3가 4:1로 T_3가 너무 높음

■ 갑상선호르몬(levothyroxine) 필요량이 변하는 경우

> **필요량 증가**
>
> 임신 (30~50% 증량) : TBG 및 기초대사량 증가 때문
> 체중 증가, 겨울철
> 갑상선 기능의 지속적 감소 ; Graves' dz.에서 radioiodine 투여 뒤, Autoimmune (Hashimoto's) thyroiditis
> T₄ (Levothyroxine)의 흡수장애
>   Cholestyramine, Colestipol, Ferrous sulfate, Sucralfate, Calcium carbonate, Aluminum hydroxide gels,
>   Lovastatin, Sertraline, Raloxifene, Omeprazole, Fibers, Short bowel syndromes (소장절제후),
>   위장관장애, 소장점막질환, Celiac dz., Jejunoileal bypass, 당뇨병성 설사
> T₄ (Levothyroxine)의 대사 증가 ; Phenytoin, Rifampin, Carbamazepine, Dilantin, Phenobarbital, Imatinib
> T₄→T₃ 전환 억제 ; Amiodarone, Propranolol, Glucocorticoid, Propylthiouracil, Ipodate 등
> Estrogen 치료 (e.g., HRT) : TBG↑ → 갑상선호르몬과 결합↑
>
> **필요량 감소**
>
> Autoimmune (Hashimoto's) thyroiditis에서의 자연 회복기
> Graves' dz.의 재발
> Autonomous nodules 발생
> T₄ (Levothyroxine)의 factitious ingestion
> 노인 (20% 정도 감량), 여성에서 androgen 치료

c.f.) 반감기가 길기 때문에 짧은 수술로 1~2일 정도는 복용 안 해도 별 문제 안 됨

* 갑상선호르몬 치료의 부작용
  - iatrogenic thyrotoxicosis
  - bone mineral loss (특히 폐경 여성), AF (노인), 심근허혈 악화 (CAD 환자), 일시적인 탈모,
    acute sympathomimetic Sx, pseudotumor cerebri (소아) ...

* central (pituitary, hypothalamic) hypothyroidism의 경우
  - adrenal crisis 방지위해 hydrocortisone을 먼저 주고 나서 L-thyroxine 투여
  - free T₄ level로 치료 효과 monitoring (∵ TSH는 믿을 수 없음)
    ↳ 2~4주 간격으로 F/U → 참고치의 upper half로 유지

5. 무증상 갑상선기능저하증 (Subclinical hypothyroidism)

• 정의 : TSH 상승 & free T₄ 정상, hypothyroidism 증상은 없거나 경미함
  ↳ UNL정상 상한선 이상 (>4~5 mU/L)
• 노인, 여성에서 많다 (60세 이상 여성의 17%)
• atherosclerotic CVD (cardiovascular dz.) 발생 위험 증가 ; CAD, heart failure 등
  (→ TSH >10 mU/L, antithyroid Ab 양성인 경우 더 위험)
• 일부에서는 (특히 노인에서) hyperlipidemia 발생 증가 ; LDL, TG, Lp(a) 약간 상승
  c.f.) subclinical hypo/hyperthyroidism과 골밀도/골절위험과는 관련 없음
• <u>치료가 필요한 경우</u> (∵ true hypothyroidism으로 진행될 위험↑) : 명확한 지침은 없음
  ① TSH >10 mU/L (UNL정상 상한선의 2배); 65~70세 이하면 >7 mU/L부터 치료 고려
  ② TSH UNL~10 mU/L인 경우
    (1) antithyroid Ab (e.g., <u>anti-TPO</u>, anti-Tg) 양성
    (2) diffuse goiter
    (3) 심장질환, hyperlipidemia, 우울증, 피로, 변비, 체중증가, cold intolerance 등의 증상 동반

- TSH 상승이 3개월 동안 지속되는 지 확인하고 치료를 시작해야 됨!
  ⇨ levothyroxin 소량 (25~50 μg/day)으로 시작하여 TSH가 정상 범위에 오도록 용량 조절
- 치료 안하기로 한 경우 TFT F/U : anti-TPO Ab 양성이면 매년, 음성이면 3년 마다

6. 점액부종 혼수 (Myxedema coma)

(1) 개요

- 장기간 hypothyroidism을 치료하지 않은 노인 환자에서 유발인자에 의해 CNS와 심혈관계의 심한 기능장애가 발생한 것 (→ 요즘에는 조기진단 & 치료의 확대로 매우 드묾)
- 병인 ; hypoventilation (m/i), hypoglycemia, dilutional hyponatremia 등
- 유발인자 : 추위에 노출, 감염(폐렴, sepsis), 외상, 수술, GI bleeding, CVA, CNS depressants, CHF, MI, pul. edema ...

(2) 임상양상

- 의식저하(심하면 coma), 저체온(hypothermia), 전신부종, 저혈압, 서맥, seizures
- hypoventilation (→ $PaCO_2$↑, resp. acidosis)
- hyponatremia, hypoglycemia, CK↑↑

(3) 치료

: medical emergency! (사망률 30~50%), 만약 TFT 검사결과가 늦어지면 우선 치료 시작
① levothyroxine (T_4) + liothyronine (T_3) IV (or NG tube)
② hydrocortisone IV (adrenal insufficiency 동반이 R/O되기 전까지는 투여)
③ mechanical ventilation (보통 처음 48시간 동안 필요)
④ IV fluids, electrolytes, glucose (전해질이상과 저혈당 교정)
⑤ 기타
   - 체온 유지를 위한 보온 조치 ; 이불 같은 것을 덮어줌
     (체온을 너무 빨리 높이면 순환량 증가로 심장에 부담이 되므로 주의)
   - 유발인자의 교정 (e.g., 감염 → 항생제)
   - sedatives, narcotics, overhydration (volume overload) 등은 피할 것
   - 충분한 영양공급

7. 임신 중의 hypothyroidism

TSH	anti-TPO	조치
>10 mU/L	+/-	FT₄에 관계없이 치료(T₄ 투여)
>UNL mU/L	+/-	FT₄ 낮으면 치료(T₄ 투여)
2.5~UNL mU/L	+	
	−	6개월 & 출산 후 경과관찰
LNL~2.5 mU/L	+	
	−	필요 없음

c.f.) 참고치 상한(UNL)과 하한(LNL)은 임신 시기도 고려

임신 중 TSH 참고치의 변화	
1st trimester	0.1~2.5 mU/L
2nd trimester	0.2~3.0 mU/L
3rd trimester	0.3~3.5 mU/L
[참고] 일반인	0.4~5 mU/L

*임신 초기에는 hCG의 영향으로 감소,
임신이 진행되면 정상화됨

- 임신 중 hypothyroidism의 m/c 원인 : 자가면역성 갑상선염(Hashimoto's thyroiditis)
- 임신 전부터 T_4를 사용하던 경우는 지속적으로 투여 (임신 전 TSH 2.5 mU/L 안 넘도록)
- 임신 중 hypothyroidism이 진단되면 가능한 조기에 갑상선 기능을 정상화해야 됨
  - overt hypothyroidism (TSH >10 mU/L or FT_4↓ & TSH >UNL)은 바로 치료
  - subclinical hypothyroidism (TSH 2.5~10 mU/L)은 anti-TPO Ab. 양성이면 치료
- 6~8주 간격으로 TSH를 측정하여 T_4 용량 조절, 용량을 증가시킨 경우는 4~6주 후에 TSH 재검
- 임신 초기에는 TSH 2.5 mU/L 이하로, 중기 & 말기에는 3 mU/L 이하로 용량 조절
- 대개 (특히 3rd trimester) 30~50% 정도 치료 용량을 늘리게 됨! (∵ TBG↑, 기초대사량↑)
- T_4는 다른 약제(e.g., iron, vitamin, calcium) 및 식품과 4시간 이상의 간격을 두고 복용 권장
- 출산 후에는 임신 전 복용하던 T_4 용량으로 즉시 환원! (출산 6주 후에 TSH 재검)

갑상선중독증/갑상선항진증

┌ 갑상선중독증(thyrotoxicosis) : 원인에 상관없는 thyroid hormone 과다 상태
└ 갑상선항진증(hyperthyrodism) : thyroid gland에서 thyroid hormone이 과다 생산되는 것

갑상선중독증(thyrotoxicosis)의 원인 ★
① Hyperthyroidism : 갑상선 호르몬의 생산 증가 (RAIU↑) 　1. Primary hyperthyroidism 　　<u>Graves' disease</u> (m/c, 95%) 　　<u>Toxic multinodular goiter (MNG)</u> 　　<u>Toxic adenoma</u> (Plummer's disease) 　　Follicular cancer (드묾) 　　Iodine-induced hyperthyroidism (Jod-Basedow phenomenon) ; 조영제 or iodine 함유 약물 등 　　　(과도한 iodine이 배설된 뒤에 RAIU↑, 아직 iodine 과다 상태면 RAIU↓) 　　TSH receptor의 activating mutation (AD 유전) 　　G_{sa} 의 activating mutation (McCune-Albright syndrome) 　2. <u>Secondary hyperthyroidism</u> 　　TSH-secreting pituitary tumor 　　Thyroid hormone resistance syndrome (일부에서) 　　<u>hCG</u>-secreting tumors ; hydatiform mole, choriocarcinoma 　　Gestational thyrotoxicosis (hCG↑)
② Thyrotoxicosis without hyperthyroidism : 갑상선에서의 호르몬 생산 증가와 무관 (RAIU↓) 　1. 갑상선 파괴 (thyroid hormone 누출) 　　Subacute thyroiditis (초기) 　　Painless/silent/postpartum thyroiditis 　　기타 ; amiodarone, radiation, adenoma의 infarction 　2. 갑상선 이외에서의 갑상선 호르몬 증가 (Ectopic/Exogenous hyperthyroidism) 　　Ectopic production ; ovarian teratoma (struma ovarii^{난소갑상선종}, 난소에 갑상선 조직 존재), 　　　기능성 분화갑상선암(e.g., follicular ca.)의 타 장기 전이 　　Thyrotoxicosis factitia (thyroid hormone 과다 복용) 　　Hamburger thyrotoxicosis (우연히 동물의 갑상선 조직 섭취)

■ Graves' Disease ■

- TSH-R (receptor) Ab (bioassay로는 TSI)가 원인인 autoimmune dz.
- thyrotoxicosis의 m/c 원인 (60~80%), 20~50대 여성에서 호발, 남:여 = 1:10
- triad ┌ hyperthyroidism with diffuse goiter
  ├ ophthalmopathy/orbitopathy (자가면역기전)
  └ dermopathy : pretibial or localized myxedema

1. 병인

- Graves' dz. 발생의 위험인자
  - 유전적 소인 ; HLA-DR, *CTLA-4, CD25, PTPN22, FCRL3, CD226*, TSH-R 등의 유전자
    (일란성 쌍생아에서의 동시 발생률 : 20~30%)
  - 환경요인 ; stress, iodine 섭취의 갑작스런 증가, 출산후
  - 흡연 : Graves' dz.에는 minor 위험인자지만, ophthalmopathy에는 major 위험인자
- hyperthyroidism의 발생 (autoimmune mechanism)
  - TSH-R Ab (TRAb, bioassay로는 <u>TSI</u>)가 주로 관여함
  - thyroiditis 등도 영향을 주므로 TSI level과 hyperthyroidism 정도^(갑상선호르몬 농도)는 직접 관련 없음
  - 임신시 high titer는 태반을 통과하여 fetal/neonatal thyrotoxicosis도 유발 가능!
  - T cell-mediated cytotoxicity도 관여
  - 약 15%에서는 spontaneous autoimmune hypothyroidism도 발생 가능
- ophthalmopathy : 외안근에 T cell 침윤 (∵ orbit에서 TSH-R과 비슷한 autoAg 발현)

2. 임상양상

(1) thyrotoxicosis의 증상

① 발한(excessive sweating), 피곤, 체중감소, 열과민증(heat intolerance), 가려움
② 식욕은 정상 or 증가, 잦은 배변과 설사
③ 두근거림(palpitation, 안정시에도), dyspnea
  (노인에선 angina pectoris나 cardiac failure 촉진)
④ 심혈관계 : <u>sinus tachycardia</u> (m/c), AF (5~22%, 50세 이상에서 흔함), CO (EF) ↑,
  말초혈관 저항↓, systolic HTN, wide pulse pr., systolic ⑩, S₁↑, cardiomegaly
⑤ <u>fine tremors</u>, 감정동요(emotional lability), 신경과민(nervousness), 수면장애
  - 손가락과 혀의 fine tremor with hyperreflexia가 특징적
  - 젊은이에선 nervous Sx.이 주로, 노인에선 cardiovascular & myopathic Sx.이 주로 나타남
⑥ proximal muscle weakness (계단을 오르기 힘듦)
⑦ oligomenorrhea, amenorrhea, infertility (남성도 성기능 감퇴 발생 가능)
⑧ skin : warm, moist, palmar erythema, onycholysis (손발톱박리증)
  - plummer's nail : nail bed로 부터 nail이 분리 (ring finger에 m/c)
⑨ ocular sign ; widened palpebral fissure, infrequent blinking, lid lag, failure to wrinkle
  (∵ sympathetic overstimulation 때문) → thyrotoxicosis 교정하면 없어짐

(2) Graves' dz.의 증상

① 갑상선종(diffuse goiter) : 보통 2~3배 크기↑ (일부는 정상), 대부분 좌우 대칭적(symmetric),
표면은 매끄러움(smooth, soft), 일부 lobular, 압통×, bruit 청진 or thrill 촉진 가능

② 안병증(thyroid-associated ophthalmopathy) : Graves' dz.의 30~50%에서 동반
• 대부분 양측성 (약 10%는 일측성), Graves' dz.의 남녀비 만큼 여성에서 흔함
• 발생↑ ; 흡연 (2배), 갑상선기능이 잘 조절되지 않을 때, radioiodine 치료 (일부에서)
• hyperthyroidism 진단 전후 1년 이내에 가장 호발, 6~18%는 TFT 정상일 때 발병
• spastic component ; stare, lid lag, lid retraction ("겁먹은 표정")
    → adrenergic antagonist로 완화 (thyrotoxicosis 치료하면 정상으로 돌아옴)
• mechanical component ; exophthalmos (초기엔 일측성일 수도 있음), ophthalmoplegia,
    congestive ophathalmopathy (chemosis, conjunctivitis, periorbital swelling)
    - Cx. ; corneal ulceration, optic neuritis, optic atrophy
• 안구돌출 안구마비(exophthalmic ophthalmoplegia) ; upward gaze와 convergence 장애,
    다양한 정도의 diplopia를 동반한 사시(strabismus)
• 대부분 경미한 편이지만, 10~15%는 심하고 오래 지속됨 (특히 고령의 남성에서 심한 경향)
• 안병증의 증상이 없어도 CT/US에서는 대부분 외안근의 비후를 보임
• 약 10%는 Graves' dz. 없이 발생 (→ 대개 autoimmune hypothyroidism or thyroid Ab 동반)

③ thyroid dermopathy (<5%)
• 대개 Graves' dz. 발병 약 1~2년 뒤 발생
• 대부분 중등도 이상의 ophthalmopathy 동반
• pretibial myxedema (후반기에) … hypothyroidism의 증상 아님
• 오렌지 껍질, 돼지 피부와 같은 병변 (경계는 뚜렷)
• thyroid acropathy (<1%) ; 손/발가락의 clubbing, bony change

(3) apathetic hyperthyroidism (무감각 갑상선기능항진증)
• 60세 이상의 노인에서 흔함
• 전형적인 hyperthyroidism의 소견없이 얼굴이 무표정하고 안면부종, 전신무력감, 무관심, 우울증
    등으로 발현하는 경우가 흔하다
• 심혈관 증상(심방세동, 빈맥), 심한 체중감소, GI Sx. (diarrhea, 식욕부진) 등이 주로 나타남
• 갑상선종과 안구돌출은 없는 경우가 많다
• hypothyroidism이나 심질환/신질환으로 오인되기 쉽다

(4) 경과
• 치료 안 하면 자연 치유되는 경우는 거의 없음 (대개 더욱 진행)
• 일부에서는 호전과 재발을 반복하기도 함
• 치료 후 관해된 환자의 약 15%는 10~15년 뒤 autoimmune hypothyroidism 발생 가능
• ophthalmopathy의 경과 (thyroid dz.와 다름)
    - 첫 3~6개월간은 악화, 이후 12~18개월은 plateau phase
    - 자연회복 (특히 연조직의 변화) or 악화 (약 5%, 시력상실도 가능)
    - radioiodine으로 치료하면 일부에서 (특히 흡연자) ophthalmopathy가 악화됨

3. 검사소견

(1) T_4 & $T_3\uparrow$, free T_4 & $T_3\uparrow$, $FT_4I\uparrow$, T_3-RU$\uparrow$

(　T_4는 갑상선에서만 생산되나 T_3는 갑상선 이외의 말초조직에서도 T_4에서 전환되어 생성되므로 T_4 측정이 더 바람직)

(2) TSH$\downarrow$ (secondary hyperparathyroidism에서는 N~$\uparrow$)

(3) RAIU$\uparrow$ (정상 : 5~30%)

(4) antithyroid Ab (+)

　• TSH receptor Ab (TRAb, TBII, bioassay로는 TSI) : 거의 대부분 (+), 치료하면 titer$\downarrow$/소실

　　– 치료 뒤 TRAb 존재 여부는 예후(재발)의 지표!

　　– Graves' dz. 치료에 따라 TSI보다 TSBAb (→ hypothyroidism)가 우세해질 수도 있음

　• anti-TPO Ab (80%), anti-Tg Ab (40%) … 다른 갑상선질환에서도 양성으로 나오므로 도움×

(5) TRH stimulation test에 무반응, T_3 suppression test 이상

(6) BMR$\uparrow$, ALP$\uparrow$, cholesterol$\downarrow$, glycosuria, hypokalemia, hypercalcemia

(7) thyroid scan ; Graves' dz.는 미만성 비대를 보임

(8) thyroid sonography

　• diffusely low echogenicity (c.f. chronic autoimmune thyroiditis [Hashimoto's dz.]도 같음)

　• color flow Doppler ; hyperemia (blood flow$\uparrow$) ↔ Hashimoto와 destructive thyroiditis는 $\downarrow$

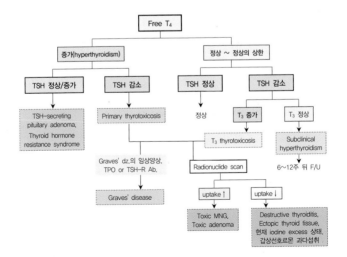

4. 진단

- 1차 선별검사 : <u>TSH, free T₄</u>
- 2차 검사
  - <u>RAIU</u> : 갑상선중독증의 원인 감별진단 위해 (Grave's dz.에선 ↑)
  - <u>TSH receptor Ab. (TBII, TSI)</u> : Grave's dz. 진단에 도움
  - <u>total T₃</u> : T₃-갑상선중독증 [TSH↓, free T₄ 정상] 확인을 위해 필요

* TSH-secreting pituitary tumor : inappropriate TSH (N~↑), α-TSH↑, pituitary CT/MRI
* subacute thyroidits : ESR↑, RAIU↓↓, severe tender goiter
* <u>thyrotoxicosis factitia</u> : thyroglobulin↓, RAIU↓, no goiter
* Hashimoto's thyroiditis (초기) : TSH↑, RAIU↑, scan에서 irregular uptake

★ free T₄는 증가되어 있는데도 TSH가 정상~증가된 경우 (<u>inappropriate TSH</u>)
① hypothyroidism 환자가 T₄를 불규칙하게 복용하는 경우(poor compliance) ⋯▶ 가장 먼저 확인
② TSH-secreting pituitary adenoma
③ thyroid hormone resistance syndrome (RTH) ; thyroid hormone receptor mutation
(c.f., hCG 증가에 의한 secondary hyperthyroidism에서는 TSH↓)

■ **Resistance to thyroid hormone (RTH)** 갑상선호르몬 저항 증후군
  : 갑상선호르몬에 대한 표적 조직의 반응이 감소한 유전질환, 드물, 남=여, 거의 다 AD 유전
  (1) **RTH-beta (classic RTH)** ; >90%, TR (thyroid hormone receptor) β gene (THRB)의 mutations
    − mutant TRβ가 정상 TRβ와 TRα를 억제함 (dominant negative activity)
    − free T₄↑, T₃↑, inappropriate (정상~↑) TSH (∵ 표적의 hypothyroid 상태에 의한 feedback)
    − 갑상선호르몬 작용의 보조인자들 때문에 같은 mutation이라도 저항성(임상양상)는 다양하게 나타남
    − hypothyroidism 증상은 없거나 미미함 (∵ 호르몬 저항성은 부분적 + 보상성 호르몬 증가)
      ; goiter (m/c), 과잉행동, 빈맥, 주의력 결핍, 경미한 지능저하, 성장지연 ...
    − 대부분 치료 필요 없음 (hyperthyroidism으로 오진하여 치료하지 않도록 주의!)
  (2) **NonTR-RTH** ; RTH-beta 환자 가족의 약 15%에서 THRB mutations이 발견 안되는 경우
    − 임상양상 및 검사소견은 RTH-beta와 구별 안됨
    − 호르몬과 receptors 상호작용의 보조인자들 mutations으로 추정됨
  (3) **RTH-alpha** ; TR (thyroid hormone receptor) α gene (THRA)의 mutations
    − TRα는 hypothalamic-pituitary-thyroid axis의 feedback regulation에 관여하지 않음
      → free T₄↓~N, T₃ N~↑, TSH는 대개 정상
    − congenital hypothyroidism의 양상 ; 성장지연(저신장, 뼈연령↓), skeletal dysplasia, 심한 변비
    − 심한 경우 T₄ 치료 필요

■ **T₃-thyrotoxicosis**
  − thyrotoxicosis의 증상을 보이면서 (TSH↓) total & free T₄는 정상이고, total & free T₃만 증가된 경우
  − thyrotoxicosis 환자의 2~5%, 고령에 많음, 요오드 결핍 지역에서는 더 많음
  − 임상증상은 경미한 편이며, 항갑상선제에 대한 반응 양호함
  − 원인 (나타나는 경우)
    ① Grave's dz, 발병 초기, 치료 후 재발시, 항갑상선제 치료 중 일부에서
       (∵ thyrotoxicosis에서는 일반적으로 T₄보다 T₃가 더 많이 분비됨)
    ② autonomously functioning thyroid nodules ; toxic multinodular goiter, toxic adenoma
    ③ 갑상선암 전이에 의한 thyrotoxicosis
    ④ gestational trophoblastic dz.에 의한 thyrotoxicosis

5. 갑상선기능항진증의 치료

(1) 항갑상선제(antithyroid drugs, thionamides)

- 기전 : TPO (thyroid peroxidase) 기능 억제가 主, thyroid Ab level↓
  (↳ iodine의 oxidation, organic binding, coupling을 방해)
- **propylthiouracil (PTU)**, carbimazole, <u>methimazole</u> (carbimazole의 metabolite)[DOC]
- 대부분 methimazole 우선 사용 (∵ 작용시간↑ → 1일 1회 투여 가능, PTU보다 치료 효과 빠름)
- PTU ; 고용량에서는 말초 $T_4 \rightarrow T_3$ 전환도 억제함 (→ T_3 더 빨리↓, thyrotoxic crisis에서 유리),
  혈장단백 결합↑(→ 태반통과 & 유즙분비↓ → 임신/수유시 유리), 부작용이 더 많은 단점
- 적용
  ① mild hyperthyroidism
  ② young age, 갑상선종의 크기가 작을 때
  ③ 임산부 (최소량 투여, 임신 초기에는 PTU)
  ④ 수술 전처치, 방사선 요오드 치료 전후
  ⑤ thyrotoxic crisis
- TFT (fT$_4$, TSH) F/U : 3~4주째, 갑상선기능 정상화까지 매달, 정상화 이후에는 2~3개월 마다
- 초기에는 고용량으로 투여, 증상이 호전되면 점차 감량하여 저용량으로 <u>장기간 유지함</u>
  ┌ 초기용량: PTU 300~600 mg/day, methimazole 20~60 mg/day
  └ 유지용량: PTU 50~100 mg/day, methimazole 2.5~5.0 mg/day

  - thyrotoxicosis 호전되면 서서히 감량("titration regimen") : 3~4주에 따라 <u>fT$_4$</u>에 따라 용량 조절
    c.f.) block-replace regimen (고용량의 항갑상선제 + T_4) : drug-induced hypothyroidism 예방 및 치료반응↑
    기대되었으나 치료 효과는 차이 없으면서 항갑상선제 부작용만 증가 → titration regimen이 선호됨
  - 2~3주 이후 증상 호전, 대부분 <u>4~6개월</u> 이후에 정상 갑상선기능(free T_4) 회복
  - TSH : euthyroid 상태가 된 (fT$_4$ N~↓) 이후로도 계속 억제되어 있는 경우가 많음
    (∵ pituitary 회복에 6~8주 이상 필요) → 치료반응 평가 지표로는 부적합!
  - 갑상선종이 크거나 치료 전 T_3가 높은 경우 항갑상선제가 빨리 대사되므로 고용량으로 투여
- 교감신경자극과 관련된 증상은 비교적 빨리 호전되고, 이화작용과 관련된 증상은 늦게 회복됨
- 안병증(ophthalmopathy)은 항갑상선제 치료에 의해 영향을 받지 않음!
  (but, 교감신경자극과 관련된 lid lag, lid retraction, stare 등의 증상은 호전됨)
- <u>18~24개월</u> 치료해야 장기 관해율 최대(<u>30~50%</u>), block-replace regimen은 6개월에 최대
- antithyroid drugs 치료만으로 관해가 올 확률이 높은 경우
  ① 치료 시작 전 TSII 음성인 경우   ② 치료 도중에 TSII가 음전된 경우
  ③ 여성, 고령
  ④ 갑상선종(goiter)의 크기가 작은 경우
  ⑤ 치료 시작 전 갑상선기능항진증이 경미한 경우
  ⑥ 치료 도중에 갑상선종의 크기가 현저히 감소한 경우
- 치료 중 thyroid 크기가 더 커지는 경우
  ① overtreatment로 인한 hypothyroidism 발생 (∵ T_4↓ → TSH↑↑)
  ② undertreatment
  ③ 질병 자체의 reactivation

* Antithyroid drugs의 부작용

① mild transient leukopenia (m/c, 10~25%) : differential %는 정상

- 약 끊을 필요 없음 (∵ agranulocytosis 및 감염과는 무관)

- PMN의 절대수가 1500/μL 이하로 떨어지면 약 끊어야 됨

② agranulocytosis (m/i, 0.2~0.5%) : granulocyte <500/μL (대부분 거의 0)

- 대부분 치료시작 <u>1~3개월</u> 사이에 발생 (1년 이후에도 가능), 전구증상 없이 <u>갑자기</u> 고열 (>40℃), sore throat, oral ulcer 등으로 발생 (CBC monitoring으로 사전 예측 불가능!)

- 발생 위험은 methimazole은 용량에 비례, PTU는 용량에 관계없음

- 기전 : autoimmune (anti-granulocyte Ab)

- Tx ⓐ 항갑상선제 모두 중단! : 끊으면 대부분 회복, 안 끊으면 대부분 사망
  (PTU와 methimazole 사이에는 교차반응이 있을 수 있으므로 서로 교체는×)

  ⓑ G-CSF (최근 연구 결과로는 효과 없지만, 권장됨)

  ⓒ 광범위 항생제 투여

  ⓓ 다른 치료 방법 사용 ; propranolol, radioiodine, 수술
  (steroid는 효과 없음!)

- 한번 agranulocytosis가 발생한 환자에게는 다시는 모든 antithyroid drugs를 쓰면 안 됨

③ 과민성 반응 (3~5%)

- 피부소양증, 담마진 등의 피부병변이 m/c ┐(→ 저절로 or 다른 약제로 대치시 호전 가능)

- 탈모, 관절통, 근육통, 경한 발열 ┘

- <u>lupus-like Sx. & ANCA(+) vasculitis</u> : 드묾, PTU에서 흔함 → 약 중단 & 재투여 금지!

④ toxic <u>hepatitis</u> : 매우 드묾, 대부분 PTU에서 발생 → 약 중단 & 재투여 금지!
(약 30%에서 나타나는 일시적인 LFT 상승은 경과 관찰)

* 심한 부작용은 methimazole보다 PTU에서 더 흔함!

⇨ 임신 초기와 thyrotoxic crisis를 제외하고는 methimazole 사용 권장

Antithyroid drugs의 부작용

1. Severe
Agranulocytosis* (0.2~0.5%)
드문 부작용
Hepatitis* (hepatic failure도 발생 가능)
Cholestatic jaundice ··· methimazole에서만 발생
Thrombocytopenia, Aplastic anemia
Hypoprothrombinemia
Lupus-like syndrome with vasculitis*
Hypoglycemia (insulin Ab)

2. Less severe
흔한 것 (1~5%) : Rash, Urticaria, Arthralgia, Leukopenia, Fever
드문 것 : Arthritis, Diarrhea, 식욕감소 (미각 이상)

3. Hypothyroidism (용량 과다시) → levothyroxine 투여

* major Cx : PTU에서 더 흔함, 항갑상선제 중단 및 재투여 금기!

(2) Radioiodine (radioactive iodine, RAI) : ^{131}I

- 베타선에 의해 갑상선 조직을 파괴, 용량은 대개 5~15 mCi
  (thyrotoxicosis가 심하거나 goiter가 크면 용량↑, radioiodine uptake가 높으면 용량↓)
- 노인과 심장질환자는 갑상선호르몬을 고갈시키기 위해 항갑상선제(PTU)로 전처치 시행
- 가장 효과적이며 경제적이나, 부작용이 문제 (c.f., 처음 며칠간은 방사선 안전조치 필요)
- 젊은 환자보다는 고령의 환자에서 더 좋음
- 미국에서는 hyperthyroidism의 primary Tx. (우리나라/일본/유럽은 antithyroid drugs)
- 적응 … severe hyperthyroidism
  ① 더 이상 아이를 갖지 않을 경우
  ② antithyroid drug 치료 후 재발 or antithyroid drug의 부작용 있을 때
  ③ 수술 뒤 재발한 thyrotoxicosis
  ④ 수술 거부시 or 다른 중증질환으로 수술이 불가능할 때
  ⑤ toxic multinodular goiter, toxic adenoma
- 금기
  ① 임신, 수유중 … 절대 금기 (c.f., RAI 치료후 6~12개월 뒤에는 임신 가능)
  ② 10세 미만 소아 (큰 소아 및 청소년에서는 안전)
  ③ 심한 갑상선항진증 (→ radiation에 의한 갑상선의 파괴에 따른 thyroid storm을
     방지하기 위해 β-blocker 전처치가 필요)
  ④ AMI
- 부작용
  ① hypothyroidism (m/c) : 대부분의 환자에서 5~10년 뒤 발생
     - 치료 1년 뒤 10~20%, 그후 1년마다 5%씩 발생 위험 증가
     - but, hypothyroidism의 치료(L-thyroxine 보충)는 간편하고 경제적이므로
        thyroid ablation을 목적으로 치료함
  ② radiation thyroiditis : early Cx (RAIU↓, thyrotoxic Sx. 발생)
     - 예방 위해 antithyroid drug로 전처치(1개월 이상) 및 후처치 시행
     - ^{131}I 투여전 ┌ PTU : 몇 주 전에 중단 (∵ PTU의 radioprotective effect)
                  └ carbimazole, methimazole : 최소 3일 전에 중단 (∵ iodine uptake 방해)
  ③ malignant risk는 없다 : 성인에서는 갑상선암이나 다른 암, 백혈병의 발생을 증가시키지 않음
     (불임도 일으키지 않음)
     - but, 소아에서는 암 발생 위험 증가 (→ 어린 소아에서는 금기)
  ④ ophthalmopathy 발생/악화 가능 (대개는 경미하고 일시적)
     → moderate ~ severe ophthalmopathy 환자에서는 radioiodine 권장 안됨
        (ㄴ 수술을 거부하거나 항갑상선제 부작용 시에는 steroid와 병용해 사용 가능)

(3) 수술 (subtotal or near-total thyroidectomy)

- 치료 효과는 가장 빠르다 (3~9주 이내)
- 전처치 ; antithyroid drug, lugol's solution (KI), β-blocker
  (→ euthyroid state로 만들고, 갑상선의 vascularity를 감소시킨 뒤 수술)

- 적응
  ① 젊은 연령에서 갑상선종이 매우 클 때, moderate~severe ophthalmopathy
  ② toxic adenoma, toxic multinodular goiter
  ③ 악성이 의심되는 결절 동반 (e.g., cold nodule)
  ④ pain, dysphagia 등의 압박증상
  ⑤ antithyroid drug 치료후 재발 or 부작용으로 투여할 수 없을 때
  ⑥ 임신 등 ^{131}I 치료를 할 수 없는 경우
- 갑상선 수술 후의 합병증
  ① 재발 (<2%)
  ② hypothyroidism (1~2년 이내에 5~50%)
  ③ hypoparathyroidism (3~30%, 영구적 손상은 1% 미만) → 다음 장 참조
     (→ 수술시 적어도 2개 이상의 부갑상선을 확인, 보존해야 됨)
  ④ recurrent laryngeal nerve 손상 (0.4%)
     ┌ 한쪽만 손상 → 성대마비, 애성(hoarseness)
     └ 양쪽 다 손상 → 호흡곤란, tracheostomy 필요
  ⑤ sup. laryngeal nerve의 external branch 손상 → 고음 발성 장애, voice fatigue, 떨림 장애
  ⑥ 기타 ; 기관지 부종, 출혈, 감염, 공기 색전증 등

(4) Iodides

┌ inorganic iodine ; KI (Lugol's solution, SSKI), NaI
└ iodinated contrast agents (iopanoic acid, ipodate sodium)
 : hormone 분비 억제 & $T_4 \to T_3$ 전환도 억제
- 기전 (과량의 iodide 투여시)
  ① iodide의 갑상선 내로의 이동 억제
  ② iodide의 oxidation과 organification 억제 (Wolff-Chaikoff effect)
  ③ hyperfunctioning thyroid에서 이미 만들어진 hormone의 방출을 신속히 억제 (m/i)
  ④ 갑상선의 혈류량(vascularity) 감소
- 반드시 항갑상선제와 병용! (항갑상선제의 빠른 치료효과를 얻기 위한 보조요법)
  → 항갑상선제를 먼저 투여하고 1일 뒤부터 iodide 추가 (∵ 새로운 thyroid H.의 생성 방지)
- 적응
  ① thyrotoxic crisis (다량의 antithyroid drug와 병행)
  ② 심한 심장질환 등 매우 신속하게 갑상선상태를 정상화시켜야할 때
  ③ radioiodine or 수술의 전처치
  ④ 항갑상선제를 복용하지 못할 때
  ⑤ 신생아의 thyrotoxicosis (Graves' dz. 산모)
- 2~3주 이상 투여하면 rebound phenomenon이 나타나므로 장기간 투여하면 안 됨
  (∵ 방출되지 못했던 thyroid hormone의 방출이 증가)

(5) β-adrenergic blocker (propranolol, atenolol)

- 일과성의 thyrotoxicosis 증상 때 antithyroid drug와 병용 (보조적으로 사용)
- thyrotoxicosis 증상(e.g., 빈맥)을 완화시킴 (갑상선의 기능에는 영향 없다)

• 기전

① membrane stabilizing effect

② 말초에서 T$_4$→T$_3$ conversion 억제 (∵ type 1 deiodinase 억제)

③ β-blockade effect : 혈액공급차단, palpitation 등의 Sx↓

• C/Ix ; asthma, severe heart dz.

* 항응고제(warfarin) : AF 발생된 환자에서 고려, 대개 더 많은 용량이 필요함

(6) 치료후 예후 판정 인자 (prolonged remission ↑ , 재발 ↓)

① <u>TSH-R Ab</u> (TSI) titier↓ (m/i)

② <u>TSH</u> titer 정상 or ↑

③ TRH stimulation test에서 정상 반응

④ T$_3$ suppression test에서 정상 반응 : T$_3$ 복용(→ TSH↓) 한 뒤 RAIU 측정

   ┌정상 : 원래보다 RAIU 50% 감소

   └억제 안 되면 hyperthyroidism

⑤ goiter의 크기 감소

Graves' dz.의 prognostic factor

Good Px.	Poor Px.
갑상선종이 작거나 없는 경우	갑상선종이 매우 큰 경우
처음 발병한 경우	20세 미만, 남자
임상소견이 경미한 경우	재발한 경우
증상 발현 시간이 짧은 경우	T3 predominant thyrotoxicosis
치료 도중 갑상선종이 작아지는 경우	치료 도중 갑상선종이 커지는 경우
치료 도중 TSH-R-Ab가 음전되는 경우	

6. 갑상선중독발작(Thyrotoxic crisis, thyroid storm)

• 정의 : thyrotoxicosis의 signs & Sx.의 심한 악화

• 과거에는 수술 전처치 불충분으로 수술 뒤 흔히 발생했으나 (surgical storm), 현재는 치료를 하지
   않고 방치하거나 불충분한 치료로 인해 발생 (medical storm), 드묾

• 유발인자 ; acute illness (e.g., 감염(m/c), 외상, stroke, AMI, PE, DKA, 분만), 수술(특히 갑상선),
   radioiodine 치료, stress, digitalis 중독 ...

• 증상 ; high fever (40℃ 이상), sweating, extreme irritability, delirium, seizure, coma,
   severe tachycardia, arrhythmia (e.g., AF), hypotension, CHF, vomiting & diarrhea, jaundice

• 치료

① supportive Tx : vital sign 유지, fluid & electrolyte, glucose, vitamin B, shock에 대한 처치,
   cooled humidified oxygen tent, 해열제(AAP)

② 유발인자의 교정 (e.g., 감염 → 항생제)

③ 고용량의 antithyroid drug (PTU) 500~1000 mg loading & 4시간마다 250 mg 투여

   - oral, NG tube, rectum (PTU는 IV 없음)

   - PTU의 T$_4$→T$_3$ 전환 억제 효과로 thyrotoxic crisis 때 choice

   *antithyroid drug를 사용 못하는 경우 ⇨ thyroidectomy가 TOC

④ 고용량의 iodides : 반드시 1~2시간 전에 <u>PTU</u> 먼저 투여하여 갑상선호르몬 합성을 차단해야 됨

⑤ 고용량의 β-blocker : **propranolol** IV/oral (or short-acting esmolol IV)

　　┌ 말초에서 $T_4 \to T_3$ conversion 억제

　　└ 빈맥 등의 adrenergic Sx↓ (HR와 BP 감소에 주의하며 사용)

　　*심부전 등으로 β-blocker가 금기이면 CCB (e.g., diltiazem) 사용

⑥ 고용량의 dexamethasone : **hydrocortisone** 300 mg loading & 8시간마다 100 mg IV

　　┌ thyroid hormone의 분비 억제, 말초에서 $T_4 \to T_3$ conversion 억제

　　└ 자가면역기전 억제(e.g., Graves' dz.), 동반된 adrenal insufficiency 예방

⑦ bile acid sequestrants (e.g., cholestyramine)

　　∴ 간에서 대사되어 enterohepatic circulation되는 갑상선호르몬의 재사용을 억제

⑧ 체온 하강 조치 ; cooling blanket, acetaminophen 등

– digitalis : AF 환자에서 ventricular rate를 조절할 때에만 사용 고려

– aspirin은 금기! (∵ T_4/T_3와 TBG의 binding 방해 → free form 증가)

– radioactive iodine도 금기

• 예후 : 치료해도 mortality ~30%

7. 임신 중의 hyperthyroidism의 치료

(1) antithyroid drug가 원칙!

• 저용량(PTU ≤200 mg/day)에서는 산모나 태아에 risk 적다 (매우 안전)

• <u>PTU</u>가 methimazole보다 좋음

　　∴ ┌ 단백질 결합이 많아 태반 통과가 적음!

　　　├ 수유시에도 모유에 적게 존재 (별 문제 안됨)

　　　└ $T_4 \to T_3$ conversion도 억제

– 부작용으로 PTU를 사용할 수 없는 경우에는 methimazole, carbimazole 사용 가능

– 용량은 1/2~1/3로 줄여서 투여 (가능한 low dose로)

• 임신이 진행됨에 따라 자연 호전되는 경향이 있으므로 FT_4, TSH를 자주 측정하면서 용량 조절

• <u>치료목표</u> : FT_4를 정상의 상한(UNL), <u>TSH</u>는 정상의 하한(LNL)으로 유지

– 임신 20주 이후에는 FT_4를 정상의 상한보다 약간 높게 유지함 (→ 용량을 줄이게 됨)

– 대개 임신 3기 때는 치료 중단 가능 (∵ 임신중 TSI↓)

• 과량 투여시 태반을 통과하여 태아 TSH↑, goiter 유발, 심하면 fetal hypothyroidism 유발 가능

• 산모에게 thyroid hormone 투여는 태아의 hypothyroidism 발생 예방에 효과 없다

　　(∵ T_3, T_4는 태반을 잘 통과 못 함!)

(2) 수술 (subtotal thyroidectomy)

: hyperthyroidism 심하거나, 1st trimester때 300 mg/day 이상의 PTU투여가 필요하게 되면,
<u>2nd trimester</u> 때 시행 (1st, 3rd엔 금기)

* radioactive iodine : 금기 (수유 중에도 금기)

* 무기요오드(e.g., lugol 액) : 태반을 통과하여 태아에게 심한 갑상선종을 일으킬 수 있으므로 금기

* β-blocker : 주의 (∵ 태아 성장 지연, neonatal respiratory depression 초래할 수 있음)
　→ 심한 thyrotoxicosis 증상이 있을 때에만 가능한 부작용이 적은 약제로 단기간 사용
* 치료하지 않으면 → 조기 유산, 미숙아, 저체중아, 선천성기형, 신생아사망 위험 증가
* 출산 2개월 후에도 증상이 악화될 수 있다

8. Ophthalmopathy의 치료

: 안병증 자체의 진단/치료는 갑상선기능과 관계없이 시행 (치료에 항갑상선제는 도움 안 됨!)

(1) mild~moderate case

• 적극적으로 치료할 필요 없다 (대개 자연 호전됨!)
• 취침시 머리를 높임, diuretics (→ periorbital edema 감소)
• tinted glasses (태양광선, 바람, 이물질 등으로 부터 보호)
• 인공눈물(e.g., 1% methylcellulose), 눈연고, plastic shields (→ 각막의 건조 예방)
• 금연

(2) severe case (e.g., 시신경 침범, 결막 부종 → 각막 손상)

• high-dose glucocorticoid ± cyclosporine (약 2/3에서 단기간 효과를 볼 수 있음)
• orbital decompression (intraorbital pr. 감소) : bony orbit 일부 제거 … 위 치료에 반응 없을때
• orbital RTx. : 객관적인 효과가 있는 지는 논란

9. Thyrotoxic (hypokalemic) periodic paralysis

• thyrotoxicosis 환자의 약 10%에서 발생, 서양에서는 드물고 동양인 남성에서 호발
• 가족력은 없음 (familial periodic paralysis와 차이, 나머지 임상양상은 거의 똑같음!)
• 주로 하지의 양측성 paralysis, weakness 반복 / 주로 근위부에 호발 / 대부분 저절로 회복됨
　(약 35%는 상지까지 침범 가능, 감각소실이나 의식장애는 없음, 호흡근 마비는 극히 드물)
• 유발요인이 있은 뒤 쉴 때 (주로 밤에) 발생 (hypokalemia 동반)
• 유발요인 (∵ insulin↑ → 갑자기 K⁺가 세포 내로 유입됨)
　; high carbohydrate diet, alcohol, 아주 심한 운동/노동(e.g., 육체노동자), 여름철에 호발
• Dx : 갑상선 기능 검사, 혈청전해질 검사
• Tx : 대개 내버려 둔다 (갑상선중독증이 치료되면 대부분 회복됨), K⁺ 투여하면 증상 완화에 도움,
　K⁺에 반응 없으면 β-blocker 투여
• 예방 : β-blocker (횟수 & 중증도↓) / K⁺ 예방적 투여 및 acetazolamide는 도움 안됨

	갑상선중독성 주기마비	가족성 주기마비 (AD 유전)
발병 연령	20~50세	<16세
가족력	–	+
인종	동양인	서양인
갑상선호르몬 투여시	악화	호전
Acetazolamide	–	예방 효과
Propranolol	예방 효과	–

둘 다.. 남>여
Attack은 드물게 발생
몇 시간~며칠 지속 가능

유발요인도 비슷함
(고탄수화물 식이, 운동, stress)

갑상선염 (Thyroiditis)

갑상선염의 종류	
급성(Acute)	감염 ; 세균(m/c), 진균 방사선 갑상선염 (^{131}I 치료 뒤) Amiodarone (subacute or chronic도 가능)
아급성(Subacute)	바이러스성 (또는 육아종성) 갑상선염 아급성 림프구성 갑상선염 ; 무통성 갑상선염, 산후 갑상선염
만성(Chronic)	만성 림프구성 (또는 자가면역성) 갑상선염 ; 하시모토 갑상선염, 위축성 갑상선염, 국소 갑상선염 섬유성 갑상선염 ; Riedel 갑상선염 기생충 갑상선염 (echinococcosis, strongyloidiasis, cysticercosis) 외상성 갑상선염 (촉진 뒤)

1. Acute thyroiditis
   - 드물며, 주로 면역저하자에서 발생, 대부분 세균성 감염이 원인
     (*Staphylococci, Streptococci, Enterobacter* 등이 흔한 원인균)
   - 임상양상 ; 급성 전경부 통증 (→ 귀, 하악부로 방사 흔함), fever, dysphagia,
     전경부 피부의 발적/압통, 움직이는 종괴 ...
   - ESR↑, WBC (neutrophil)↑, 갑상선 기능은 정상
   - 치료 : 항생제 (abscess → surgical drainage)
   - 합병증 (드묾) ; tracheal obstruction, septicemia, retropharyngeal abscess, mediastinitis ...

2. Subacute (granulomatous, viral) thyroiditis
   (= Giant cell thyroiditis, de Quervain's thyroiditis)

   (1) 원인
   - 바이러스 감염 or 감염 이후 염증반응이 원인
     (바이러스의 종류를 밝히는 것은 어렵고, 치료와도 관련 없음)
   - 30~50대 여성에서 호발 (남:여 = 1:3), 소아와 노인은 드묾, 봄~여름에 호발
   - 자가면역은 크게 관여하지 않지만, HLA-B35와 관련성은 큼

   (2) 임상양상
   - 바이러스 감염 (URI, 감기) 1~3주 뒤에 발생
   - 심한 전경부 통증 : 아래턱/귀로 radiation, swallowing시 악화
   - 갑상선 종대(moderate) : 표면은 결절 모양, 견고하고 딱딱함, **압통** 매우 심함!, 피부는 따뜻함
   - mild fever, malaise, weakness, myalgia
   - 경과
     ① transient hyperthyroid phase ("파괴성 갑상선중독증") : 초기 3~6주
        ; palpitation, fever, sweating, weight loss

② transient hypothyroid phase : 6~8주

③ 회복기 : 갑상선 기능 정상화

• 영구적 hypothyroidism은 드물다 (10% 미만)

(3) 검사소견

① 초기에 <u>ESR</u> **↑**　　　　　　　　　 ⎤ D/Dx에 중요!

② 초기에 <u>RAIU</u> **↓** (thyroid scan 상 안보임)　⎦

③ 초기에 T_4 & T_3↑ (T_4/T_3 ratio↑), thyroglobulin↑, TSH↓, IL-6↑

(→ 나중에 hypothyroidism 시기에는 free T_4↓, TSH↑, RAIU N~↑)

④ antithyroid Ab : 대개 음성, 10~20%에서만 (+)

⑤ biopsy/cytology : 염증, thyroid follicles 파괴, <u>multinucleated giant cells</u>로 구성된 granuloma

(4) 치료

: 대증적 (→ 병의 경과엔 영향 못끼침), 대부분 3~6주 지속되다가 자연 치유됨

① analgesics ; high-dose aspirin or NSAIDs (e.g., naproxen, ibuprofen)

② steroid (prednisone) : 증상이 심하거나, NSAIDs 2~3일 치료에도 통증이 호전되지 않으면

③ β-blocker (propranolol) : 동반된 thyrotoxicosis control

④ hypothyroid phase가 오래 지속되면 소량의 levothyroxine (T_4) 투여

* RAIU와 T_4 정상화되면 치료 중지 / 항갑상선제는 사용하면 안됨!

3. Painless/Silent thyroiditis

(= Subacute lymphocytic thyroiditis, Postpartum thyroiditis, 산후 갑상선염)

(1) 원인 : autoimmune

• 여포세포의 일시적인 파괴로 갑상선호르몬이 방출

• Hashimoto's thyroiditis의 일종 (∵ lymphocyte 침윤, autoAb)

• 출산 후에 나타나면 postpartum thyroiditis라고 부름 (임산부의 최대 5%에서 발생)

• 기저 자가면역성 갑상선 질환자에서 발생 (type 1 DM 환자는 3배 호발)

(2) 임상양상

• 갑상선 통증/압통이 없는 점을 제외하고는 subacute thyroiditis와 비슷함

• 대개 출산 3~6개월 뒤 발생, mild thyrotoxicosis Sx.으로 시작

• 경과 : 초기에는 갑상선 파괴에 의한 thyrotoxicosis (2~4주)

→ 일과성의 hypothyroidism (4~12주) → 회복기(대부분 정상으로 회복)

• 일부(20~30%)에서는 영구적 hypothyroidism 발생 → 매년 TFT F/U

• 약 1/2은 뚜렷한 thyrotoxicosis 없이 작은 갑상선종만 나타난 후 바로 hypothyroidism으로 됨

• 갑상선 종대(50~60%) : <u>통증/압통 없음</u>, 대칭적 & 미만성 종대(대개 mild), 때때로 딱딱함

★ subacute thyroiditis와의 차이 : 통증/압통 및 nodularity가 없음,

영구적인 hypothyroidism 발생 및 재발이 더 흔함

(3) 검사소견

① T_4 & T_3 & T_3-RU↑, thyroglobulin↑, TSH↓ (→ 회복기에는 T_4 & T_3↓, TSH↑)

② RAIU ↓ (m/i) … Graves' dz.와의 감별에 중요!

③ ESR : 정상(대부분) or 약간 상승 ⎤

④ antithyroid (특히 anti-TPO) Ab. (+) : low titer ⎦ ↔ subacute thyroiditis와의 차이!

⑤ TSI는 정상 (↔ Graves' dz.와 차이)

⑥ biopsy : lymphocyte 침윤 (보통 진단을 위해서는 필요 없다)

(4) 치료

① 대부분 자연 회복되므로 경과관찰(observation)

② 대증요법

  (a) hyperthyroid phase ⇨ β-blocker, aspirin or NSAIDs, mild sedation

    – 위 치료에 반응 없거나 증상이 매우 심한 경우 steroid

    – 항갑상선제나 radioactive iodine은 금기! (∵ 갑상선호르몬 합성 증가와 관련×)

  (b) hypothyroid phase ⇨ levothyroxine (T_4)

    – TSH 10 mU/L 이상인 경우 증상이 없어도 치료 권장

    – 3~6개월 이후에는 중단

• 산후 갑상선염의 경우 다음 출산 후에도 재발할 가능성이 높다!

• thyroiditis에서 회복된 뒤에도 chronic autoimmune thyroiditis의 합병 or thyroiditis 재발 가능 (몇 년 뒤에도) → 정기적인 F/U 필요함

	Subacute thyroiditis	Painless thyroiditis	Graves' dz.
갑상선 통증/압통	+	–	–
갑상선 잡음(bruit)	–	–	+
이전의 URI 병력	+	–	–
출산후 발병	–	+	–
ESR 상승	현저	없음/경미	–
Serum T_3, T_4	↑	↑	↑
Antithyroid (anti-TPO) Ab	–	++	++
TSH-R Ab (TSI, TBII)	–	–	++
RAIU (정상: 5~30%)	↓	↓	↑
조직소견	granuloma	lymphocyte 침윤	lymphocyte 침윤
증상 지속기간	3개월 이내	3개월 이내	3개월 이상

* T_3/T_4 ratio : Painless thyroiditis보다 Graves' dz.에서 T_3가 상대적으로 더 높음

4. Hashimoto's thyroiditis (= chronic lymphocytic/autoimmune thyroiditis)

(1) 원인
- autoimmune thyroid dz. 중 m/c, chronic thyroiditis의 m/c 원인
- 모든 연령에서 발생 가능하지만 중년 여성에서 호발, 남:여 = 1:6~20
- 소아에서 sporadic goiter의 m/c 원인
- 가족력 有, 약 1/2에서 HLA-DR, CTLA-4 polymorphism과 관련
  - HLA-DR5 : goitrous variant (90%)
  - HLA-DR3 : atrophic variant (10%)

(2) 임상양상
- 갑상선 비대 (goiter) : 특징! (90%에서, 10%는 atrophic variant)
  ; diffuse, firm, irregular surface (마치 나무껍질을 만지는 느낌), painless
- 대개 증상이 없고 갑상선 비대는 서서히 진행 (드물게 전경부 불쾌감 호소)
  - initial hypothyroidism (약 20%) ··· goitrous hypothyroidism의 m/c 원인!
  - 드물게 hyperthyroidism (Hashitoxicosis)으로도 발현 가능 (<5%)
- 대부분은 갑상선기능 정상 → 나중에 흔히 hypothyroidism으로 진행 (영구적)
- 다른 autoimmune dz.와 동반 흔함 (e.g., adrenal insufficiency: Schmidt's syndrome)
- thyroid lymphoma의 발생률이 증가하지만 전체적으로 보면 드물다
  (다른 cancer의 발생률은 증가하지 않음)

(3) 검사소견
- antithyroid Ab. (m/i) : very high level
  - anti-thyroid peroxidase (anti-TPO = anti-microsomal Ab. (90~100%)
  - anti-thyroglobulin (anti-Tg) Ab. (80~90%)
  - TSH receptor Ab. : 주로 TSH-R-blocking Ab (TBII) → thyroid atrophy와 관련
    (드물게 TSI도 양성일 수 있음)
- T_4, T_3, TSH : 대부분 정상(euthyroid) ⇨ hypothyroidism으로 진행 (TSH↑ → T_4↓ → T_3↓)
- TRH stimulation test : 별 가치 없다
- thyroid scan : irregular uptake (진단에 도움 안됨)
- perchlorate discharge test (+) : organification 장애
- biopsy : lymphocyte 침윤 (매우 多, 파괴적)

(4) 치료
- 목표 ; euthyroid 상태 만듦, goiter에 의한 mechanical problem 해결
- hypothyroidism 발생시 ⇨ L-thyroxine (large goiter시에도 단기간 투여)
  - 수술 : 증상이 심하거나 L-thyroxine 치료에도 호전이 없을 때
    c.f.) L-thyroxine 치료로 TSH와 free T_4가 정상을 유지해도 증상이 지속되는 경우
    → total thyroidectomy 이후 anti-TPO level↓ & 증상 호전 가능
    (∵ antithyroid Ab 생성과 염증반응을 유발하는 갑상선 항원 제거)
- 초기에 transient hyperthyroidism (Hashitoxicosis) 발생시 ⇨ 대증요법 (β-blocker)

5. Riedel's thyroiditis

- chronic thyroiditis의 드문 원인, 30~60대 여성에서 호발, 남:여 =1:3
- 임상양상 : 갑상선 및 주위 조직의 광범위한 fibrosis
  - 단단한 goiter 및 주위암박에 의한 증상(e.g., dysphagia, dyspnea, stridor)
  - 갑상선기능은 대개 정상, 25~50%에서 hypothyroidism 발생 가능
- 다른 부위의 idiopathic fibrosis도 동반 가능
  (retroperitoneum, mediastinum, biliary tree, lung, orbit)
- 진단 : open biopsy (FNA는 실패가 흔함)
- 치료 : steroid, tamoxifen, 주위 압박 증상이 있으면 수술

6. Drug-induced thyroiditis

- 항암제 : cytotoxic agents는 갑상선 부작용이 드물지만, 새로운 targeted agents에서는 흔함
  ; tyrosine kinase inhibitors (e.g., imatinib, sunitinib, dasatinib), alemtuzumab (anti-CD52),
    ipilimumab, tremelimumab, thalidomide ...
- IFN-α : 약 5%에서 thyroid dysfunction (e.g., thyroiditis, hypothyroidism, Graves dz.)
- IL-2 : 2~20%에서 일시적인 painless thyroiditis 발생
- lithium : autoimmune or destructive thyroiditis / amiodarone → 아래 참조

■ AMIODARONE의 갑상선에의 영향

1. 개요/작용기전

- amiodarone : 갑상선호르몬과 구조 유사, iodine 함량 37%
- iodine 섭취량 증가 효과 (50~100배) → plasma & urine iodine levels 40배 이상 증가
  (지방 조직에 축적되므로 약을 끊어도 6개월 이상 지속됨!)
  ⇨ 투여 초기에 T_4 release 억제에 의한 일시적 T_4 감소를 일으킴
- deiodinase를 억제 (T_4→T_3를 억제) ┐ ⇨ 투여 초기 이후의 T_4↑, T_3↓, rT_3↑, 일시적 TSH↑
- 갑상선호르몬의 weak antagonist ┘ 등을 일으킴 (TSH는 1~3개월 뒤 정상화 or 약간↓)
- 대부분의 환자는 생리적 범위의 갑상선기능검사를 유지함 (임상적으로 euthyroid 상태)

2. Amiodarone-induced hypothyroidism

- 요오드 섭취가 많은 지역에서 호발 (~13%) … 우리나라
- 여성, anti-TPO Ab 양성일 때 발생 증가
  (병인 : autoimmune thyroiditis 때 갑상선이 "Wolff-Chaikoff effect"로부터 벗어나지 못함)
- 치료 : amiodarone은 중단 안 해도 됨!
  - 필요시 levothyroxine 보충하면 쉽게 euthyroid로 됨 (대개 높은 용량 필요)
  - TSH level로 monitoring

3. Amiodarone-induced hyperthyroidism (AIT)

- 요오드 섭취가 부족한 지역에서 호발 (10%), 요오드 섭취가 많은 지역에서는 2%
- amiodarone 투여 후 어느 때라도 발생할 수 있으나 평균 3년 정도에 발생, 흔히 갑자기 발병함
  (조직 축적 효과 때문에 약물 중단 이후에도 발생 가능)
- 임상양상 ; atrial arrhythmias 발생/재발, IHD or HF 악화, 체중감소, 불안, 미열 ...
  - euthyroid 대비 주요 심장사건(대부분 ventricular arrhythmias) 발생 위험 3배
  - LV dysfunction → 사망률↑

	type 1 AIT	type 2 AIT
기전	요오드 과다에 의한 갑상선호르몬 합성 증가 ("Jod-Basedow effect")	Lysosomal activation → "destructive" thyroiditis (histiocyte 침윤)
기저 갑상선질환	Preclinical Graves' dz., (multi) Nodular goiter	없음
Goiter	대개 존재(multinodular or diffuse)	대개 없음
Color-flow Doppler*	정상 ~ 혈류(vascularity) 증가	혈류(vascularity) 감소
Thyroid scan (RAIU)	N ~ ↑	↓
갑상선 자가항체	대개 양성	대개 음성

▶치료가 다르므로
감별이 매우 중요함

(일부 환자는 두 type을
모두 가지고 있을 수도 있음)

- 치료 : 가능하면 amiodarone은 중단! (but, 중단 불가능한 경우가 흔함)
  (1) type 1 AIT (hyperthyroidism)
  - 고용량의 antithyroid drugs (TOC) : 효과 없는 경우도 흔함 (∵ 갑상선내 iodine 함량↑)
  - potassium perchlorate : 갑상선내 iodide 함량을 감소시킴 (드물게 agranulocytosis 발생 위험)
  - lithium carbonate : 갑상선호르몬의 release 억제, 심한 경우 추가하면 회복에 도움
  - 수술(near-total thyroidectomy) : antithyroid drugs에 반응이 없으면 choice, 가장 효과적
  - radioiodine ablation : 대개 radioiodine가 잘 안되므로 권장×
  (2) type 2 AIT (destructive thyroiditis)
  - glucocorticoid (prednisone)가 TOC / potassium perchlorate 등은 추가해도 이득 없음
  - 경미한 경우는 자연 호전도 가능, 호전 뒤 때때로 hypothyroidism 발생 가능
  (3) mixed or 기전을 모르는 경우 ⇨ prednisone + methimazole
    : 초기 치료 반응이 빠르면 type 2 시사, 반응이 느리면 type 1 시사

갑상선종 (Goiter)

1. Hyperfunctioning solitary nodule (Toxic adenoma, 중독성 선종)

- autonomously functioning thyroid nodule (hyperthyroidism 원인의 1~3% 차지)
- 90% 이상에서 유전적 이상 발견 (TSH-R or $G_{s\alpha}$ subunit의 activating mutation)
- mild thyrotoxicosis, TSH↓, 결절의 크기는 대개 3 cm 이상, 자연 관해는 드묾
- 갑상선 스캔 (확진) : "hot nodule" (나머지 갑상선 조직은 잘 안 보임)
- 치료
  - radioiodine (10~30 mCi) : 40세 이상에서 TOC (∵ 거의 다 hyperfunctioning nodule에만 섭취됨)
  - 수술 (40세 미만) : 선종적출술(adenoma enucleation), 엽절제술(lobectomy)
  - antithyroid drug + β-blocker : 갑상선기능 정상화와 증상 완화에는 효과적, 장기간 사용×
  - ethanol injection, laser, RF ablation 등 : 위 치료들이 불가능하거나 거부시에 고려

2. Multinodular goiter (MNG, 다결절성 갑상선종)

: 주로 요오드의 섭취가 부족한 북유럽 등지의 노인에서 호발 (우리나라는 드묾), 남<여

(1) nontoxic MNG

- 대부분 무증상(euthyroid), 진찰중 우연히 발견, 다양한 크기의 multiple nodules
- goiter가 매우 커지면 주위 장기 압박증상 (드묾) ; 연하곤란, 호흡곤란, 정맥울혈 ...
- 갑작스런 통증 (∵ 출혈), 쉰소리 (∵ 신경침범) → malignancy 동반 시사
- 치료 : 증상 없으면 경과관찰(F/U)
  - radioiodine : 대부분 goiter 크기 40~50% 감소, autonomy 존재시 제거 가능
  - 급성 압박증상 → steroid or 수술(고령으로 위험)
  - suppressive thyroxine therapy : goiter 크기 감소 효과는 거의 없고 thyrotoxicosis 유발 위험
  - iodine 제제들 : Jod-Basedow effect 위험으로 금기

(2) toxic MNG

- nontoxic MNG와 비슷하지만 functional autonomy를 보임 (but, 유전적 이상은 드묾), 영구적!
- subclinical hyperthyroidism or mild thyrotoxicosis 증상 동반
- 요오드의 노출 (e.g., contrast dye)에 의해 thyrotoxicosis가 유발/악화될 수 있음
- T_3가 T_4보다 많이 증가 (T_4는 정상~약간 증가), TSH↓, RAIU↑, anti-TPO (-), TSI (-)
- 치료 : Graves' dz.와 달리 자연 관해는 없음!
  - 고령임을 감안하면 radioiodine이 TOC / 압박증상이 심하거나 암 의심시에는 수술
  - antithyroid drug : 영구적으로 복용해야 하고 goiter의 성장 촉진이 흔하므로 권장 안됨
    ↳ 여생이 얼마 남지 않은 경우에는 유용

c.f.) 노인에서의 thyrotoxicosis의 원인
  ① Graves' dz. (m/c)
  ② toxic MNG (젊은이보다 상대적으로 많음)

3. Diffuse nontoxic (Simple) goiter (단순 갑상선종)

- 정의 : 염증이나 종양이 원인이 아니며, 초기에는 thyrotoxicosis나 myxedema를 일으키지도 않는 thyroid gland의 미만성 비대
- 원인
  (1) endemic goiter ; iodine 결핍 지역, 전세계적으로는 m/c 원인
  (∵ 요오드 결핍 → 요오드를 열심히 흡수하고 갑상선호르몬을 합성하기 위해 보상성으로 갑상선이 커짐)
  (2) sporadic goiter ; idiopathic (m/c), goitrogen 섭취, thyroid hormone biosynthesis의 결함
- 임상양상 ; thyroid gland 비대 (symmetric, nontender, soft), metabolic state는 정상
  - 매우 커지면 기도나 식도 압박 가능 → flow-volume curve, CT/MRI 시행
  - Pemberton's sign : 경정맥 압박에 의한 두경부 부종 (양팔을 머리 위로 올리면 얼굴이 충혈됨)
    ↳ substernal goiter가 thoracic inlet을 막아서 발생
- 진단 ; 초음파에서 갑상선 부피 30 mL 이상이면 goiter
  - euthyroid state의 증명 : normal serum T_4 & T_3 증명
    (때때로, 특히 iodine 결핍에서 $T_4 \rightarrow T_3$ 전환 증가에 의해 total T_4만 감소도 가능)
  - TSH : 증가될 것으로 생각되나, 대부분 정상 (∵ TSH에 대한 sensitivity↑)
  - RAIU : 보통 정상 (iodine deficiency나 biosynthetic defect 때는 증가 가능)
  * iodine 결핍의 확인 : urinary iodine level <10 μg/dL
- antithyroid Ab. 양성으로 나올 수도 있음 (→ autoimmune thyroid dz. 발생 위험↑)
- pathology : 다양, adenoma 비슷하기도 함
- 치료 (목표 : goiter의 크기 감소)
  - 소량의 iodide (iodine 결핍시)
  - goitrogen 제거 (알면...)
  - suppressive thyroxine therapy (원인 모를 때, m/c) → TSH↓
    ┌ serum TSH (low-normal level로 유지) 및 초음파로 치료반응 monitoring 필요
    └ 잠시 시도, 효과 없으면 즉시 중단 (폐경기 이후 여성에서는 금기)
  - 수술은 거의 필요 없음 (기도압박 등의 주위장기 압박 시에만 고려)

갑상선 종양

1. 갑상선 결절(thyroid nodule)의 검사

: 전인구의 4~8%에서 촉진되는 결절 존재, 초음파 상에서는 13~67%에서 발견, 나이 들수록 증가, 여성이 3~4배 많음 → 양성 95%, 악성 약 5%

(1) 갑상선기능검사

- 갑상선 결절이 발견되면 혈청 TSH를 포함한 갑상선기능검사를 시행함
  ┌ TSH가 감소되었으면 (∵ autonomous functional nodule일 가능성)
  │ ⇨ thyroid scan 시행 ; 열결절(hot nodule)이면 추가적인 세포학적 검사 생략 가능
  └ TSH 정상~증가 ⇨ 갑상선초음파(US) 시행 ; 결절의 확인, FNA 시행 여부 결정

- 기타 혈액검사 (주로 암 치료 뒤 F/U에 이용)
  - thyroglobulin (Tg) ; 대부분의 갑상선 질환에서 증가되므로 암 진단의 민감도/특이도 낮음
  - calcitonin ; 50~100 pg/mL 이상이면 갑상선수질암(MTC) 가능성 높음,
    미세수질암과 C cell hyperplasia (CCH) 진단에도 도움

(2) 갑상선스캔(thyroid scan)

- 과거에는 갑상선결절 평가에 중요했으나, 현재는 제한적인 역할 … TSH가 감소되어 있을 때만

 냉결절("cold" nodule) ; 대부분(80~85%), 악성 가능성 10~15%
  (원인 ; 암, adenoma, adenomatous goiter, cyst, cystic degeneration 등) ⇨ 갑상선초음파!

온결절("warm" nodule) ; 10~15%, 악성 가능성 약 9%

 열결절("hot" nodule) ; <5%, 악성 가능성 거의 없음!,
  요오드 섭취가 충분한 지역에서는 매우 드묾(e.g., 우리나라)
  ⇨ hyperthyroidism에 대한 평가 및 치료

(3) 갑상선초음파(thyroid US)

- 모든 갑상선 결절 환자에서 시행 권장, FNA 시행여부 결정에 m/i

Category[K-TIRADS]	US 소견	암 위험도	FNA 시행**
High suspicion	Solid hypoechoic nodule & 암 의심 소견 (1개 이상)*	>60%	≥1 cm (선택적으로 >0.5 cm)
Intermediate suspicion	1) Solid hypoechoic nodule & 암 의심 소견 모두 無 2) Partially cystic or isohyperechoic nodule & 암 의심 소견	15~50%	≥1 cm
Low suspicion	Partially cystic or isohyperechoic nodule & 암 의심 소견 無	3~15%	≥1.5 cm
Benign	1) Spongiform (해면모양) : microcystic areas가 50% 이상 2) Partially cystic nodule with comet tail artifact 3) Pure cyst	<3% <1%	≥2 cm – –

* 암 의심 US 소견 3가지 … 진단 예민도는 낮으나, 특이도는 높음
  ① 미세석회화(microcalcification) : 1 mm 이하, acoustic shadowing이 없는 밝은 점 → 병리학적으로는
    psammoma body모세혈관(세포가 죽어서 작은 석회화로 되어 나타나는 현상, PTC의 약 1/2에서 존재)
  ② 침상 or 소엽성 경계(spiculated/microlobulated margin)
  ③ 비평행 방향성(nonparallel orientation)이 높이가 너비보다 큼(taller than wide)

** 0.5 cm 이하 : 갑상선암이라도 대부분 예후 좋음. 치료 이득 불분명 → 암 위험도와 관계없이 FNA 시행X & F/U
  (but, 원격전이 진단 or 전이 의심 cervical LN 동반 시에는 결절의 크기와 관계없이 FNA 권장)

기준보다 작은 크기의 결절이라도 FNA를 고려해야하는 고위험군
두경부 방사선조사 과거력
소아~청소년기 사이에 전신 방사선조사의 과거력
갑상선암의 가족력, 갑상선암으로 엽절제술을 받은 병력
18F–FDG PET 양성
MEN2/FMTC (familial MTC)와 연관된 RET 유전자 변이 존재
혈청 calcitonin ≥100 pg/mL

- cystic or solid 구별 및 결절의 크기를 정확히 알 수 있음 (1~3 mm의 결절도 발견 가능)
- 암 의심 소견은 주로 유두암(PTC)과 관련 / 여포암(FTC)과 수질암(MTC)은 특이 소견 부족함
- 결절의 F/U 및 FNA시 guide에도 이용 (US-guided FNA biopsy)

(4) 기타 영상검사

- CT, MRI, PET 등은 갑상선 결절의 기본 검사로는 필요 없음
- PET (다른 목적으로 시행 중 우연히 갑상선 결절 발견시)

    ┌ ≥1 cm <u>focal</u> uptake↑ → US-guided FNA 시행 (만약 TSH가 낮으면 thyroid scan 시행)
    └ diffuse uptake (대부분 Hashimoto's thyroiditis 등) → TFT, US 시행

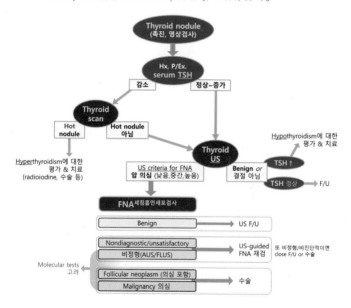

(5) fine needle aspiration (FNA) cytology

- 안전, 간단, 정확, 비용-효율적 → 갑상선결절의 진단(수술 결정)에 가장 중요한 검사!
- 양성/악성 감별에 m/g (sensitivity 83~99%, specificity 70~90%)
  (but, follicular neoplasm은 FNA로 양성/악성 구별 힘듦!)
- 일반적으로 결절의 크기가 1 cm 이상이면 시행
  (갑상선암의 위험인자가 존재하면 1 cm 미만 때도 시행, pure cyst는 2 cm 이상이면 고려)

갑상선 FNA의 Bethesda system

Bethesda class	암 위험
I. Nondiagnostic (unsatisfactory)	1~4%
II. Benign	0~3%
III. Atypia of undetermined significance (AUS) or follicular lesion of undetermined significance (FLUS)	5~15%
IV. Follicular neoplasm (or suspicious for follicular neoplasm)*	15~30%
V. Suspicious for malignancy	60~75%
VI. Malignant	97~99%

⇨ 미결정(indeterminate)
; 임상양상, 초음파소견, 크기 증가,
분자표지자 검사 등으로
경과관찰/재검/수술 여부 결정 가능

*확진을 위한 수술이 표준 치료지만, 임상양상/초음파소견에 따라 분자표지자 검사를 먼저 고려해볼 수 있음

• 비진단적 (cyst가 m/c) → FNA 재검 (1~3개월 뒤) ; 추가로 50%에서 진단 가능
• 양성(benign) ; colloid, adenomatous or hyperplastic nodule, macrofollicular 병변, simple cyst, autoimmune thyroiditis 등 ⇨ US F/U (일률적인 T_4 억제치료는 권장되지 않음
  *유의미한 성장(부피 50%↑ or 직경 20%↑) or 새로운 특징/증상 발생시에는 FNA 시행
  - 갑상선 양성 결절의 대부분은 adenomatous goiter (colloid 풍부, US echo는 정상~감소)
  - 양성 결절 중 수술[or 국소치료(ethanol injection, laser, RF ablation등)]의 적용
    ① 악성의 가능성이 있을 때 ; follicular neoplasm, hürthle cell tumor
    ② 갑상선중독증을 동반한(toxic) 결절
    ③ 미용 상의 이유 or 주위 조직을 압박하는 증상이 있을 때 (e.g., 연하곤란, 호흡곤란)
• follicular neoplasm ; 약 20%에서 악성, 수술로 피막/혈관 침범을 확인해야 악성 감별 가능
  (1) 여포세포가 유두암 핵의 특징 없이 세포 군집 또는 소포 형태의 변화를 보이는 경우
  (2) 거의 대부분 Hürthle cells로만 구성된 경우 → oncocytic (Hürthle cell) tumors
    ↳ follicular cells보다 크고 풍부한 분홍색 세포질을 가짐 (∵ mitochondria 多)
• 미결정(III, IV)의 경우 분자표지자 검사를 통해 수술(방식) or F/U 결정에 도움을 받을 수 있음
  (1) mutation analysis … 특이도가 높으므로 rule-in에 유용!
    - BRAF mutations : PTC의 40~78%에서 발견 (민감도 낮음), 특이도 매우 높음(~100%),
      $BRAF^{V600E}$가 m/c [우리나라는 더 흔함(80%), poor Px (우리나라는 논란)]
    - multiplex gene panel 검사 : BRAF, RET/PTC, RAS (NRAS, HRAS, KRAS), PAX8/PPARγ
      등 여러 kit 연구 중 ⇨ 민감도↓ (60~80%), 특이도↑ (90~100%) → PPV 우수
  (2) mRNA 발현을 이용한 gene-expression profile classifier (GEC)
    ⇨ 민감도↑ (90~100%), 특이도↓ (20~53%) → NPV 우수 (PPV는 나쁨) → R/O에 유용!
  (3) NGS (e.g., ThyroSeq®) ⇨ 민감도 90%, 특이도↑ → NPV 우수 (PPV는 약간 부족)
• 악성이지만 수술대신 적극적 관찰(active surveillance)을 고려할 수 있는 경우
  (1) 매우 낮은 위험도의 종양(e.g., 전이/국소침윤이 없고 혈관이 풍부하지 않은 미세유두암)
  (2) 동반된 다른 질환으로 수술 위험이 높은 경우
  (3) 남은 수명이 짧게 예상되는 경우(e.g., 심한 심혈관계 질환, 다른 악성종양, 초고령)
  (4) 갑상선 수술 전 해결해야 할 다른 내외과적 질환의 존재

■ 갑상선 결절이 악성일 가능성이 높은 경우 ★

(1) 병력

① 20세 미만 or 65세 이상   ② 남성

③ 어렸을 때 두경부에 radiation 받은 병력 (→ 특히 papillary ca.↑)

 ; 나이가 어릴수록, 여자, radiation dose 많을수록 악성 위험↑

④ 갑상선암(PTC), MEN-2, 기타 갑상선암과 관련된 유전질환의 가족력

 ; Cowden synd., familial polyposis [Gardner synd.], Carney complex, PTEN hamartoma 등

⑤ iodine deficiency (follicular ca.)   * smoking은 아님!

(2) 임상소견

① 결절이 매우 클 때 (≥4 cm)

② 결절이 새롭게 발생했거나, 성장속도가 빠를 때

③ firm, hard, nontender, bilateral

④ 주위조직에 유착되고 고정되어 있을 때

⑤ 식도나 기관지 침범 ; 성대마비, 애성(쉰소리), 압박증상(연하곤란, 호흡곤란)

⑥ 동측 또는 반대측 cervical LN가 촉진되고 딱딱할 때

⑦ T_4 억제요법에 반응(크기 감소)하지 않을 때

(3) 검사소견

① thyroid scan : "cold" nodule

② solid > cystic (but, 4 cm 이상의 cystic nodule은 악성이 더 흔함)

③ US

악성을 시사하는 소견 ★	양성(benign)을 시사하는 소견
Hypoechoic 미세석회화(microcalcification) B-flow imaging (BFI)에서 "Twinkling" sign Central vascularity (결절 내 혈류↑) Irregular/spiculated margin Incomplete halo 높이가 너비보다 큼(taller than wide)	Hyperechoic Large, coarse calcifications (수질암은 제외) Peripheral vascularity (결절 주변 혈류↑) Napoleon or puff pastry 모양 (결절이 여러 층 모양) Spongiform 모양 Comet-tail (혜성꼬리) shadowing Simple cyst

④ angiography (vascular invasion) → follicular ca. 등

⑤ thyroid hormones : 악성 결절은 갑상선기능 정상임

* multiple nodules : 1 cm 이상 결절이 2개 이상인 경우, 악성 위험은 단일 결절 환자와 동일함!

  (각각의 결절 하나에서의 악성 위험도는 단일 결절 환자보다는 낮음)

  → 각각의 결절별로 US 악성위험도를 평가하여 가장 악성위험이 높은 결절에서 FNA 시행

  (c.f., 악성위험이 없는 multiple coalescent nodules의 경우는 가장 큰 결절에서 FNA 고려)

2. 갑상선암의 종류(pathologic subtype)

(1) 유두암(papillary thyroid cancer, PTC) – m/c (95%)

- 남:여 = 1:3~6, 다른 갑상선암보다 젊은 연령에서 호발 (20~40세)
- solitary or multiple (20~45%), 대부분 asymptomatic nodule로 발견
- 혈행성 전파는 드물고, 주로 lymphatic spread (소아에서 LN 전이 多)
  ; 중심경부 LN (m/c) > 폐 > 뼈 > 뇌 > 간 …
- pathology ; psammoma body (laminated calcified spherules, 약 50%에서), cleaved nuclei, large nucleoli ("orphan-Annie의 눈" 모양), intranuclear inclusion body, papillary 구조 (→ 진단에는 papillary 구조보다는 핵의 변화 양상이 더 중요함)
  - 대개 unencapsulated
  - 미세유두암(papillary microcarcinoma) ; T1a (직경 ≤1 cm) ⇨ 치료 안하고 F/U도 가능!
- 대부분(>80%) stage Ⅰ or Ⅱ에 발견되고 excellent Px. (가장 예후 좋다!)
  - ┌ LN 전이 ; 진단시 약 ~50%에서 존재 (현미경적으로는 ~80%), central cervical LN가 m/c
  - └ 원격전이는 매우 드뭄 (진단시 1~5%) ; 폐(m/c), 뼈, 뇌 (뼈 전이가 예후 더 나쁨)
- 치료 ; 전이 유무에 관계없이 수술
- 분화암의 예후 평가(prognostic indicators) ; age, local invasion, metastasis 등이 중요함
  - TNM system (AJCC, 8th ed. 2016) : 55세 이상에서 LN 전이의 중요성 반영

▶ differentiated thyroid ca. (papillary, follicular)에서 이용됨

Stage	55세 미만	55세 이상
Ⅰ	anyT, anyN, M0	T1~2, N0/NX, M0
Ⅱ	anyT, anyN, M1	T1~2, N1, M0 or T3a/b, anyN, M0
Ⅲ		T4a, anyN, M0
Ⅳa	55세 미만은 T, N에 관계없이 예후가 좋아 stage Ⅱ가 최대임	T4b, anyN, M0
Ⅳb		anyT, anyN, M1

T1	크기 ≤2 cm (T1a ≤1 cm, T1b 1~2 cm), 갑상선에 국한
T2	크기 2~4 cm, 갑상선에 국한
T3a	크기 >4 cm, 갑상선에 국한
T3b	크기에 관계없이, 갑상선을 벗어나 strap muscles까지만 침범 (sternohyoid, sternothyroid, thyrohyoid or omohyoid muscles)
T4a	피하연부조직, 후두, 기관, 식도, or recurrent laryngeal nerve 등을 침범 (→ 수술 가능)
T4b	척추앞 근막 침범 or 경동맥이나 종격동 혈관을 둘러쌈 (→ 수술 불가능)

  - AGES scoring system (1987) ; Age, Grade, Extent, Size
  - AMES (1988) ; Age, Grade, Extent of disease, Size
  - MACIS (1993) ; Metastasis, Age, Completeness of surgical resection, Invasion, Size
  - 40세 이상에선 남성도 poor Px. (40세 미만은 남=여)
  - 고령 : tumor size↑, grade↑, local or vascular invasion↑, 원격전이↑
    ⇨ poor Px. (but, LN 전이는 소아 & 젊은 성인보다 드뭄)
    ┌ young : LN 전이는 더 흔하지만 예후와는 관련 없음
    └ old : LN 전이는 드물지만, LN 전이 존재시 예후 나쁨

(2) 여포암(follicular thyroid cancer, FTC)

- 조직학적으로 정상 thyroid와 가장 비슷 (→ FNA로 진단하기 어렵다!), 대부분 unifocal
- <u>요오드</u> 섭취가 <u>부족</u>한 지역에서 호발, 두경부 radiation과는 관련 없음
  (요오드 섭취가 많은 우리나라와 일본 같은 지역에서는 드묾)
- benign follicular neoplasm과의 차이 ; 혈관, 신경, 주변구조물 등의 침범
- blood vessel invasion, distant metastasis 많다 → 유두암보다 예후 나쁨
  (조기에 폐, 뼈, 뇌, 간 등으로 혈행성 전이됨)
- 예후가 나쁜 경우 ; 유두암과 비슷 + Hürthle cell histology
- 기능 있다 → ^{131}I 치료에 반응
- 치료 ; 전이 유무에 관계없이 수술

  * Hürthle cell cancer (휘틀세포암) : 암세포의 대부분(>75%)이 Hürthle cells인 경우
    - 과거에는 FTC의 variant로 봤으나, molecular profile이 달라 현재는 독립된 암으로 봄
    - FTC와 임상양상 비슷함, FTC보다 cervical LN 전이 잘함, FTC보다 poor Px

(3) 역형성암(anaplastic thyroid cancer, ATC)

- 대부분 60세 이상에서 발생, 대부분(90%)에서 분화암이나 양성종양과 섞여있음
- 임상양상 ; rapidly enlarging neck mass, neck pain & tenderness, 압박증상 등
- highly malignant, extensive rapid local invasion, 모두 stage IV
- 예후 극히 나쁨 (mean survival 4~12개월, 1YSR 20~35%, 5YSR 5~14%)
  - 주로 aggressive local invasion으로 사망 (tracheal obstruction, massive hemorrhage 등)
  - poor Px ; 고령, 남성, 호흡곤란 (c.f., 과거 분화암으로 치료 받았던 병력은 예후와 관련 없음)
- 치료 : local resection (수술 가능하면) + combined RTx. + CTx. (doxorubicin-based regimen)
  - radioiodine은 효과 없음!
  - 수술 1~2년 뒤 생존자는 잔여 분화암 조직 여부의 확인위해 radioiodine scan/ablation 시행
  - 2nd line/clinical trials ; MKIs, targeted KIs, aurora KIs, immune checkpoint inhibitors ...

(4) 수질암(medullary thyroid cancer, MTC)

- parafollicular C cells에서 기원한 NET, 갑상선암의 3~5% 차지 (우리나라는 더 드묾)
- 대개 단단하고 unencapsulated, 갑상선 엽 상부 2/3에서 주로 발생, 종종 통증 동반
- 4가지 경우로 발생
  ① sporadic MTC (75%) ; 40~50대에 호발, 대개 unilateral
    ; 약 2/3에서 somatic (acquired) *RET* mutations 존재
  ② 3 familial forms (25%) ; 20~30대에 호발, 대개 bilateral
    - germline *RET* mutations과 관련 → 모든 C cell hyperplasia 및 MTC 환자에서 검사해야
    - sporadic MTC보다 aggressive함 → 조기 진단 및 치료가 중요함!
    (1) MEN 2A : MTC + pheochromocytoma + parathyroid hyperplasia
      ; 거의 대부분에서 젊을 때 MTC 발생 (20대에 peak)
    (2) MEN 2B : MTC + pheochromocytoma + mucosal neuromas, Marfanoid 체형 등
      ; 100%에서 MTC 발생 (발병연령 더 어림, 가장 aggressive)
    (3) non-MEN familial MTC

- 분비물질 : <u>calcitonin</u> (m/c), calcitonin-related peptide, <u>CEA</u>, somatostatin, chromogranin A, serotonin, <u>ACTH</u>, PG, substance P, kinin, <u>VIP</u> 등 (주로 advanced dz.에서)
  ↳ ectopic Cushing's syndrome   ↳ watery diarrhea or facial flushing
- screening test (or marker) : calcitonin, calcium
  (pentagastrin stimulation test 하면 모든 환자에서 calcitonin 증가됨)
- 진단 : FNA biopsy & IHC (calcitonin, CEA), 일부는 surgical biopsy 필요
- LN 전이 (진단시 약 1/2에서 cervical LN 전이) 및 혈행성 전이 흔함 (→ 폐, 뼈, 간)
  - FNA biopsy에서 진단되면 US로 cervical LN 전이 평가
  - 원격전이 평가 (local LN 전이 or serum basal calcitonin >500 pg/mL인 경우)
    ; CT, MRI, bone scan 등 (c.f., PET나 radionuclide scan은 초기 평가에는 권장 안됨)
- 치료 : 수술만이 효과적
  - total thyroidectomy + extensive LN dissection
    (pheochromocytoma도 있으면 pheochromocytoma를 먼저 제거해야 됨!)
  - recurrent/residual dz. (e.g., calcitonin↑, CEA↑)
    ⇨ 수술, EBRT, 기타 국소치료(RF ablation, cryoablation, embolization) or systemic Tx.
    (TKI [cabozantinib or vandetanib], dacarbazine-based CTx. … 전이암의 경우도)
  ★ radioiodine은 효과 없음! (∵ MTC 암세포는 섭취 안함)
  - somatostatin analogue : 일부 advanced MTC 환자에서 설사, 홍조 등의 증상 조절에 도움은
    될 수 있지만, 치료 효과 (종양크기 or calcitonin level 감소)는 없음
  - ectopic Cushing's syndrome → vandetanib
- MTC 환자의 가족이나 MEN-2 환자는 screening 필요 (germline <u>RET</u> mutations, <u>calcitonin</u>)
  → RET mutation이 있거나 calcitonin이 증가시 가능한 조기에 prophylactic thyroidectomy 시행
- 예후 : 역형성암보다는 훨씬 좋으나, 분화암보다는 약간 나쁨
  (sporadic MTC보다는 familial MTC가, familial 중에서는 MEN-2B가 예후 나쁨)

(5) 림프종(primary thyroid lymphoma)
- 드물다 (갑상선암의 1~5% 차지), 남<여, 대부분 NHL (DLBCL이 m/c)
- <u>Hashimoto's thyroiditis</u>를 오래 앓는 경우 lymphoma로 잘 진행
  (정상인보다 lymphoma 발생 확률 67~80배)
- 30~40%에서는 hypothyroidism을 동반
- 임상소견은 anaplastic ca.와 유사함 ; rapid growth & local invasion (→ 압박증상 흔함)
- 치료 : CTx. ± RTx. (thyroidectomy는 거의 필요 없다)
- localized dz.가 많아 예후는 양호한 편 (5YSR 약 60%)

(6) metastatic cancer
; bronchogenic, breast, renal ca., malignant melanoma

3. 분화 갑상선암(PTC, FTC)의 치료

(1) 수술 : TOC

- T1b (>1 cm) 이상의 분화암은 원격전이에 관계없이 수술이 원칙!
- 갑상선 (아)전절제술[(near) total thyroidectomy]이 선호되는 이유
  ① 정상 갑상선조직이 많이 남아 있으면, 수술 뒤 radioiodine ablation 치료의 효과가 감소
    (∵ 정상조직이 종양보다 ^{131}I를 더 잘 흡수)
  ② 수술 뒤 Tg (thyroglubulin) level or whole-body ^{131}I scan으로 F/U 가능
  ③ 갑상선암이 다발성으로 숨어있을 수 있음
  - 아전절제술 (약 1gm 남김) : R. laryngeal nerve나 부갑상선의 손상을 방지하기 위해
  - 전절제술과 아전절제술의 치료 성적은 큰 차이는 없고, 임상적 중요성은 불확실함
- 갑상선 엽절제술(lobectomy with isthmusectomy)이 권장되는 경우
  : 갑상선의 침윤(extrathyroidal extension)이나 LN 전이가 없으면서 (갑상선에 국한)
  ① 크기 <1 cm
  ② 크기 1~4 cm인 저~중간 위험군 환자
  ③ FNA 결과가 미결정(Ⅲ,Ⅳ) or 악성의심(Ⅴ)이면서 고위험군이 아닌 경우
  * 고위험군(≥4 cm, mutations 양성, high suspicious US, 가족력, 방사선조사 병력) ⇨ (아)전절제술
- LN 전이시는 selective or modified radical neck dissection도 시행
- 수술 부작용 → 앞의 thyrotoxicosis의 치료 부분 참조

(2) radioiodine (^{131}I) ablation 잔여갑상선제거술

- 목적/이유
  ① 수술 후 남은 암세포 제거 (∵ PTC : multiple → micro하게 남아있음) ⇨ 재발 및 사망률↓
  ② 수술 후 남은 정상 갑상선 조직 제거
    ┌ 재발 및 전이 발생시 암세포의 radioiodine 섭취를 방해 → 조기 진단 어려워짐
    └ Tg 생산 → Tg의 tumor marker로서의 역할(F/U) 방해
  ③ 원격 전이의 치료
- 적응증
  ① 크기 ≥4 cm or 고위험군 모두 (아래 표 참조)
  ② 중간위험군의 일부 ; 고령(>45~55세), central cervical LN 이외의 LN 전이,
    LN 전이 개수가 많은 경우, 나쁜 예후의 조직형(e.g., tall cell, columnar cell, hobnail)

〈 재발 위험도에 따른 환자의 분류 〉

저위험군	중간위험군	고위험군
국소 or 원격 전이 無 수술로 육안적 병소가 모두 제거 주위 조직 침윤 無 나쁜 예후의 조직형 아님 Radioiodine ablation 이후 첫 번째 전신스캔(RxWBS)에서 갑상선 이외에는 섭취 無 갑상선 내에 국한된 미세유두암	수술 후 병리조직검사에서 갑상선 주위 연조직의 현미경적 침윤 소견 나쁜 예후의 조직형 LN 전이 크기가 3 cm 미만 혈관 침범 소견 갑상선의 침범이 있고 BRAF 양성인 미세유두암	육안적으로 주위 조직 침범 원격 전이 LN 전이 크기가 3 cm 이상 종양을 완전히 제거 못함 수술 후 serum Tg↑ Radioiodine ablation 이후 첫 번째 전신스캔(RxWBS)에서 갑상선 이외 부위에 섭취 有

* RxWBS : post-therapeutic whole body scan

• 1 cm 이하이면서 한쪽 옆에 국한된 경우 ^{131}I ablation 없이, T₄ 억제요법만으로 충분함

★ medullary ca., anaplastic ca., lymphoma 등에는 효과 없음! (→ 수술만이 효과적)

일반적인 radioiodine (^{131}I) ablation과정

• TSH를 증가시키는 방법 (∵ TSH는 종양의 ^{131}I uptake를 촉진)
  (1) recombinant human TSH (rhTSH) ; L-thyroxine (T₄) 투여 지속하다가 rhTSH 주사 후 ^{131}I ablation 시행 or
  (2) thyroid hormone withdrawal (endogenous TSH) ; T₄를 T₃ (liothyronine)으로 변경하여(∵ T₄보다 반감기 짧음)
    2~4주 투여하다가 2주간 중단 or 3~4주간 T₄ 중단 ⇨ TSH가 >30 mU/L로 상승하면 ^{131}I ablation 시행
    – 두 군 간의 치료성적은 비슷하지만, rrhTSH 방법이 갑상선기능저하 부작용이 없어 삶의 질이 좋아 선호됨
• ^{131}I의 용량 ; 정상 조직만 제거시 30 mCi, subclinical micrometastatic dz에 대한 보조적 치료시 75~150 mCi,
    임상적으로 뚜렷한 잔여/전이 암에 대한 치료시 100~200 mCi
• 저요오드 식이 ; ^{131}I uptake를 최대화하기 위해 ^{131}I ablation 시행 7~10일전부터 시행 권장
• ^{131}I ablation 치료 약 1주일 뒤 치료반응(재발위험) 평가를 위해 진단적 전신스캔(DxWBS) ··· 뒷부분 참조

(3) thyroxine (T₄) 억제요법 : 대부분 평생 시행

• 원리 : L-thyroxine (T₄) 투여 → (m/i 갑상선암 성장 촉진인자인) TSH suppression
  갑상선(암)조직의 성장 억제 → 예후 향상 (재발↓, survival↑)
• 목표 : 문제되는 thyrotoxicosis 증상이 안 생기는 한도에서 최대한 TSH를 억제
  ⇨ target TSH level ┌ 재발 저위험군 : lower normal limit (0.5~2.0 mU/L)
                      ├ 재발 중간위험군 : 0.1~0.5 mU/L
                      └ 재발 고위험군 or 전이, 잔여병소 有 : <0.1 mU/L
    – 환자의 동반질환에 따라 약간씩 높일 수 있음(e.g., 골다공증, 심장질환, 당뇨병)
• monitoring (아래도 참조)
  (1) TSH, (2) serum thyroglobulin (만약 증가하면 전이를 시사 → US, WBS 등 시행)

(4) follow-up : 재발/전이를 발견하기 위한 추적검사

① serum thyroglobulin (Tg), TSH
  – TSH-suppressed (nonstimulated, basal) Tg ; 전절제술 & ^{131}I ablation 치료 받은 환자는
    <0.2 ng/mL이면 excellent response (c.f., 엽절제술의 경우는 <30 ng/mL)
  – TSH-stimulated Tg : thyroid hormone withdrawal or rhTSH 투여 뒤 측정 (→ 위 참조),
    <0.1 ng/mL이면 excellent response, 보통 >2 ng/mL이면 잔존/재발을 시사함
    (c.f., 저위험군은 대개 nonstimulated Tg 측정으로 충분, 특히 high-sensitivity Tg 검사시)
  – anti-Tg Ab (갑상선암 환자의 20%에서 양성) : Tg 검사를 방해하여 Tg 위음성 초래 가능
    ↳ Tg 측정시 함께 검사함 (c.f., anti-Tg titer 증가는 재발/진행을 시사, titer 감소는 치료 성공을 시사)
② 경부 초음파 : cervical LN 전이 발견에 매우 민감!, 위험도에 따라 6~12개월마다 시행
  ⇨ Tg↑ and/or neck US에서 전이 의심시 DxWBS, CT/MRI, bone scan 등의 영상검사 시행
③ 진단적 전신스캔(Dx whole-body scan, DxWBS)
  – low-dose ^{131}I or ^{123}I (방사능 양 적고, 영상의 질 더 좋음) 사용
  – 수술 이후 ^{131}I ablation 등의 보조적 치료 약 1주일 뒤 DxWBS 시행 ⇨
    (1) 갑상선 이외 부위 섭취 없고, Tg & neck US (-)면 이후 F/U 때는 DxWBS 재검 안함
    (2) 그 외 위험군은 F/U 중 필요시 재검 (e.g., Tg↑, anti-Tg(+), neck US에서 전이 소견)
  – 검사 전 radioiodine 흡수율을 높이기 위해 rhTSH 투여, 진단 예민도는 낮음 (위음성 위험)
  – ^{131}I SPECT/CT도 시행하면 잔여병소 및 전이 localization에 더 도움됨

> ■ Thyroglobulin (Tg)은 상승되었는데, 스캔(DxWBS)은 음성인 경우 [false negative]
> – 원인 ; 요오드 오염(e.g., 조영제), 너무 작은 병변, TSH 자극 부족, 종양의 역분화에 의한 요오드 섭취↓ 등
> – W/U ; 24hr urine iodine 측정 (요오드 오염 R/O), neck US, chest CT
> – Tg ≥10 ng/mL면 FDG-PET/CT, bone scan 등의 추가 영상검사 시행
>   ↳ 모든 영상검사에서 전이 발견 못하면 large-dose [131]I로 스캔 & 경험적 치료
> – 뚜렷한 전이가 보이지 않을 때 basal Tg <5 ng/mL (or stimulated Tg <10 ng/mL)는 [131]I 치료 필요 없음

④ chest CT/MRI, bone scan, FDG-PET 등 … DxWBS 음성이고 Tg 높은 경우 고려!

* 수질암(MTC) ; calcitonin, CEA, pentagastrin 등이 잔존종양 또는 재발의 tumor marker!

(5) 전이/재발의 치료

- 절제 가능한 국소 병변(e.g., cervical LN, single metz.) ⇨ 수술 (불가능하면 radioiodine 등)
- 상부 호흡기, 소화기 병변 ⇨ 수술 + radioiodine ± EBRT
- 원격전이 ⇨ radioiodine (DxWBS에서 uptake 있으면), EBRT, RF ablation, ethanol injection 등
  – DxWBS에서 uptake가 없는 폐 전이는 보통 천천히 자라므로 F/U 가능 (증상 있으면 치료)
  – 골 전이 ; 증상 경감을 위한 pamidronate, denosumab, embolization 등도 고려
- systemic therapy ; 위 치료들에 반응 없거나 사용 못하는 progressive dz.의 경우
  – anti-angiogenic multi-targeted kinase inhibitors (aaMKIs) ; lenvatinib, sorafenib 등
  – mutation-specific kinase inhibitors
    ① BRAF inhibitors (BRAF mutations) ; vemurafenib, dabrafenib, encorafenib
                    (MEK inhibitor인 trametinib과 병용시 효과↑)
      ⇨ radioiodine uptake도 회복될 수 있으므로 radioiodine 불응성 분화암은 이 치료 뒤 DxWBS 재시행
    ② TRK inhibitors (NTRK rearrangements) ; larotrectinib
    ③ RET inhibitors ; LOXO-292, BLU-667 (RET rearrangement보다, RET mutation이 MTC가 더 효과적)
    ④ PI3K inhibitors ; everolimus (sorafenib과 병용시 Hürthle cell carcinoma에서 효과적)
  – CTx. ; MKI의 발전으로 거의 사용 안함, MKI 실패시 고려 가능 (doxorubicin만 FDA 허가)

	Papillary	Follicular	Medullary	Anaplastic
빈도	75~90% (m/c)	6~16%	3~5%	1~2%
진단시 연령	30~50세	40~60세	30~60세	평균 65세
여성의 비율	70%	72%	56%	60~70%
예후(5YSR)	96~97%	92%	65~95%	5~14%
Invasion : Juxtanodal	+++++	+	++++++	+++
Blood vessels	+	+++	+++	+++++
Distant sites	+	+++	++	++++
[123]I uptake	+	++++	0	0
Malignancy 정도	+	++ ~ +++	+ ~ ++++	+++++++
주요 유전자이상, 기타 특징	BRAF, RET/PTC, RAS, TRK	RAS, PAX8/PPARγ	RET (muation), Calcitonin 분비	TP53, RAS, BRAF

5
부갑상선 질환

1. Vitamin D

- 대개 $D_2 \sim D_7$까지 6가지로 분류되며, 생리적으로 중요한 것은 D_3와 D_2임
  - 통상적으로 vitamin D라 하면 D_2와 D_3을 같이 포함한 개념임
    - D_2 (ergocalciferol) : 식물성 (섭취로만 획득 가능) ; 잘 말린 버섯에 많음
    - D_3 (cholecalciferol) : 동물성 (D_2보다 약 1.5배 효과적) ; 등 푸른 생선 (연어, 정어리, 고등어), 간유, 달걀노른자, 우유, 치즈, 마가린 등에 많음
- vitamin D가 다량 함유된 식품은 흔하지 않고 함유량도 적음 → 음식을 통한 섭취는 제한적임
  → 추가로 체내합성(일광욕) or vitamin D 보충제 필요 (D_3가 권장됨)
  (음식으로 보충이 안 되어도, 충분한 일광욕을 하면 vitamin D 부족은 발생 안함)
- 인체 내 합성

  7-dehydrocholesterol (provitamin-D_3) : 피부의 epidermal layer에 많이 존재

  <u>skin</u> ↓ 햇빛(UV, 특히 <u>UV-B</u>)의 작용으로 피부에서 합성됨

  <u>D_3 (cholecalciferol)</u>

  <u>liver</u> ↓ 25-hydroxylase

  <u>$25(OH)D_3$ (calcidiol)</u> : major circulating vitamin D (반감기 약 2주)

  <u>kidney</u> ↓ 1α-hydroxylase ◁ PTH

  <u>$1,25(OH)_2D_3$ (calcitriol)</u> : biologically "active" vitamin D

- 체내 vitamin D의 과부족 상태(status)는 $25(OH)D$를 측정하여 평가함!
  c.f.) $1,25(OH)_2D$는 신장에서 변환된 뒤 각 장기에서 사용되자마자 $24,25(OH)_2D$로 변환되고, secondary hyperparathyroidism 등에 의해 농도가 변하므로 vitamin D status를 반영하는 marker로는 사용하지 않음 (혈중에는 극미량만 존재함)

- 작용 : 혈중 calcium 농도를 정상으로 유지
  ① 장관에서 calcium, phosphate의 흡수를 촉진 (주 작용)
  ② bone remodeling (bone formation & resorption)
  ③ 부갑상선에서 PTH 합성 & 분비 억제

Vitamin D가 증가하는 경우	감소하는 경우
PTH ↑	Hypercalcemia
Hypocalcemia	Hyperphosphatemia
Hypophosphatemia	1,25(OH)$_2$D$_3$ ↑

Vitamin D 작용 감소의 원인

1. Vitamin D 결핍
  피부에서의 생산 감소 ; 일광노출(UV) 부족, 검은 피부
  섭취 부족 ; vitamin D 강화 분유를 먹지 않는 영아
  흡수장애 ; 지방흡수장애, IBD, 소장절제

2. Vitamin D의 소실 증가
  대사 증가 ; barbiturates, phenytoin, rifampin
  Enterohepatic circulation 장애

3. 간의 25-hydroxylation 장애
  간질환 (e.g., LC), isoniazid, anticonvulsants

4. 신장의 1α-hydroxylation 장애
  Hypoparathyroidism, Pseudohypoparathyroidism
  Renal failure, Ketoconazole
  Hereditary vitamin D-dependent rickets type 1
  (= pseudo-vitamin D deficiency) : 1α-hydroxylase mutation
  X-linked hypophosphatemic rickets, Oncogenic osteomalacia

5. 표적장기의 저항(resistance)
  Hereditary vitamin D-dependent rickets type 2
  : vitamin D receptor (*VDR*) mutation
  Phenytoin

2. PTH (Parathyroid hormone)

• 작용 : ECF calcium 농도의 primary regulator → <u>blood calcium ↑</u> & phosphate ↓
  ① bone에서 osteoclast activity 증가 (bone resorption 증가) → hypercalcemia
  ② 신장(distal tubule)에서 calcium 재흡수 촉진 → hypocalciuria
  ③ 신장(proximal tubule)에서 phosphate 재흡수 억제 → hypophosphatemia
  ④ 신장에서 1,25(OH)$_2$D 합성 촉진 (→ 장에서 calcium, phosphate 흡수 ↑)

• bone에 대한 PTH의 작용은 다양
  ┌ acute effect (몇분 이내) : bone calcium release
  └ chronic effect (몇시간 지속) : bone cells (osteoblast, osteoclast 모두) ↑ → bone remodeling ↑
  ┌ PTH의 간헐적인 투여 → net bone formation ↑
  └ PTH ↑에 지속적인 노출 (e.g., hyperparathyroidism) → osteoclast에 의한 bone resorption ↑

PTH가 증가하는 경우	감소하는 경우
Hypocalcemia (m/i)	Hypercalcemia
Primary hyperparathyroidism	Hypermagnesemia
Pseudohypoparathyroidism	Hypomagnesemia
Vitamin D deficiency/ineffective	Vitamin D intoxication
Renal failure	
β-agonist	

• PTH 분비 자극의 주요 인자는 혈중 ionized calcium (Ca^{2+}) ⇩

- PTH 분비는 negative-feedback에 의해 철저히 조절됨

  ┌ calcium → calcium-sensing receptor ┐
  │   ├ → PTH 합성 & 분비 억제
  └ vitamin D → VDR (vitamin D receptor) ┘

- 심한 세포내 magnesium 결핍 → PTH 분비 장애 유발

3. Calcitonin

- 주로 thyroid (parafollicular) C cells에서 생산, 분비는 혈중 calcium 농도의 직접 영향을 받음
- 작용 (PTH의 physiologic antagonist) → <u>blood calcium</u>↓ & phosphate↓
  ① osteoclast-mediated bone resorption 억제 (主)
  ② 신장에서 calcium & phosphate 재흡수 억제 (calcium & phosphate clearance 증가)
    - 장의 calcium 흡수에는 영향 없음!
- but, 인체에서의 생리적인 역할은 제한적임 (큰 역할은 없음)
- 임상적 이용
  ① tumor marker (medullary thyroid cancer)
  ② osteoporosis, Paget's dz., hypercalcemia of malignancy 등의 치료

■ Hypercalcemia의 원인

1. PTH 증가
   <u>Primary hyperparathyroidism</u> (m/c) ; solitary adenoma, MEN ...
   Lithium therapy (약 10%에서 Ca↑)
   <u>Familial hypocalciuric hypercalcemia</u> (FHH, AD 유전)

2. <u>Malignancy</u> (2nd m/c) → 뒤의 표 참조

3. <u>High bone turnover</u> ··· bone resorption↑
   Hyperthyroidism (약 20%에서 Ca↑)
   Immobilization (특히 spinal cord injury 소아/청소년에서)
   Estrogen or antiestrogen (e.g., tamoxifen) - 골전이가 심한 유방암 환자에서
   Vitamin A intoxication (retinoic acid는 용량에 비례해 bone resorption↑)

4. Vitamin D 증가
   Vitamin D intoxication (정상 필요량의 40~100배 만성 섭취시)
   1,25(OH)$_2$D 생산 증가
     Granulomatous diseases (e.g., sarcoidosis, TB, 진균감염)
     Lymphomas (특히 B cell lymphoma)
     Idiopathic hypercalcemia of infancy (William's syndrome, AD 유전,
       vitamin D에 대한 sensitivity↑, multiple congenital development defects)
     Subcutaneous fat necrosis of the newborn (SCFN)

5. 신장 관련
   Severe <u>secondary hyperparathyroidism</u>
   Aluminum intoxication
   Milk-alkali syndrome
   Thiazides diuretics (신장에서 Ca 배설 억제 → hypocalciuria,
     high bone turnover (resorption↑) 환자에서 hypercalcemia 유발 가능)

6. 기타 ; Acromegaly, Pheochromocytoma, Adrenal insufficiency ...

* hyperparathyroidism과 악성종양이 90% 이상의 원인을 차지함

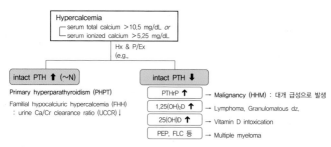

* 만성 무증상 hypercalcemia는 hyperparathyroidism 가능성이 매우 높음, MEN 여부도 확인
* acute hypercalcemia면 반드시 malignancy를 의심 → PTHrP 검사

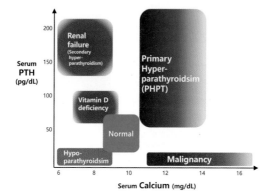

원발성/일차성 부갑상선기능항진증(Primary hyperparathyroidism, PHPT)

1. 개요

- 원인(pathology)
  ① solitary adenoma (80~85%) : 대개 benign, 주로 하부 부갑상선에 호발
  ② double/multiple adenoma (2~4%)
  ③ hyperplasia (10~15%) : 대개 4개의 부갑상선 모두 증식, MEN 동반 흔함
  ④ carcinoma (<1%) : 대개 not aggressive, 잘 제거되면 장기간 생존 가능

- sporadic hyperparathyroidism ; 40~60대에 호발, 남:여 = 1:3
- MEN에 동반된 hyperparathyroidism의 특징
  - 발병연령 낮음 (평균 25세), 남>여, 부갑상선을 <u>다발성</u>으로 침범
  - hyperplasia (m/c, 대개 젊은 연령), single/multiple adenoma (고령 or 오래 지속된 MEN)
  - 수술 어려움, 수술 뒤 재발 흔함 (MEN1에서 더 재발 흔함)

■ MEN 동반되지 않았는지 주의 깊게 가족력을 조사해야 됨! (모두 AD 유전)

Tumor type	MEN 1 (Werner's syndrome)	MEN 2A (Sipple's syndrome)	MEN 2B (Mucosal neuroma synd.)
Parathyroid hyperplasia/adenoma	95%	10~35%	
Pancreatic endocrine tumor (Zollinger-Ellison syndrome)	75% (Gastrinoma 40%)		
Pituitary tumor	60%		
Medullary thyroid carcinoma^MTC		100%	100%
Pheochromocytoma		50%	50%
기타	Foregut carcinoid (16%) Lipoma (30%)		Mucosal & GI neuromas (>98%) Marfanoid feature (>95%)
관련 유전자 (단백)	*MEN1* (menin) 11q13	*RET* protooncogene (*RET* tyrosine kinase receptor) 10q11.2	

* Screening
  - mutation analysis ; *MEN1* (MEN1), *RET* protooncogene (MEN2)
  - **hyperparathyroidism** ; calcium & PTH (매년)
  - pancreatic endocrine tumor ; pancreatic polypeptide (75~85%), gastrin (60%; ZES), insulinoma (25~35%)
    → 매년 gastrin, FBS ...
    (c.f., pancreatic endocrine tumor : multicentric, 1/3은 악성, 치료는 대개 내과적으로)
  - pituitary tumor ; prolactin & IGF-1 (매년), brain MRI (3~5년)
    └ prolactinoma (m/c), acromegaly가 흔함
  - **medullary thyroid carcinoma (MTC)** ; <u>calcitonin↑</u>, pentagastrin stimulation test
  - **pheochromocytoma** ; plasma free metanephrine, 24hr urine metanephrine
  - foregut carcinoid ; MEN1에서 드물고 늦게 발현, 대개 무증상 → screening 권장 안 되는 편
    (mediastinal carcinoid는 악성화 위험이 높으므로 chest CT가 권장되기도 함)

2. 임상양상

: 대부분(~80%) 증상이 없다가 검사에서 우연히 발견되는 경우가 많음!

(1) Hypercalcemia에 의한 증상
- CNS ; 정신착란, 사고장애, 기억력감퇴, 정서장애, 우울증, coma, DTR↓
- neuromuscular ; proximal muscle weakness, atrophy, hyperreflexia, pruritus
- GI ; thirst, anorexia, N/V, <u>constipation</u>, PUD (MEN 1), acute pancreatitis ...
- cardiovascular ; 서맥, 1st AV block, QT interval↓, 부정맥, HTN
- <u>kidney</u> ; nephrolithiasis^{신결석} (대부분 calcium oxalate or phosphate stone → UTO, 신기능↓ 가능),
  nephrocalcinosis^{신석회화증}, polyuria, polydipsia
- metastatic calcification

(2) 골격계 증상

- 골흡수 ↑ ; bone pain, osteitis fibrosa cystica^{낭성섬유골염} (과거의 특징), bone cysts
- bone mineral density (BMD) 감소 → fracture는 약간만 증가됨
  (∵ PTH에 의해 피질골은 감소하지만, 미세골구조는 보존되고 뼈 크기/직경은 증가함)
- 요즘에는 조기 진단으로 신장 합병증(<20%), osteitis fibrosa cystica (<5%) 등은 드묾
  c.f.) 암에 의한 hypercalcemia는 경과가 짧아 요로 결석이나 골흡수 소견을 나타내기 어려움

3. 검사소견

■ 생화학적 진단 : hypercalcemia 정도에 비해 높은(↑ ~ high normal) PTH level

(1) intact PTH level ↑ : 확진(m/g) ⋯ hypercalcemia evaluation에서 m/i
  - 10~20%에서는 거의 정상 level이지만 hypercalcemia 수준에 비하면 부적절하게 증가된 것임
(2) hypercalcemia (>10.5 mg/dL) : 대부분은 mild (↔ 악성종양일 때는 심함 ~14-15)
(3) urine phosphate ↑ ⇨ hypophosphatemia (<2.5 mg/dL) : 약 1/3에서, 대부분은 low normal임
  (renal failure 때는 정상 or 증가할 수도 있음)
(4) urine calcium ↑ : 약 40%에서, 나머지는 대부분 정상 (24hr urinary Ca, Ca/Cr clearance ratio)
  - 진단에 필수는 아니지만, 치료방침 결정에는 필요함 (→ 신장 합병증 risk 평가)
  - <200 mg/day면 FHH (or vitamin D 결핍이 동반된 PHPT)를 의심
(5) bone turnover markers 모두 ↑ ~ high normal ⋯ routine으로 검사할 필요는 없음
  ┌ formation index ; bone-specific ALP, osteocalcin, type I procollagen peptides
  └ resorption index ; hydroxypyridinium collagen cross-links, telopeptides of type I collagen
(6) 기타 ; 감별진단/치료방침을 위해 serum 25(OH)D, serum Cr도 검사해야 됨
  - 일부 PHPT 환자는 vitamin D 결핍 동반 가능 (→ ≤20 ng/mL면 vitamin D 보충 필요)
  - PHTP 환자는 정상인보다 25(OH)D→1,25(OH)2D 전환↑ → 1,25(OH)2D는 high normal~ ↑
(7) 유전자검사 ; 일반적으로는 필요 없고, FHH와 감별이 어렵거나 MEN 동반시 고려

4. 영상검사

(1) osteitis fibrosa cystica에 의한 변화 (요즘에는 드묾, <5%)
  - 골막하 골흡수(subperiosteal bone resorption) ⋯ 가장 특징적인 소견!
    - 피질골이 흡수되어 피질골의 표면이 불규칙해 보이는 변화
    - 특히 수지골(phalanx)과 두개골(→ salt & pepper appearance)에서 잘 보임
  - "brown tumor" (bone cyst) : 다수의 파골세포, 기질세포, 기질로 구성, 대개 multiple,
    hemosiderin 침착으로 인해 갈색으로 보임 (⋯→ tumor와 감별해야)
(2) osteopenia (골밀도 감소, ~25%)
  - 주로 피질골(e.g., forearm, hip)에서 감소 / 척추 같은 해면골(cancellous bone)은 덜 감소함
  - 골밀도(BMD) 검사 : spiral CT, DXA (dual-energy X-ray absorptiometry)
    - lumbar spine, hip, distal 1/3 forearm 3곳 모두에서 측정, 치료방침 결정에 중요
(3) renal imaging (X-ray, US, CT) ; 무증상 환자의 7~20%에서도 silent kidney stones 발견됨
(4) localization 검사 ; 진단에서는 필요 없고, 수술이 결정된 경우에 시행

5. 부갑상선기능항진증의 치료

(1) 수술 : TOC

- PHPT의 유일한 완치법은 부갑상선절제술(parathyroidectomy)임 (cure >95%)
- 증상이 있거나, 적응(1개 이상)에 해당하면 수술이 원칙임
- 수술 기법의 발전으로 적응은 확대되는 추세임 (∵ 다른 완치법 無, 대부분 진행성 질환)

무증상 PHPT 환자의 수술 적응 ★	
혈청 calcium	정상 상한치보다 1.0 이상 상승 (약 >11.5 mg/dL)
신장	Creatinine clearance <60 mL/min 24hr urinary Ca >400 mg/day & urinary biochemical stone profile risk ↑ Nephrolithiasis or nephrocalcinosis 존재 (X-ray, US, or CT)
뼈	DXA : 골밀도 감소 (T-score < -2.5)* 척추 골절 (X-ray, CT, MRI, or VFA**)
나이	50세 미만

* 골밀도 : spine, total hip, femoral neck, or distal radius에서 (폐경전 여성, 50세 미만 남성은 Z-score 권장)
** VFA (vertebral fracture assessment) : DXA를 이용해 척추골절을 평가하는 것

- 수술 방법
  ① conventional parathyroidectomy (bilateral neck [4-gland] exploration, BNE)
    - 과거의 표준 수술법 (전신 마취하에 시행) → 현재는 polyglandular dz. (multiple adenoma, hyperplasia ; MEN, 2ndary HPT), carcinoma에서만 시행
    - subtotal parathyroidectomy : 4개의 부갑상선 중 3½만 떼어냄
    - total parathyroidectomy & autotransplantation (조직 일부 팔에 다시 이식 → 재발시 수술 쉬움)
  ② targeted parathyroidectomy (minimally invasive parathyroidectomy, MIP)
    - 현재의 표준 수술법 (∵ single adenoma가 PHPT 원인의 80~85%), 국소 마취하에 시행
    - 임상적으로 polyglandular dz.가 배제되고, 수술 전 localization이 되어야 됨
- minimally invasive parathyroidectomy시의 위치선정(localization)
  ① 처음 수술시
    - preop. localization : ^{99m}Tc-sestamibi scintigraphy (MIBI-SPECT), US, 4D-CT
    - intraop. PTH monitoring (IOPTH) : 병소 제거시 PTH level 즉시 감소(>50%) 확인
  ② 두번째 수술시
    - 처음 수술이 실패 or 재발한 경우에는 반드시 intraop. PTH monitoring (IOPTH)도 시행
    - 2가지 이상의 영상검사로 확인(e.g., MIBI-SPECT, US, 4D-CT, MRI, PET-CT)
    - selective venous sampling and/or arteriography : 영상검사에서 불확실한 경우 고려
- 수술 이후의 hypocalcemia (<8 mg/dL)의 원인
  ① hungry bone syndrome (~4%) : PTH의 갑작스런 감소로 억제되어있던 osteoblasts 활성화
    → 혈중 Ca & Ph가 비어있던 뼈로 다시 빠르게 흡수됨
    - uncomplicated PHPT (대부분 adenoma)에서는 드물고 (∵ bone dz.나 bone mineral 결핍 적음), 2ndary HPT의 수술 이후에 더 흔함 (∵ 장기간 PTH↑에 적응)
    - severe hypocalcemia (Sx ; "tetany" 등), Ph↓, Mg↓, hyperkalemia 등이 나타남
    - Tx. ; IV calcium (oral calcium도 동시에 시작), short-acting vitamin D (calcitriol)

② permanent hypoparathyroidism : Ca↓ & phosphate↑
③ 기타 ; hypomagnesemia, vitamin D deficiency, renal failure ...
• hypomagnesemia : PTH 분비를 억제하여 수술 뒤 회복을 더디게 함
 → Tx. ; IV Mg (더 효과적), oral Mg (e.g., Mg chloride, Mg hydroxide)

(2) F/U & 내과적 치료
• 무증상 PHPT 환자가 수술의 적응에 해당되지 않거나, 수술을 원하지 않거나 불가능하면

무증상 PHPT 환자의 monitoring	
혈청 calcium	매년
신장	매년 serum Cr, eGFR
	신결석 의심시 urinary biochemical stone profile 및 영상검사
뼈	1~2년 마다 3부위(hip, spine, and forearm) 골밀도 검사
	척추 골절 의심시(e.g., 신장↓, 요통) VFA

• 일반적인 주의사항(예방대책)
 – 충분한 수분섭취, thiazide diuretis/lithium carbonate/inactivity 피함 → hypercalcemia 악화↓
 – Ca 섭취는 정상으로(1000 mg/day) ; low Ca diet는 PTH 분비↑ & bone dz. 악화 위험,
  serum 1,25(OH)$_2$D가 증가된 환자는 hypercalcemia 악화될 수 있으므로 <800 mg/day
 – physical activity → bone resorption 최소화
 – vitamin D deficiency 존재시 반드시 교정 : serum 25(OH)D를 50 nmol/L 이상으로 유지
• 약물치료 (정해진 권고안은 없음)
 – bisphosphonates : BMD↑, serum Ca는 변화× → BMD 증가가 중요한 환자에서 사용
 – calcimimetics (e.g., cinacalcet) : PTH 분비↓, serum Ca↓, BMD에는 영향×
  → hypercalcemia 교정이 우선인 환자에서 사용
 – 폐경 PHPT 여성 → estrogens & SERMs (e.g., raloxifene) : BMD↑, serum Ca↓(미미함)

6. Hypercalcemia의 내과적 치료

(1) 응급 치료 : acute severe hypercalcemia (>15 mg/dL)
 : life-threatening medical emergency!

① <u>hydration</u> (수액공급) : N/S … 가장 먼저!
 • hypercalcemia 환자는 dehydration 동반이 흔함
  (원인 : 구토, 영양실조, hypercalcemia에 의한 요농축장애)
 • GFR 감소 동반시 신세뇨관의 Na$^+$ 및 Ca^{2+} 배설은 더욱 감소됨
 • rehydration → 위의 이상 교정 및 신장의 Ca^{2+} 배설 촉진
 • mild hypercalcemia는 hydration 만으로 충분한 경우가 많음
② <u>loop diuretics</u> (large-dose) : furosemide (Lasix) or ethacrynic acid
 • 신장에서 Ca^{2+} 재흡수를 억제하여 Ca^{2+} 배설 촉진
 • 이상의 방법으로 신장의 Ca^{2+} 배설을 500 mg/day 이상으로 증가시킬 수 있음
  → 24시간 내에 serum calcium 1~3 mg/dL 감소 가능
 • 부작용 ; K$^+$↓, Mg^{2+}↓, renal calculi, pul. edema → close monitoring 필수

③ <u>calcitonin</u>
- osteoclast (bone resorption) 억제, 신장의 calcium 재흡수 억제(→ calcium 배설↑)
- 작용시간 빠름, bisphosphonate의 작용 전까지 severe hypercalcemia의 치료에 유용
⇨ 몇 시간 이내에 효과
④ IV pamidronate or zoledronate
⑤ dialysis : 신부전에 합병된 severe hypercalcemia 때 유용

(2) 기타 치료

① mild (≤12 mg/dL) asymptomatic hypercalcemia : close follow-up
- 충분한 <u>수분 섭취</u>만으로도 교정 가능
- keep active! (weight-bearing은 좋다)
- immobilization과 bed rest 피함 (∵ bone turnover↑ → hypercalcemia)
- 금기 ┬ thiazide : 신장에서 calcium 배설을 감소시킴
       ├ vitamin D, A 과용
       └ calcium-containing antacids 등

② <u>bisphosphonate</u> : pyrophosphate의 analogue
- 기전 : osteoclast를 억제 (특히 bone turnover 증가된 부위) → bone resorption 크게 감소
- ┬ 1세대 (etidronate) : bone formation도 억제하는 단점
  ├ 2세대 (pamidronate, alendronate, risedronate) : resorption 억제력이 더 강함
  └ 3세대 (zoledronate) : 2세대보다 몇 배 더 강력 & 작용기간 긺
- <u>1~2일 지나야 효과 발생</u>, 작용시간 긺, 가장 강력
- severe hypercalcemia (≥15 mg/dL) 때는 처음부터 IV로 pamidronate or zoledronate 투여

③ plicamycin (mithramycin) : bone resorption 억제, Cx 많아 잘 안 쓰임

④ glucocorticoids (prednisone)
- 기전 : 신장의 calcium 배설 촉진 및 장관의 calcium 흡수 억제
- 정상인 및 primary hyperparathyroidism에는 효과 없다!
- multiple myeloma, leukemia, lymphomas, breast ca., vitamin D 중독, granulomatous dz.
  (e.g., sarcoidosis) 등에 의한 hypercalcemia 때 유용

⑤ phosphate
- ┬ oral : hypophosphatemia의 교정 → serum calcium↓
  └ IV : 작용이 빠르고 강력하지만, 독성 및 부작용(fatal hypocalcemia) 위험 때문에
         치명적인 응급상황(e.g., 심부전, 신부전) 때나 이차적으로 고려
- hypophosphatemia시
  ① bone의 calcium uptake 감소
  ② intestinal calcium absorption 증가
  ③ bone breakdown 증가

⑥ propranolol : hypercalcemia에 의한 심장 부작용을 예방 가능

다른 원인에 의한 HYPERCALCEMIA

1. 악성종양에 의한 hypercalcemia

Hematologic malignancies	Solid tumors
1. Local bone destruction ··· osteoclast activating factors[OAF] (e.g., IL-1, IL-6, TNF-α, lymphotoxin[LT], RANKL) 　Multiple myeloma 　Lymphoma 　Leukemia 2. Humoral mediation (1,25(OH)$_2$D, PTH-rP) 　Lymphoma	1. Local bone destruction (PGE series) 　Breast cancer 일부 2. Humoral mediation (PTH-rP 등) 　<u>Lung (squamous cell ca.)</u> 　Kidney (RCC) 　Urogenital tract 　Breast cancer 일부

- hypercalcemia 발생 예측에는 bone metz. 여부보다는 종양의 조직형이 더 중요
- 대개 여러 기전이 관여
  ① PTH-rP 생산 (m/c) → bone resorption ↑
  ② local bone destruction
  ③ 1,25(OH)$_2$D 생산 ; B-cell lymphoma, ovarian cancer
- intact PTH level ↓
- technetium-labeled bisphosphonate를 이용한 bone scan : osteolytic metz. 발견에 유용
  (but, 예민도는 높으나 특이도가 낮음 → 반드시 X-ray와 비교 필요)

■ **humoral hypercalcemia of malignancy**
- 원인 ; <u>lung</u> (squamous cell ca.), kidney ... (보통 bone metz. 없이 발생)
- 기전 ; 종양세포에서 PTH-related protein (<u>PTH-rP</u>) 분비 → immunoassay로 측정 가능
- 임상양상은 primary hyperparathyroidism과 비슷
- 검사소견
  - urinary cAMP ↑
  - hypercalcemia, hypophosphatemia (urinary phosphate ↑)
  - intact PTH level ↓ (→ hyperparathyroidism과의 감별에 중요!)
  - 1,25(OH)$_2$D level ↓~정상

→ 혈액종양내과 15장 참조

2. 신부전과 관련된 hypercalcemia

(1) Severe secondary hyperparathyroidism
- 원인 ┌ renal failure [CKD] (∵ Ph ↑, FGF-23 ↑, 1,25(OH)$_2$D ↓, Ca ↓ 등)
  │ osteomalacia (vitamin D deficiency 등)
  └ pseudohypoparathyroidism (PHP)
- 증상 ; bone pain, ectopic calcification, pruritus ...

→ 신장내과 5장 참고

(2) Tertiary hyperparathyroidism

• 심한 CKD가 오래 지속 (Ca↓, Ph↑, vitamin D↓) → 부갑상선을 지속적으로 자극
  → 부갑상선이 반자율적으로 심하게 증식하게 됨 (parathyroid gland mass↑)
  → PTH↑↑, <u>Ca↑</u>, Ph↓ (신이식을 하면 대개는 1년 이내에 정상화됨)
• 적절한 치료 없이 장기간 지속되면 부갑상선의 neoplastic (clonal) transformation도 가능함
• 신이식을 받은 secondary hyperparathyroidism 환자의 약 8%에서 발생
• 치료 : 내과적 치료에 반응 없이 hypercalcemia가 1년 이상 지속, 심한 합병증(e.g., 신결석,
  신성골병변, 연조직석회화, 근육/골통증), 신기능이 급격히 저하되는 경우 → 부갑상선절제술

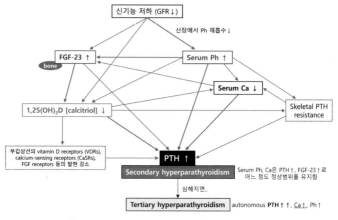

	Primary hyperparathyroidism	Secondary hyperparathyroidism	Tertiary hyperparathyroidism
PTH	↑ ~ N	↑	↑↑
Calcium	↑	↓ ~ N	↑
Phosphate	↓ ~ low normal	↑ ~ N	↑
1,25(OH)₂D	↑ ~ high normal	↓	↓

(3) Aluminum intoxication

• 만성 신부전 환자가 aluminum 함유 제제(e.g., 제산제, phosphate binder) 복용시 발생 가능
• vitamin D or calcitriol 치료시 hypercalcemia 유발 가능 (∵ skeletal response↓)

(4) Milk-alkali syndrome

• 특징 : hypercalcemia, alkalosis, renal failure
• 원인 : calcium, absorbable antacids (milk, calcium carbonate)의 과잉섭취

- 기전 : mild hypercalcemia 발생 → PTH↓→ bicarbonate 재흡수
  → alkalosis → renal calcium retension → hypercalcemia 악화
  (calcium 섭취가 계속되면, hypercalcemia와 alkalosis 계속 악화)
- Sx. : weakness, myalgia, irritability, apathy
- 급성으로 발생한 경우 calcium 및 antacids의 과잉 섭취를 중단하면 호전됨
- 만성(Burnett's syndrome) → 비가역적인 신손상

3. Familial hypocalciuric hypercalcemia^FHH (familial benign hypercalcemia)

- AD 유전, 드묾, calcium-sensing receptor (CaSR) 및 signaling pathway^신호전달 단백의 mutations
  ① FHH1 (m/c, ~65%) : CASR gene의 loss-of-function (inactivating) mutations (3q13.33~21.1)
  ② FHH2 (<10%) : Gα11 (CaSR의 주요 신호전달 단백) ⋯ GNA11 gene의 〃 (19p13.3)
  ③ FHH3 (20~25%) : AP2σ (CaSR의 표현, 신호전달 단백) ⋯ AP2S1 gene의 〃 (19q13.3)
- 기전 : 부갑상선과 신세뇨관에서 CaSR의 혈중 Ca^{2+} 감지↓ → PTH의 부적절한 분비↑,
  신장에서 Ca & Mg 재흡수↑ → hypercalcemia & hypocalciuria
- primary hyperparathyroidism (PHPT)과의 차이점
  ① hypocalciuria (m/i) : calcium의 99% 이상을 재흡수
    ; urine calcium <200 mg/day, calcium/creatinine clearance ratio <0.01
      ↳ C_{Ca}/C_{Cr} = (소변 Ca/혈청 Ca) / (소변 Cr/혈청 Cr)
  ② 가족력 有, 대부분 10세 이전에 발병 (↔ PHPT 및 MEN은 10세 이전에 드묾)
  ③ PHPT에 비해서는, calcium 상승 정도에 따른 PTH level이 낮음
  ④ parathyroidectomy는 효과 없음
- 대부분 무증상, serum calcium 10.5~12 mg/dL, phosphate↓, PTH N~↑, Mg↑
- 유전자검사 : CASR, GNA11, AP2S1 genes의 sequencing ⋯ PHPT과 감별 어려울 때 도움
- 특별한 치료는 필요 없음 (대부분 benign natural history)
  - 심한 경우에는 cinacalcet (calcimimetics, CaSR의 sensitivity를 높임)
  - 매우 심한 경우는(e.g., neonatal severe hypercalcemia) total parathyroidectomy 고려

■ 부갑상선(기능)저하증 (Hypoparathyroidism)

■ Hypocalcemia의 원인

Low PTH (hypoparathyroidism)

부갑상선 파괴
　　수술(m/c) ; parathyroidectomy, thyroidectomy, radical neck dissection
　　침윤 ; metastatic cancer, hemochromatosis, amyloidosis, sarcoidosis, Wilson's dz., thalassemia
　　방사선치료, HIV 감염 ...

자가면역질환
　　Autoimmune polyglandular syndrome type 1 (APS-1) (만성 점막피부칸디다증, adrenal insufficiency 등 동반)
　　Isolated hypoparathyroidism (CaSR에 대한 activating Ab)

유전적 이상
　　부갑상선 발달장애 ; isolated, or DiGeorge syndrome, Sanjad-Sakati syndrome, Kenny-Caffey syndrome,
　　　　Kearns-Sayre syndrome, Barakat syndrome ...
　　PTH 합성 장애
　　CaSR의 activating mutations ; autosomal dominant hypocalcemia, sporadic isolated hypoparathyroidism

Hypomagnesemia (functional hypoparathyroidism) → 신장내과 2장 참조
　　; 흡수장애, 영양실조, 알코올 중독, 신장에서 소실↑, 약물(e.g., cisplatin, 이뇨제, 항생제)

High PTH (hypocalcemia에 대한 2ndary hyperparathyroidism)

CKD (∵ hyperphosphatemia, PTH에 대한 skeletal resistance, $1,25(OH)_2D$ 합성↓) ; $25(OH)D$는 정상

Vitamin D 결핍
　　섭취 부족, 일광노출 부족, 흡수장애, nephrotic syndrome (∵ albumin & vitamin D-binding protein[DBP]↓)
　　만성 신질환 (∵ $25(OH)D$ 합성↓, 흡수장애, albumin & DBP↓ / vitamin D 결핍은 간질환의 발생/악화에도 기여)
　　대사이상 ; 항경련제(phenytoin, phenobartial), INH, ketoconazole, vitamin D-dependent rickets (VDDR) type 1

Vitamin D 저항성 ; renal tubular dysfunction (Fanconi syndrome), vitamin D receptor defects (VDDR type 2)

PTH resistance ; PTH receptor mutations, pseudohypoparathyroidism (PHP), hypomagnesemia

혈중 calcium의 조직으로 이동
　　Acute hyperphosphatemia (→ Ca와 결합) ; tumor lysis, rhabdomyolysis
　　Acute pancreatitis, sepsis, TSS, acute respiratory alkalosis, 대량 수혈 ...
　　Osteoblastic metastasis (e.g., 전립선암, 유방암)

약물
　　골흡수 억제제 (특히 vitamin D 결핍 동반시) ; bisphosphonate, calcitonin, plicamycin, denosumab
　　Cinacalcet (calcimimetics, CaSR의 sensitivity를 높임)
　　Calcium chelators ; EDTA, citrate, phosphate
　　Foscarnet (혈중에서 Ca과 결합)

---

1. 임상양상

(1) hypocalcemia에 의한 신경근육흥분 증상

- 입주위, 손/발가락 끝의 감각이상/저림(numbness, tingling)
- 근육경련(cramps), 강직(tetany), 손발연축(carpopedal spasm), 안면마비
- 경련(convulsion) : 대개 전신적인 강직성 경련, 때때로 간질 발작의 형태
- 후두경련 → 기도 폐쇄, 후두 협착음(stridor)

(2) 잠복 강직(latent tetany)의 signs
- <u>Chvostek's sign</u> : 귀 앞의 facial nerve를 치면, 안면 근육의 단일수축(twitching) 발생
- <u>Trousseau's sign</u> : 혈압계를 systolic BP 이상으로 2~3분간 팽창시켜 nerve ischemia를 유발하면 손의 연축(spasm) 발생

(3) 만성 증상
- lethargy, psychologic changes, extrapyramidal signs
- 피부 : 건조하고 잘 벗겨짐, impetigo herpetiformis, pustular psoriasis
- 후수정체 백내장(post. lenticular cataract), 치아 형성 장애, 손/발톱이 쉽게 부서짐

2. 검사소견/진단

(1) <u>hypocalcemia</u>, <u>hyperphosphatemia</u>, <u>PTH↓</u>로 진단 가능
- primary hypoparathyroidism
  - 신기능(BUN, Cr) : 정상 (→ CKD R/O)
  - serum magnesium : 정상 (→ hypomagnesemia R/O)
  - <u>25(OH)D</u> : 정상 (→ vitamin D deficiency R/O)
- hypocalcemia & hypophosphatemia → absent/ineffective vitamin D (PTH↑)

(2) <u>PTH 부하시험(infusion test)</u>에 정상 반응 (urinary cAMP 및 phosphate 배설 증가)

(3) ALP : 정상

(4) imaging (X-ray or CT)
- basal ganglia의 calcification
- bone density 증가

(5) EKG : prolonged QT intervals, T wave abnormalities

* alkalosis : serum albumin의 charge 변화 → Ca^{2+}의 albumin과의 결합 증가 → Ca^{2+} 감소

* PTH : 신장에서 HCO_3^- 배설 촉진 (→ hyperchloremic metabolic acidosis)

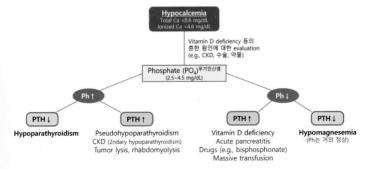

* serum albumin 1 g/dL 감소시 calcium 0.8 mg/dL씩 감소 (Ca^{2+}은 정상, total calcium만 감소됨)

- 중증/입원 환자의 hypocalcemia의 m/c 원인은 hypoalbuminemia임
  - 만성질환, 영양실조, LC, NS, 체액과다 등 때도 hypoalbuminemia
  - ionized Ca^{2+}은 영향 없고, hypocalcemia의 증상도 없음
- albumin 1 감소시 calcium은 0.8 씩 더해서 albumin 변화에 의한 효과를 보정해야 됨!
  ⇨ [corrected total Ca = measured total Ca + 0.8×(4 − serum albumin)]

3. 치료

: vitamin D + calcium 보충이 치료의 기본

(1) acute attack : 심한 증상(e.g., 연축, 강직, 경련, 심기능↓, QT↑) or corrected Ca ≤7.5 mg/dL
   ⇨ IV calcium

- calcium gluconate 1~2 g (elemental Ca 90~180 mg에 해당) : 10~20분 동안 천천히 주입
- calcium은 정맥을 자극하므로 D/W or saline으로 희석하여 투여
  (bicarbonate or phosphate 함유 용액은 insoluble calcium salts를 형성하므로 섞으면 안됨!)
- 혈중 calcium은 low-normal (8.0~8.5 mg/dL)로 유지 / 과도하면 hypercalciuria, 신결석 위험

(2) 심한 증상이 없고 corrected Ca >7.5 mg/dL ⇨ **oral calcium**으로 투여

- calcium carbonate, calcium citrate 등 (하루 2~3 g의 elemental calcium 섭취)
- oral calcium으로 증상 호전이 없으면 IV calcium

(3) **active vitamin D** 제제 ⋯ oral calcium과 같이 투여 시작!

- hypocalcemia Sx.이 없어질 정도까지만 높임 (정상 level까지 올리면 vitamin D 중독 발생 가능)
- 1,25(OH)$_2$D (calcitriol) : rapid-acting, hypoparathyroidism 때 TOC
  - 간과 신장에서의 활성화 필요 없음 (∵ 특히 PTH는 신장의 1α-hydroxylation을 촉진)
  - 작용 시작 및 소실 빨라 용량 조절이 용이함, 반감기 12~14시간
- 기타 semi-active vitamin D analogs ; alfacalcidol, calcidiol (calcifediol), dihydrotachysterol
  c.f.) parent/inactive vitamin D (e.g., D$_2$ [ergocalciferol], D$_3$ [cholecalciferol]) : 반감기 긺
  - PTH 저하시 신장에서 활성화(1α-hydroxylation)가 어려우므로 50~100배의 고용량 필요
  - 지방에 축적되어 vitamin D 중독을 일으킬 수 있으므로 hypoparathyroidism 때는 선호 안됨

(4) **thiazide diuretics**

- 신세뇨관의 calcium 재흡수 촉진 (→ calcium, vitamin D의 용량 줄일 수)
- urinary calcium↓ → renal stone 발생 예방
- 저염식(low salt diet) → 신장에서 calcium 배설 감소

(5) **magnesium** (IV) ⋯ hypomagnesemia 있으면 반드시 치료!
   예) chronic alcoholism, malnutrition, renal loss, drugs (e.g., cisplatin)

(6) recombinant human PTH (1-84, rhPTH) 이론적으로는 가장 좋지만, 지속적인 주사가 필요하고
   비싸서 실제로는 사용은 어려움, vitamin D + calcium 치료에 반응이 없는 경우 고려

4. 가성부갑상선기능저하증(Pseudohypoparathyroidism, PHP)

(1) 정의/원인/분류

- PTH에 대한 표적장기(kidney, bone)의 resistance → 이차적으로 부갑상선 기능이 항진됨
- 매우 드묾, 주로 AD 유전
- *GNAS1* gene loss-of-function mutations → Gsα subunit activity ↓ (deficiency)
  - maternally transmitted variants ; PTH에 대한 반응(소변 cAMP)↓, AHO(+) [PHP type Ⅰa]
  - paternally transmitted variants ; PTH에 대한 반응 정상, AHO(+) [PPHP]
  - GNAS1은 갑상선, 성선, 뇌하수체 등에서도 발현되므로 PHP-Ⅰa는 다양한 호르몬에 대한 저항성을 보임 (e.g., TSH, LH, FSH, GnRH)
- PHP type Ⅰb : *GNAS1* methylation defects or 조절단백의 이상, AHO 無
- PHP type Ⅰc : Ⅰa와 임상양상은 같지만, Gsα subunit activity는 정상 (Ⅰa의 variant로 취급)
- PHP type Ⅱ : PTH에 대한 소변 cAMP 반응 정상~↑ & Ph 배설↑ (기전 잘 모름)

Type	Serum			PTH에 대한 urinary cAMP 및 인산염 배설	Gsα subunit deficiency	PTH 이외의 호르몬에 대한 resistance	AHO
	Ca	P	PTH				
PHP-Ⅰa (m/c)	↓	↑	↑	↓	+	+	+
PHP-Ⅰb	↓	↑	↑	↓	−	±	−
PHP-Ⅰc	↓	↑	↑	↓	−	+	+
PHP-Ⅱ	↓	↑	↑	N	−	−	−
PPHP	N	N	N	N	+	−	+

(2) 임상양상

① hypoparathyroidism과 비슷한 양상 ; hypocalcemia, hyperphosphatemia, 1,25(OH)$_2$D↓ ...
② PTH level ↑
③ PTH 부하시험에 대한 반응 감소 : urinary cAMP 및 phosphate 배설 증가 없음
④ AHO (Albright's hereditary osteodystrophy)
- PHP type Ia, Ic, PPHP에서만 나타남
- short stature, round face, brachydactyly (대개 bilateral)
- short metacarpal / metatarsal bones (특히 4, 5번째)
  → 주먹을 쥐면 해당 metacarpal 부위가 움푹 파인 모양을 보임
- 이차성징 결핍, 지능저하, heterotopic calcification (e.g., basal ganglia)

■ Pseudopseudohypoparathyroidism (PPHP, 가가성부갑상선기능저하증)
- 외형의 이상(AHO)만 있고, 검사소견(Ca, P, PTH)은 정상!
- hypoparathyroidism의 특징이 없음
- PHP-Ia의 1차친족에서 볼 수 있음

(3) 치료

- PHP : hypoparathyroidism의 치료와 동일
  → oral calcium + vitamin D (용량은 true hypoparathyroidism 때보다는 적음)
- PPHP은 대개 치료할 필요 없다

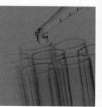

6
대사성 골질환

* **골재형성(bone remodeling)**
  • 오래되거나 손상된 뼈를 제거하는 골흡수와 그만큼 새로운 뼈를 만드는 골형성이 반복되는 것
  • 뼈의 구조 유지와 calcium homeostasis를 위해 필수적
  • 주로 뼈 표면에서 이루어짐, 정상인에서는 뼈 표면 중 극히 일부에서(<10%) 진행됨
  • 과정 : 6~9개월간 진행
    ① 활성화(activation) : osteoclast가 골 표면에 부착
    ② 흡수(resorption) : osteoclast가 골을 흡수하고 사라짐
    ③ 전환(reversal) : 파괴된 골 표면에 osteoblast가 나타남
    ④ 형성(formation) : osteoblast에 의한 새로운 골의 형성
    ⑤ 무기질화(mineralization) : 새로 형성된 유골(osteoid)의 무기질화

* **파골세포(osteoclast)의 활성화에 관여하는 인자 (← hematopoietic stem cell[HSC]에서 유래)**
  • M-CSF (macrophage CSF) : 전구세포에서 active osteoclast로 분화 촉진 → 골흡수↑
  • <u>RANKL</u> (receptor activator of NFkB [nuclear factor kB]의 ligand) : osteoclast의 수/활성도↑
    - TNF receptor family에 속함, osteocytes/osteoblasts/T cells에서 주로 분비됨
    - IL-1, IL-6, IL-11, TNF-α, PTH, vitamin D, PGE$_2$, ROS등 → RANKL 생성↑
  • OPG (osteoprotegerin = osteoclastogenesis inhibitory factor [OCIF])
    - TNF receptor family에 속함, 심장/폐/신장/뼈/간/뇌 등 여러 곳에서 발현됨
    - RANKL과 결합하여 RANKL과 RANK의 결합 억제 → osteoclast의 분화와 활성화를 <u>억제</u>
  • calcitonin : osteoclast 표면의 receptor에 직접 작용하여 osteoclast의 기능을 억제
  • 대부분의 호르몬은 M-CSF와 RANKL에 영향을 주어 간접적으로 osteoclast에 영향을 줌
    (PTH, vitamin D → osteoclast의 수/활성도↑, estrogen → osteoclast의 수/활성도↓)

* **조골세포(osteoblast)의 활성화에 관여하는 인자 (← mesenchymal stem cell[MSC]에서 유래)**
  • CBFA1 (core-binding factor A1, <u>Runx2</u>) : osteoblast의 증식을 조절하는 master regulator
  • Wnt : Runx2 발현을 직접 증가시킴 → 골형성↑
    (c.f., LRP5 [Wnt의 receptor] 변이시 골량 감소)
  • BMP (bone morphogenic protein) : Runx2의 발현을 일부 증가시킴 → 골형성↑
  • TGF-β, FGF, IGF, PDGF 등도 osteoblast의 증식/활성↑

* BMU (basic multicellular unit) : osteoclasts와 osteoblasts로 구성되며, bone remodeling cycle
    (resorption → formation & mineralization)을 시행
* 골세포(osteocyte) ··· bone remodeling 조절에 m/i 역할
  • 뼈 전체에 분포하며 뼈를 이루는 세포의 대부분을 차지함(90~95%), 수명이 매우 긺 (~수십 년)
    (↔ osteoclast와 osteoblast : 수명이 짧고 [수주~수개월], 뼈 표면에만 존재)
  • sclerostin : MSC → osteoblast로의 분화 억제 / SOST gene에 의해 발현됨
    − mature osteocytes는 더 이상의 골형성을 억제하기 위해 sclerostin을 분비함
    − 분비↓ ; 압력 부하, PTH, cytokines (e.g., LIF, PGE_2, oncostatin M, cardiotrophin−1)
        ↳ 골형성↑ (∵ Wnt signaling pathway 활성화)
    − 분비↑ ; calcitonin
  • RANKL 분비 : HSC → osteoclast로의 분화 촉진

Resorption↑ & calciotropic	$1,25(OH)_2D_3$, PTH, PTHrP, PGE_2, IL-1, IL-6, TNF, prolactin, corticosteroids, oncostatin M, LIF	RANKL↑, OPG↓, M-CSF↑(→ osteoclast 분화↑)
Resorption↓ & anabolic	Estrogens, calcitonin, BMP 2/4, TGF-β, TPO, IL-17, PDGF, calcium	RANKL↓, OPG↑

골다공증/뼈엉성증(Osteoporosis)

1. 개요

• m/c metabolic bone dz., 폐경후 여성에서 호발 (50세 이후 유병률 : 남 7~10%, 여 35~40%)
• 정의 : 골강도(bone strength)의 약화로 골절 위험이 증가하는 질환 [NIH]
        ┌ 골량(quantity) : 골밀도(bone mineral density, BMD) → WHO 정의/분류
        └ 골질(quality) : microarchitecture, bone geometry, bone turnover (remodeling) 등
• compact bone (cortical bone^{피질골})보다 trabecular bone^{해면골/소주} (cancellous bone)의 소실이 많음
  예) vertebrae, femur neck, distal radius

2. 원인/병인

  * bone density : 성장기에 획득한 최대 골량(peak bone mass)과 그 이후 성인기의 골소실
      (bone loss) 속도 및 정도에 의해 결정됨
(1) 낮은 최대 골량(peak bone mass)
  • 대개 30대 초반에 도달, 이후 매년 약 1.2% 씩 골량 감소됨
  • genetic factor가 가장 중요함 (peak bone mass의 50~80% 결정)
    예) osteoporosis 엄마의 딸 → bone density↓
        이란성보다 일란성 쌍생아에서 bone density 일치율이 훨씬 높음
  • VDR (vitamin D receptor), type 1 collagen, ER (estrogen receptor), IL-6, IFG-I 등의
    유전자와 관련이 있을 것으로 추정되었으나 불확실함

- LRP (lipoprotein receptor-related protein)-5 mutation은 골량 증가와 관련
- 성장기의 충분한 calcium 섭취도 중요

최대 골량(peak bone mass)에 영향을 미치는 요인
성별 (남>여), 민족 (흑인>백인)
Genetic factors
Gonadal steroids, Growth hormone, Timing of puberty
Calcium intake, Exercise

(2) 골 소실 (bone loss)

① 폐경(estrogen deficiency) : post-menopause (평균 51세), hypogonadism
  - estrogen → osteoblasts 자극, osteoclasts 억제 → bone resorption ↓, formation ↑
  - estrogen deficiency → bone resorption ↑, formation ↓
    - osteoblasts에서 IL-6, IL-1, TNF-α 생성↑ → RANKL↑ ⎤ → osteoclasts 수/활성도↑
      OPG (osteoprotegerin)↓ ⎦
    - osteoclasts의 apoptosis를 억제하여 수명↑ / osteoblasts의 수명↓

② 노화 : senile (age-related) bone loss
  ⎡ trabecular bone : 두께와 숫자 감소 → 사이 공간이 넓어짐, 골량 감소
  ⎣ cortical bone : 골내막 흡수(endocortical erosion)↑ → 내경↑, 피질골 두께↓
  - osteocytes의 apoptosis↑ → 내압감지능↓, bone formation↓ → 미세 골절/균열↑
    ↳ senescence-associated secretory phenotype (SASP) cytokines↑ → osteoclasts 생산↑,
      matrix degradation, focal bone resorption, cortical porosity다공증 등 증가
  - proinflammatory factors (e.g., TNF-α, IL-1)↑, oxidative stress (e.g., reactive oxygen
    species [ROS])↑, lipid oxidation↑ → bone formation↓
    ↳ osteoblasts의 apoptosis↑ ↗, RANKL↑ → osteoclasts의 수/활성도↑
  - kidney에서 vitamin D 생산↓ and/or vitamin D에 대한 intestine의 sensitivity↓
    → calcium 흡수↓ (or 칼슘 섭취 부족) → 2ndary hyperparathyroidism → bone resorption↑

	폐경, 성선기능저하	노화
연령	50~75	>70
성비 (여:남)	6:1	2:1
Bone loss의 부위	주로 trabecular bone	Trabecular & cortical bone
Bone loss의 속도	빠름	빠르지 않음
골절 부위	Vertebral body (crush), distal forearm	Vertebrae (multiple wedge), femoral neck, humerus, tibia, pelvis
Parathyroid 기능	정상~감소	증가
Calcium absorption	감소	감소
25(OH)D → 1,25(OH)₂D로의 대사	이차적으로 감소	일차적으로 감소
주요 원인	폐경과 관련된 요인 Bone resorption 감소가 主	노화와 관련된 요인 Bone formation 감소가 主

③ 다른 골다공증의 위험인자 - Secondary osteoporosis의 원인 ★

50세 미만 남성 및 폐경전 여성은 hypogonadism^{성선기능저하증}, 약물(e.g., steroid)이 흔한 원인임
반드시 2ndary osteoporosis에 대한 검사가 필요한 경우

; 50세 미만 남성 및 폐경전 여성에서 비외상성 골절 or Z-score가 매우 낮을 때,
　　연령에 비해 골소실이 빠르거나 적절한 치료에도 반응이 없을 때, 검사 결과가 비정상인 경우

---

1. 내분비 질환
   Female hypogonadism ; hyperprolactinemia, hypothalamic amenorrhea,
   　anorexia nervosa, premature and primary ovarian failure (e.g., Turner syndrome)
   Male hypogonadism ; primary gonadal failure (e.g., Klinefelter's syndrome),
   　secondary gonadal failure (e.g., hypogonadotropic hypogonadism), delayed puberty
   Hyperadrenocorticism (Cushing's syndrome), **hyperparathyroidism**, **hyperthyroidism**,
   　acromegaly, GH deficiency, prolactinoma, adrenal insufficiency (Addison's dz.), DM ...

2. 소화기 질환 ; 흡수장애, 위절제술, 악성빈혈, 만성 폐쇄성 황달, 만성 간질환(e.g. PBC), IBD ...

3. 혈액종양 질환 ; multiple myeloma, lymphoma, leukemia, hemolytic anemias, sickle cell dz.,
   thalassemia, hemophilia, systemic mastocytosis, 악성종양에 의한 PTH-rP 생산

4. 류마티스 질환 ; RA, ankylosing spondylitis, SLE, psoriasis

5. 유전 질환 ; osteogenesis imperfecta, Ehlers-Danlos syndrome, Marfan's syndrome
   homocystinuria, glycogen storage dz., hemochromatosis, hypophosphatasia, porphyria ...

6. 기타 ; COPD, epilepsy, scoliosis, multiple sclerosis, sarcoidosis, amyloidosis ...

7. 생활습관 ; 흡연, 음주(하루 3잔 이상), 활동/운동 부족, 급격한 체중감소, malnutrition, 칼슘섭취 부족,
   비타민D 결핍, 비타민C/K/B6/B12 결핍, 비타민A 과잉, 염분/단백/카페인 과잉섭취, 임신/수유 ...

8. Bone-toxic drugs

골다공증 위험 증가	골절 위험 증가
<u>Glucocorticoids</u> (m/c), 과도한 갑상선호르몬, GnRH analogues, <u>Aromatase inhibitors</u> (유방암 치료), Anticonvulsants*, Chemotherapy*, Immunosuppressives (tacrolimus, cyclosporine, methotrexate), Heparin/warfarin, Chronic lithium therapy, Prolonged TPN, Aluminium*, Thiazolidinediones, SSRIs, PPIs, SGLT2 inhibitors, Alcohol	Sedatives & hypnotics Antidepressants Antihypertensive drugs Hypoglycemic agents

* osteomalacia도 유발 가능

- excessive acid intake (특히 고단백 형태로; 고기 등), acidosis 자체도 직접 osteoclast 자극
- 비만 : osteoporosis 위험을 감소시킨다고 생각되었으나, 해석에 주의 필요
  - 마른체중(lean body mass, 지방을 뺀 체중)은 bone mass와 비례관계
    → 체중이 높을수록 osteoporosis 위험은 감소함(∵ mechanical loading↑)
  - 체중이 동일하다면, fat mass와 bone mass는 반비례관계
    → 지방량이 높을수록 osteoporosis & fracture 발생↑
  - 비만을 감소시키는 요인이(e.g., 운동, 우유, 칼슘섭취) bone mass 증가와 관련

(3) 골의 질 저하

① macroarchitectural factors (bone size, geometry)

② microarchitectural factors
　(e.g. cortical thinning & porosity ; trabecular size, number & connectivity)

③ bone turnover

④ material properties of bone (collagen composition and cross linking, primary and secondary
　mineralisation, micro-damage repair)

* BMD (bone mineral density)와 달리 bone quality는 측정이 어려움

■ 골다공증에 의한 '골절'의 위험인자 ★

Nonmodifiable	Potentially modifiable
1. 성인기의 골절 병력 2. <u>1차친족의 골절 병력</u> 3. 여성 4. 고령 5. 백인 6. 치매	1. 흡연 2. 저체중(<58 kg) 3. Estrogen 결핍 ; 조기 폐경(<45세), 장기(>1년) 무월경, 양쪽 난소 절제/기능상실 등 4. 알코올 중독 5. 영양실조 (특히 칼슘 & 비타민D 결핍) 6. 시력 장애 7. 잦은 넘어짐 8. 육체적 활동 부족 9. 허약/빈약

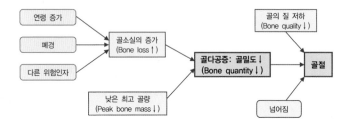

3. 임상양상

- 무증상(m/c) ~ 골절로 인한 통증(back pain)
- spontaneous fracture, vertebral collapse (등이 구부러지고 키가 작아짐)
- hip (femur neck) fracture : 골다공증에 의한 골절중 가장 심각
- 검사소견 : calcium, phosphate, ALP, PTH 등은 대부분 정상
  - fracture시 국소적인 골형성으로 ALP는 일시적으로 상승할 수 있음
  - 폐경기 여성의 약 20%는 hypercalciuria 보임 → (−) calcium balance
- 방사선소견 – spine osteoporosis의 특징
  ① prominence of the end plate (∵ body의 density ↓)
  ② horizontal trabeculae의 소실 → vertical trabeculae가 더 뚜렷해짐
  ③ spinal column과 주위의 soft tissue간의 정상 contrast 소실
  ④ vertebral deformity : collapse, anterior wedging,
                          codfish deformity (∵ intervertebral disc의 팽창으로)
  ⑤ fracture (mid-lower thorax, upper lumbar)

4. 진단

(1) BMD (bone mineral density) 측정

① central (axial) DXA (dual energy X-ray absorptiometry) … m/g (표준!)
   - 저에너지와 고에너지의 방사선이 인체를 투과할 때 방사선 투과율 (흡수량)의 차이를 측정
   - AP spine DXA보다 lateral spine DXA가 더 sensitive
   - vertebral fracture assessment (VFA) & hip structure analysis (HSA)도 가능
   - 장점 ┌ 가장 정밀 & 정확 (해상도 높음), scan 시간 짧음(5~10분), 방사선 노출 적음
          └ 전체 skeleton을 다 scan 가능 (spine과 hip/femur를 동시에 측정!)
   - 최근에는 뼈의 기하학적 구조, 척추골절 진단, 전신체성분(체지방 포함) 분석도 가능함
   - 퇴행성변화, 골관절염이 심해 bone spur가 많거나 압박골절시 실제보다 BMD가 높게 측정됨
     (작고 마른 사람은 실제보다 BMD가 낮게 측정됨)

   ▶측정부위/판독 (요추 & 대퇴골 모두 측정해야 됨)
     ┌ 요추(lumbar spine) : L1~L4의 평균값 (c.f. 일부에 퇴행성변화가 있으면 2부위 이상의 평균값으로)
     └ 대퇴골(hip, 고관절) ; femoral neck, proximal femur, total hip 중 가장 낮은 골밀도로 판정
   - 젊은 여성은 spine (L1~L4의 평균)이 가장 좋음 (∵ spine이 BMD를 가장 정확히 반영)
   - spine과 hip을 측정할 수 없는 경우는 손목(distal 1/3 radius)을 측정
     (e.g., 심한 퇴행성변화, scoliosis, hyperparathyroidism, 이전의 수술, 고도 비만)

② pDXA (peripheral/portable DXA) : 발뒤꿈치(calcaneus), radius, ulna, 손가락 등에서 측정

③ QCT (quantitative CT)
   - 기존의 CT 장비로 BMD를 계산, 주로 spine을 측정 (최근에는 hip도)
   - trabecular bone의 밀도만 따로 3차원적으로 측정 가능하므로 true density를 제공
   - 단점 : 비싸고, 방사선 노출이 많고, DXA보다 재현성이 떨어짐

④ HR-pQCT (high-resolution peripheral QCT)
   - BMD 측정용으로 개발된 전용 장비로, forearm or tibia에서 측정 (아직은 주로 연구용)
   - trabecular microarchitecture, cancellous connectivity, porosity 등 자세한 골격구조 정보 제공

⑤ QUS (quantitative US)
   - 간편 & 저렴하여 screening에 유용, 골의 양 및 질을 동시에 평가 가능
   - 단점 ; 정밀도↓, DXA로 측정된 BMD보다 낮게 측정되는 경향이라 과잉 진단 위험

골밀도 측정기의 비교

	정밀도(골절예측)	치료효과 판정	편리함	경제성	방사선 노출
pDXA	+	−	++	++	+
DXA	++	++	+	−	+
QCT	+	++	−	−	++
QUS	+	−	++	++	−

c.f.) '골절'의 진단은 MRI (m/g), CT, X-ray가 우수함
      ↳ sensitivity↑, 양성/악성 감별, 급성/만성 구별에 유용

■ BMD 검사의 적응

미국 National Osteoporosis Foundation (NOF) ★
1. 위험인자에 관계없이 여성 ≥65세, 남성 ≥70세 모두
2. 골절 위험인자를 가진 폐경 여성, 폐경 이행기 여성, 50~69세 남성
3. 50세 이후에 골절이 발생한 경우
4. 골량 감소 or 골소실의 위험인자를 가진 경우 (→ 앞의 표 참조!)
예) RA, glucocorticoids (prednisone ≥5 mg/day 정도를 3개월 이상 복용)

골밀도 측정의 적응 (대한골대사학회)
1. 연령에 관계없이 6개월 이상 무월경을 보이는 폐경 전 여성
2. 폐경 후 여성
3. 70세 이상 남성
4. 골다공증 위험요인이 있는 폐경 이행기 여성, 70세 미만 남성
5. 골다공증 골절의 과거력
6. 영상검사에서 척추 골절이나 골다공증이 의심될 때
7. 이차성 골다공증이 의심될 때
8. 골다공증의 약물 치료를 시작하려는 환자
9. 골다공증 치료를 받거나 중단한 모든 환자의 경과 추적

* BMD F/U은 대개 2년 이상의 간격으로 시행 (우리나라 보험: 1년에 1회 인정)

■ 진단 기준

WHO	골밀도 : 젊은 정상 성인(T-score)와 비교
정상	-1.0 SD 이상
골감소증(osteopenia) Low bone mass	-2.5 ~ -1.0 SD
골다공증(osteoporosis)	-2.5 SD 이하
Severe osteoporosis	-2.5 SD 이하 + fragility fractures

• T-score : 환자와 인종, 성별이 같은 20~30세 정상인의 평균치
  - T-score보다 -2.5 SD 이상 낮으면 치료 시작!
  - 폐경 이외의 다른 위험인자도 가진 여성은 -2.0 SD보다 낮으면 치료 시작
• Z-score : 환자와 인종, 성별, 나이가 같은 정상인의 평균치
  - 폐경 전 여성 및 50세 이하 남성에서는 Z-score 사용이 권장됨!
    (∵ 이차성 골다공증이나 허약골절이 없는 한 T-score가 아무리 낮아도 골절의 위험과 무관)
  - Z-score -2.0 이하 ⇨ "연령 기대치이하(below the expected range for age)"로 정의
    → 골다공증의 이차적인 원인 evaluation

(2) 골절 평가
• 척추골절평가(vertebral fracture assessment, VFA)
  - 척추골절은 모든 골절의 m/g predictor임, 척추골절의 약 2/3는 진단되지 못하고 방치됨
  - DXA (BMD 측정시 lateral imaging을 프로그램으로 분석) [보험×] or lateral spine X-ray
• 대퇴강도평가(hip structure/strength analysis, HSA)
  - DXA를 이용하여 hip (proximal femur) geometric parameters를 측정하고 프로그램으로 분석
  - 대퇴의 BMD 및 강도를 동시에 평가 가능 → 대퇴 골절 위험 예측 (주로 연구 차원)

- 소주골점수(trabecular bone score, TBS)
  - 요추 DXA 영상을 3차원으로 재구성하여 프로그램으로 뼈의 미세구조를 점수화한 것
  - 폐경 여성 & 50세 이상 남성에서 향후 골다공증 골절 예측에 유용 → BMD 보완
    (특히 type 2 DM처럼 BMD가 높아도 골절 위험이 높은 경우, 골절 예측에 큰 도움)
  - 치료 반응/효과의 평가에는 부정확함 (c.f., teriparatide와 abaloparatide의 반응평가에는 유용)
- FRAX (Fracture Risk Assessment)
  - BMD는 골절 예측에 예민도는 높지만, 특이도가 낮음 → 보완하기 위해 개발 (WHO)
  - 대퇴골절 및 주요 골다공증 골절의 10-year probability 계산[인터넷] [치료받지 않은 40~90세 성인]
  - 포함된 위험인자 ; 연령, 성별, 체중, 신장, 골절 병력, 부모의 대퇴골절, 흡연, steroid 사용,
    RA 등의 2ndary osteoporosis, alcohol, femoral neck BMD 등 (최근엔 TBS도 포함)
  - 치료받지 않은 환자에서 치료대상 선정 목적으로 사용 가능 (치료 반응/효과 평가는 ×)

	골다공증 진단	골절위험 평가	치료대상 선정	치료반응 평가
BMD	O	△	O	O
TBS	−	△	−	(△)
FRAX	−	O	△	−
골표지자	−	△	−	O

(3) Biochemical bone markers

골형성 표지자(bone formation markers)

Serum bone-specific ALP (BSALP)
Serum osteocalcin (OC)
Serum C-terminal propeptide of type 1 procollagen (P1CP)
Serum N-terminal propeptide of type 1 procollagen (P1NP)

골흡수 표지자(bone resorption markers)

Urine free & total pyridinoline (PYR, Pyr)
Urine free & total deoxypyridinoline (DPD, D-Pyr)
Serum/urine telopeptides
  C-terminal telopeptide of type 1 collagen (CTX) [과거 C-terminal collagen cross-links][serum]
  N-terminal telopeptide of type 1 collagen (NTX) [과거 N-terminal collagen cross-links][urine]
  Carboxyterminal telopeptide (ICTP)
Osteoclast 양의 표지자 ; TRACP 5b, Cathepsin K
Osteoclastogenesis의 표지자 ; RANK/RANKL, Osteoprotegerin (OPG)

- biological & analytical variability 때문에 실제 활용은 제한적임
- serum P1NP, BSALP, OC, CTX / urine DPD, NTX 등이 흔히 사용되는 marker임
  - 골형성 표지자는 serum P1NP (or BSALP)가, 골흡수 표지자는 serum CTX가 권장됨
  - BSALP의 장점 ; 반감기가 길, 안정적, 신기능의 영향을 안받음
  - P1NP의 장점 ; 골형성 표지자 중 가장 민감, 일중변동이 적음, 골흡수억제제 치료시에는 감소
- 골다공증 진단, 골량 예측, 골다공증 치료약물 선택 등에는 큰 도움 안 됨!
- 골흡수 표지자(bone resorption marker)는 골절 위험의 예측에 일부 도움
  (65세 이상 여성이 BMD는 낮지 않지만 골흡수 표지자 level이 매우 높으면 치료 고려)

- 골다공증의 <u>약물치료</u>에 대한 반응을 BMD보다 빨리 평가 가능 → 주 이용 목적
  ① bone resorption markers (CTX가 선호됨)↓
    - antiresorptive agents ; 3~6개월 후에 최대 효과 (투여 전 & 3~6개월 후에 marker 측정)
    - markers는 bisphosphonates, denosumab, estrogen 치료시 크게 감소하고,
      상대적으로 약한 약물인 raloxifene or calcitonin 치료시에는 덜 감소함
  ② bone formation markers ; 1~34hPTH (teriparatide) 치료시 빨리 증가됨
- 최근에는 약물휴식기(drug holidays)의 monitoring에도 이용
  (e.g., 부작용 예방을 위해 bisphosphonates를 중단한 시기에 약물 효과의 지속 여부를 확인)

(4) Laboratory evaluation : 2ndary osteoporosis 및 다른 질병들의 R/O
- 기본 검사 ; CBC, routine chemistry (LFT, electrolytes, Cr, ALP 등 포함),
  갑상선기능검사(TSH, free T4), 24hr urine Ca/Na/Cr, serum 25(OH)D 등
  ⎡ serum calcium↑ → hyperparathyroidism, malignancy
  ⎣ serum calcium↓ → malnutrition, malabsorption, osteomalacia
  ⎡ urine calcium↓ (<50 mg/day) → osteomalacia, malnutrition, malabsorption
  ⎣ urine calcium↑ (>300 mg/day) → hypercalcemia ; renal calcium leak (남성에서 더 흔함),
    absorptive hypercalciuria, hematologic malignancy, bone turnover↑
    (e.g., Paget's dz., hyperparathyroidism, hyperthyroidism)
- ALP 지속적 상승 → osteomalacia, Paget's dz., skeletal metastasis 의심
- PTH, 1,25(OH)2D → hyperparathyroidism, vitamin D deficiency
- PTHrP → humoral hypercalcemia of malignancy
- PEP, FLC 등 → multiple myeloma
- LH, FSH, <u>testosterone</u>/estrogen → hypogonadism (원인을 모르는 남성/여성 환자에서 측정)
- 24hr urine free cortisol, overnight DMST (1 mg) → Cushing's syndrome
- bone scan → Paget's dz., skeletal metastasis
- iliac crest biopsy → osteomalacia와 D/Dx
- 24-hr urine histamine, serum tryptase → mastocytosis

5. 치료

(1) 일반 원칙 (lifestyle modifications)
  ① 위험인자 조절 ; 술, 담배, heparin, steroid, anticonvulsants 등을 피함
  ② <u>calcium 보충</u>
    - 음식을 통한 섭취가 권장 섭취량보다 부족한 경우 칼슘보충제를 투여해야 됨
      - 25~50세 성인 : 1000 mg/day / 성장기, 젊은 성인, 임신/수유 중 : 1200 mg/day
      - 50세 이상 : 1200 mg/day (estrogen 복용시엔 1000 mg/day)
    - 우유 등의 유제품 없이 한식으로만 식사할 경우 섭취되는 calcium 량은 약 500 mg/day 정도
    - calcium 제제의 1회 투여량은 반드시 600 mg 이하로 (∵ high-dose → 흡수↓)
    - 칼슘 함량(elemental calcium)은 <u>탄산칼슘(calcium carbonate)</u>이 가장 많음 (약 2~3배)
      - but, 위산으로 용해 & 이온화가 되어야 흡수됨 → 음식과 함께 복용해야 됨
        (위산 부족이 흔한 노인에서는 흡수율 저하)

• 구연산칼슘(calcium citrate) : 이미 이온화가 되어 있어 위산 부족시에도 잘 흡수됨
  → 음식 섭취와 관계없이 복용 가능

③ vitamin D
  • 칼슘과 함께 투여 (골다공증 약물 치료시에도) → 골절 위험 약간(20~30%) 감소
  • 골다공증 예방/치료에는 주로 inactive vitamin D (ergocalciferol, cholecalciferol)를 사용함
  • vitamin D 결핍 위험이 있는 고령 환자에서 특히 효과적
  • 혈중 25(OH)D level : 골다공증 예방은 20 ng/mL 이상, 치료는 30 ng/mL 이상 유지 권장
  • 섭취 권장량 ; 50세 이상 성인은 800~1000 IU/day, 고령 및 중환자는 ≥1000 IU/day,
    임신/수유 중이면 ≥2000 IU/day (최대 ~4000 IU/day까지 안전함)

④ magnesium : 결핍되는 경우는 매우 드묾 (IBD, celiac sprue, chemotherapy, 심한 설사,
  영양실조, 알코올중독 등의 경우에는 보충)

⑤ 지속적인 운동 (통증이 조절된 이후에 시작함)
  • 소아에서는 유전적으로 결정된 최대 bone mass에 도달하는데 도움
  • 폐경 여성에서는 bone loss 예방 효과 (bone gain은 없음)
  • neuromuscular function 향상에도 도움 (→ 넘어질 위험↓)

(2) osteoporotic fractures의 치료

┌ hip fracture → 수술
│ long bone fracture → external or internal fixation
└ other fractures (e.g., vertebral, rib, pelvic) → supportive care
  - vertebral compression fracture : 비교적 무증상이 흔함, 25~30%만 acute back pain 발생

① fracture에 의한 acute pain (대개 6~10주 내에 회복됨)
  • 진통제 : NSAID, AAP, narcotic agents (codeine, oxycodone)
  • calcitonin : acute vertebral compression fracture에 의한 통증 감소
  • artificial cement (polymethylmethacrylate)의 경피적 주입 : 빠른 통증 감소 효과
  • 단기간의 bed rest, early mobilization (soft elastic-style brace)
  • muscle spasms → muscle relaxants, heat

② chronic pain : bone origin이 아닌 경우가 많다
  • 진통제, frequent intermittent rest, back-strengthening exercise
  • 물리치료 ; heat, US, transcutaneous nerve stimulation ...

(3) 약물 치료

골다공증 약물치료의 적응 (폐경 여성 & ≥50세 남성) ★	폐경전 여성 & <50세 남성 : Z-score ≤-2.0
1. 대퇴골 골절 또는 척추 골절 2. 골다공증 : T-score ≤ -2.5 SD (2차 원인은 배제된) 3. 골감소증이면서 T-score -2.5 ~ -1.0 SD 　① 기타 골절의 과거력 　② 골절 위험이 증가된 2차성 원인 　③ FRAX : 10yr hip fracture probability >3% or 　　　10yr major osteoporotic fracture probability >20% 　　　(hip, spine, shoulder, or wrist)	- 2차성 골다공증을 평가, 교정하는 것이 우선 　(e.g., hypogonadism → estrogen) - 약물치료에 대한 정해진 가이드라인은 없음 - 보통 lifestyle modifications으로 충분함 　(e.g., vitamin D + calcium) - 약물치료를 고려하는 경우 　① fragility fractures (골다공증성 골절) 　② accelerated bone loss (약 ≥4%/yr)

Antiresorptive agents (골흡수 억제제)

① estrogens (menopausal hormone therapy[MHT], hormone replacement therapy[HRT])
- 기전 ; osteoclast 억제 → bone resorption 감소
  ⓐ osteoclast를 직접 억제
  ⓑ osteoblast의 paracrine factor를 통해 간접적으로 억제 (主)
  $\left[\begin{array}{l}↑ ; OPG \text{ (osteoprotegerin), IGF-1, TGF-}\beta \\ ↓ ; IL-1, IL-6, TNF-}\alpha, osteocalcin\end{array}\right.$
- 장기간 투여시 BMD 2~5% 증가 및 골절(척추 & 비척추) 25~40% 감소
- 기타 효과 ; 홍조 등의 폐경기 증상 완화, 지질상태 호전 (HDL↑, LDL↓), 대장암↓
- but, 유방암, 정맥혈전색전증, 뇌졸중 등은 약간↑ 위험 … EPT에서 (∵ progestogen 때문)
  → 골다공증 예방/치료 목적으로는 2nd-line drug로 고려
  $\left[\begin{array}{l}ET \text{ (estrogen therapy) : 자궁이 없는 여성 (∵ 자궁내막암↑ → progestogen 병용시 예방됨)} \\ EPT \text{ (estrogen-progestogen therapy) : 자궁이 있는 여성에게 사용}\end{array}\right.$
- C/Ix ; 진단되지 않은 질 출혈, active thromboembolism, acute liver or GB dz.,
  estrogen 의존성 악성종양(e.g., 유방암, 자궁내막암 등)

* tibolone : STEAR (selective tissue estrogenic activity regulator)
  - 체내에서 대사되어 estrogenic, progestogenic, androgenic 효과를 나타냄
  - 미국을 제외하고, 폐경 호르몬 요법으로 널리 쓰임 / 골밀도↑ & 골절↓ 효과도 있음
  - but, 유방암 과거력이 있는 경우 재발↑, 고령에서 stroke↑ 위험

② selective estrogen receptor modulator (SERM)

	뼈에 작용	유방에 작용	자궁에 작용	허가	부작용
Tamoxifen	agonist	antagonist	agonist	유방암 예방/치료	자궁내막증식, 자궁암
Raloxifene	agonist	antagonist	antagonist	골다공증 예방/치료	정맥혈전색전증, 뇌졸중
Bazedoxifene	agonist	antagonist	antagonist	골다공증 예방/치료	– (더 연구 필요)

- 호르몬은 아니지만, estrogen receptor에 결합하여 조직에 따라 agonist or antagonist로 작용함
  ⇨ 뼈에는 estrogen agonist로 작용하여 골밀도↑, 골질 향상, 골절↓ 효과를 보임
  c.f.) tamoxifen : 자궁암↑ 위험이 있으므로, 유방암 고위험군에서 유방암 예방 목적으로 사용
    (raloxifene과 bazedoxifene은 자궁 부작용 없음)
- 모두 유방암 예방 효과가 있음! (특히 ER(+) 유방암 65% 감소)
- raloxifene : 2세대 SERM, 골밀도↑ 효과는 estrogen 및 bisphosphonate의 약 1/2 정도지만
  척추골절 예방 효과(30~50%↓)는 비슷함 (다른 부위의 골절 예방 효과는 거의 없음!)
  - total cholesterol, LDL, Lp(a), fibrinogen 등 감소 / HDL 증가 (but, CVD에는 영향×)
  - Cx ; 열성 홍조(hot flush), 하지 통증, 정맥혈전색전증↑(2~3배), 뇌졸중 약간↑
    ↳ bed ridden 상태에서는 금기
  - 홍조 등 폐경 증상이 없는 유방암 고위험군에서, 특히 척추골절 예방이 필요할 때 유용
- bazedoxifene : 3세대 SERM, 폐경 여성의 골다공증 예방/치료 효과는 raloxifene과 비슷함

* TSEC (tissue-selective estrogen complex)
  - progestogen (부작용 원인)대신 SERM을 estrogen에 병합한 폐경증상치료/골다공증예방제
    예) bazedoxifene/conjugated estrogen 복합제 (Duavee®)
  - 골밀도↑, 유방/자궁 부작용 無 (but, 아직 골절 예방 및 장기 부작용에 대한 연구는 부족)
  - 자궁이 있고, 홍조가 심한 폐경 여성의 골다공증 예방/치료에 사용 가능
    (bisphosphonate를 사용 못하거나, EPT 요법에 유방압통을 보이는 경우)

■ 폐경 초기 젊은 여성에서는 MHT (홍조 Sx 있으면) or SERM (유방암 고위험군) 우선 고려
  (∵ 고령에 비해 골절 위험 낮음) → 고위험군 or 65세 이상이 되면 bisphosphonate 고려

③ <u>bisphosphonate</u> ⋯ 강력한 골흡수 억제제, 골다공증 치료의 first-line drug!

	용량/용법	폐경 여성	GIO	남성
Pamidronate*	30 mg/3Mo IV	○		
Alendronate	70 mg/week oral (시럽제도 있음)	○	○	○
ibandronate	150 mg/Mo oral, 3 mg/3Mo IV	○		
Risedronate	35 mg/week, 150 mg/Mo oral	○	○	○
Zoledronate	5 mg/annually IV	○	○	○

  * 우리나라는 폐경후 골다공증 치료, 미국은 hypercalcemia of malignancy와 Paget's dz. 치료에 승인

• 기전 ; remodeling이 활발한 뼈에 축적(수년~수십년) → osteoclasts에 의한 resorption 때
  유리 (국소적으로 고농도) → osteoclasts의 기능 억제, 수 감소 (apoptosis 촉진)
• BMD 5~10% 증가, 골절 위험 25~70% 감소 (척추↓↓↓, 대퇴↓↓, 비척추↓)
  - 약제별 효과는 비슷한 편 (zoledronate가 가장 강력, ibandronate는 대퇴/비척추 골절↓ 효과가 낮음)
  - 폐경후 골다공증 예방/치료, 남성/소아 골다공증, steroid 유발 골다공증(GIO) 등에 효과적
• oral 제제 : 대부분 소장에서 흡수(1~5%만), 혈중 bisphosphonate의 30~70%는 뼈에 흡수됨
  - 아침식사 최소 30분 전에 200 mL 이상의 물과 함께 복용
  - 흡수를 방해하는 우유, 주스, 광천수, 보리차, 커피, 칼슘, 철분, 제산제 등은 1시간 뒤 섭취
  - 씹거나 빨면 안됨 (∵ 구인두 궤양), 복용 후 약 1시간 동안 누우면 안됨 (∵ 식도염 유발)
• IV 제제 : 효능↑, 3개월/1년에 1회 주사(→ 순응도 높음), UGI Cx 거의 없음, 최근 사용 증가
• Cx ; UGI discomfort (oral 제), flu-like Sx (IV 제, 대개 first-dose 현상으로 자연 회복됨)
  - 장기간(>5~10년) 사용시 매우 드물게 턱뼈괴사(osteonecrosis of the jaw, ONJ) or
    비전형 대퇴골절(atypical femur fractures) 발생 위험
    ⇨ 약물휴식기(drug holidays) 고려

> - bisphosphonate는 뼈에 축적되어 잔여효과가 유지되므로 일시적으로 투약 중단 가능
> - alendronate/risedronate는 5년, zoledronate는 3년 투약 후 득실을 분석하여 지속 투여 여부 결정
> - 고위험군은 3~5년 뒤에도 계속 투약 고려 (or 다른 치료제로 전환 고려)
>   ① bisphosphonate로 충분히 치료해도 T-score ≤ -2.5 SD
>   ② 과거의 대퇴골절 혹은 척추골절 병력
>   ③ 만성질환, 약제 등에 의한 2차성 골다공증으로 인해 골절의 고위험군인 경우

  - UGI discomfort로 복약 순응도 낮음 → 골밀도 감소 or 새로운 골절 발생시 순응도 평가!
    → 순응도 높은 IV 제제(e.g., zoledronate)로 교체 (or teriparatide 등 골형성촉진제 고려)

- C/Ix ; <u>hypocalcemia</u>, <u>신부전</u>(C_{Cr} <35 mL/min), osteomalacia, 임신/수유
        ↳ 치료 전 반드시 serum Ca, vitamin D, Cr 등 확인 (vitamin D 결핍시 먼저 교정)

④ denosumab : anti-RANKL mAb (60 mg을 6개월 마다 SC 주사)
- 기전 : <u>RANKL</u>의 작용 차단 → osteoclast의 활성화 억제, 수명 단축 → 강력한 골흡수 억제
- BMD 6~9% 증가, 척추골절 68%, 비척추골절 20%, 대퇴골절 40% 감소 효과
- 골절 위험이 증가된 폐경 여성, 남성 골다공증에서 1st-line drug로 사용 가능
  *국내 보험 적응 ┌ bisphosphonate를 1년 이상 사용해도 BMD↓ or 골절 발생
              └ 신부전, 과민반응 등 bisphosphonate의 금기인 경우
- 뼈에 장기간 축적되는 bisphosphonate와 달리, 약제 중단시에는 효과가 빠르게 사라짐
    → rebound bone turnover↑, rapid bone loss 위험 (→ 잠시 bisphosphonate 사용으로 예방)
- Cx ; hypocalcemia, infections, 피부부작용(c.g., dermatitis, rash, eczema)
  - bisphosphonate처럼 장기 사용시 드물게 MRONJ, AFF 발생 가능
  - 신장으로 배설되지 않으므로 신기능 저하시에도 사용 가능

⑤ calcitonin (daily IM, SC, or nasal spray)
- osteoclasts를 직접 억제 → 골밀도 약간 증가 및 척추골절 약간 감소 효과
- 다른 약제들에 반응이 없거나 부작용/금기로 사용 못할 때 이차적으로 고려
- <u>적응</u> ; Paget's dz., hypercalcemia, 폐경 후 5년 이상 지난 여성
      (골다공증의 예방 효과는 없고, 폐경 초기에도 골소실 예방 효과 없음)
- acute osteoporotic fracture에 의한 bone pain 때 <u>진통 효과</u>가 있음! (central analgesic effect)
- 더 효과적인 약물도 많고(e.g., bisphosphonate), 장기 사용시 암 발생이 증가하므로
  대부분의 국가에서 골다공증 치료에는 권장 안됨

Bone formation agents (골형성 촉진제), "anabolic" agents

① PTH ; recombinant human PTH(1-34) [teriparatide (TPTD)]
- 간헐적 투여시 직접 osteoblasts의 성장↑, apoptosis↓ ⇨ 골형성(bone formation) 크게 자극
  → 이어서 bone resorption도 활성화됨 (bone remodeling↑ : formation > resorption)
  (c.f., 지속적으로 고농도 투여시엔 주로 bone resorption을 촉진)
- 다른 골흡수억제제들과 달리 진정한 골조직 증가와 골미세구조 회복 효과를 보임
- BMD↑ & 골절↓ 효과 매우 우수 (척추골절 65% 감소, 비척추골절 40~50% 감소)
- 투여 직후 PINP 등의 bone formation marker가 급격히 증가하고,
  수 주 뒤에는 CTX 등의 bone resorption marker도 증가함 (↔ 골흡수억제제는 CTX 감소)
- 매일(or 매주) 피하주사가 필요하고 매우 비쌈 → 고위험군에서나 비용효과적
  ⇨ 적응 : severe osteoporosis (T-score <-3.5, or <-2.5 & fragility fracture),
        bisphosphonates의 금기 or 사용 못할 때, 다른 약물치료에도 불구하고 BMD↓ or 골절
        *국내 보험 적응 : 기존 골흡수억제제가 효과 없거나 (1년 이상 사용해도 새로운 골절 발생)
              사용할 수 없고 T-score <-2.5 & 2개 이상 골다공증성 골절이 발생한 65세 이상 환자
- 18개월(유럽) ~ 24개월(미국, 국내)까지만 투여 허가됨 (∵ 그 이상은 효과 감소, 안전성?)
- 다른 골흡수억제제와의 병용은 논란 (∵ 추가적인 골절 감소 효과 불확실, 비용↑, 부작용↑)
  c.f.) denosumab 중단 후 teriparatide로 교체하면 골소실이 증가할 수 있으므로 금기

- C/Ix. ; 25세 이하, 임신/수유, hypercalcemia, 신부전(C_{Cr} <30 mL/min), LFT 3배 이상↑, 최근 5년 이내의 종양, osteosarcoma 고위험군(e.g., Paget's dz., 이전의 skeletal RTx.)

* PTH(1-84) : 유럽만 허가, 미국은 Ca+vitamin D에 반응 없는 만성 hypoparathyroidism에만

* synthetic analog of PTHrP(1-34) [abaloparatide] 2017년 FDA 승인 (국내는 아직x)
  - teriparatide보다 PTH type 1 receptor$^{(PTH1R)}$의 RG conformation에 더 선택적으로 결합
    → 더 단기간만 작용 → bone formation 자극은 비슷하면서, resorption은 최소화됨
  - teriparatide보다 BMD↑ & 골절↓ 효과 약간 더 좋음 (골형성↑ 효과는 ~1.5년 유지됨)
  - 순응도를 높인 transdermal (TD) 패치제도 나왔음

② romosozumab : anti-sclerostin mAb (2019년 미국 & 국내 허가)
  - osteocyte에서 분비되는 sclerostin의 작용을 차단 → bone formation↑ & resorption↓
    ; modeling-based bone formation이 주효과 (PTH는 remodeling-based formation이 우세)
  - abaloparatide/teriparatide보다 BMD↑ 효과 더 우수, 척추골절 73% 감소, 임상골절 36% 감소
  - 2nd-line으로 multiple fragility fractures, 다른 골다공증 치료제 사용 불가능 or 실패시 고려
  - 매월 210 mg 피하주사, ~1년간 허가됨 (→ 이후에는 denosumab or bisphosphonate로)
  - 부작용은 cardiovascular risk가 증가되는 것으로 추정됨 (→ CVD 위험군에게는 권장×)

Lumbar BMD 증가 효과 ; Romosozumab > Abaloparatide > Teriparatide > Denosumab > Bisphosphonate ...
Hip BMD 증가 효과 ; Romosozumab > Bisphosphonate > Denosumab > Teriparatide > Abaloparatide ...

기타

* vitamin D (e.g., calcitriol, alfacalcidol) : bone mineralization을 위해 적절한 칼슘/인 평형을 유지, 다른 약제와 함께 기본적으로 투여!
* isoflavone supplements : phytoestrogen (식물성 estrogen)의 일종
  - ipriflavone : synthetic isoflavone derivative
  - 골다공증의 예방/치료 목적으로 권장되지는 않음
* thiazide diuretics
  - hypocalciuric effect로 골다공증 예방에 보조 약물로 고려되나, 잘 쓰이지는 않음
  - 신결석의 병력, hypercalcemia를 동반한 high-turnover osteoporosis, secondary hyperparathyroidism 등 때 유용

(4) 치료 반응 평가
① 골밀도(BMD) … hip BMD를 선호 (∵ 넓은 면적, reproducibility 우수)
  - 보통 spine >4%, hip >6% 증가를 의미 있는(significant) 변화로 봄
② 생화학적 골 표지자(bone turnover markers)
  - BMD보다 더 빨리 & 많이 변화하므로 치료 반응 평가에 유용 → 앞부분 참조
  - 보통 기저치보다 >40%의 변화를 의미 있는(significant) 변화로 봄

■ Glucocorticoid-induced osteoporosis (GIO, GIOP)

(1) 개요

- 원인 : 치료 목적의 steroid 사용 (대부분), Cushing's syndrome ...
- 골절 위험은 용량 & 투여기간(cumulative dose)에 비례함 (but, 아무리 저용량이라도 발생 가능)
  - 예 ; 1년 동안 steroid 치료를 받은 천식 환자의 11%에서 척추골절 발생
  - oral, inhaled, topical 등 모든 투여 경로가 골다공증을 일으킬 수 있음!
  - 격일로 투여해도 골다공증의 위험은 감소하지 않음
- 골 소실은 투여 초기 3개월 동안이 가장 빠르고 골절 위험도 가장 높음
  (초기에는 trabecular bone 소실이 심하고, 결국에는 cortical bone도 소실됨)
- 골절 위험은 척추, 사지(hip 포함) 모두 증가, 상대적으로 높은 골밀도에서도 골절이 발생 가능

(2) 발생기전

① osteoblasts의 기능 억제, 분화↓, apoptosis↑ → bone formation 감소 (m/i)
② bone resorption도 증가 (직접 & 간접적으로)
③ osteocytes의 apoptosis↑ → 압력 감지↓, 골손상에 대한 반응↓ → 골의 질 & 강도 감소
④ 장에서 vitamin D 흡수↓, calcium 흡수↓ (vitamin D와 관계없이도), 소변으로 calcium 소실↑,
   약간의 2ndary hyperparathyroidism 유발
⑤ adrenal androgen 감소, 난소/고환에서 estrogen 및 androgens 분비 억제 → 근육량↓
⑥ steroid myopathy → 골/칼슘 대사 악화, 근육량↓, 근력↓ → 낙상 위험 증가

(3) 위험 평가

- BMD (DXA) → 3개월 이상 steroid 사용 예정자는 반드시 측정
  - spine & hip 모두 측정 권장 (한국에서 측정시에는 <60세는 spine, ≥60세는 hip 권장)
  - 치료 결정이 어려운 경우(e.g., T-score -1.0 ~ -2.5) VFA, X-ray 등도 고려
- 키, 근력, 24-hr urinary calcium 등도 반드시 측정

(4) 예방

- 가능한 적은 용량의 steroid 사용, topical or inhaled 투여 권장
- 다른 위험인자의 교정 (e.g., 금연, 금주, 운동)
- 충분한 calcium & vitamin D 섭취

(5) 약물치료

- 적응 ; steroid 사용 예정이거나 사용 중인
  - ┌폐경 여성 & ≥50세 남성 ; 골다공증(T-score ≤-2.5) (고위험군은 -1.0 ~ -2.5도 고려)
  - └폐경전 여성 & <50세 남성 ; fragility fracture^{취약골절}, Z-score <-3, 매우 빠른 BMD 감소
- bisphosphonates (e.g., alendronate, risedronate, or zoledronate) ⋯ first-line Tx.
  ↳ steroid 사용 환자에서 골다공증 예방/치료, 골절 예방 효과 (척추 골절 약 70%↓)
- denosumab : bisphosphonates보다 약간 더 효과적, 골절 고위험군에서 사용 가능
  (but, 투약 중단시 vertebral fracture 위험이 증가하므로 주의 → 바로 다른 약제 사용)
- PTH (teriparatide) : 가장 효과적이지만 비쌈 → bisphosphonates 사용 못하거나 반응 없을 때,
  severe osteoporosis (T-score <-3.5, or <-2.5 & fragility fracture)의 경우 고려
- romosozumab은 아직 근거가 없고, calcitonin은 다른 약제보다 효과 적어 사용×

골연화증(Osteomalacia)/구루병(Rickets)

1. 정의

- 골단(epiphysis)이 닫힌 성인에서, bone turnover 부위에서 새로 생기는 유골(osteoid)의 무기질화 (mineralization) 장애에 의한 질환
- 구루병(rickets) : 소아에서 무기질화 장애 및 골단의 성장판 성숙 결함, skeletal deformity 심함
- pathogenesis에 hypocalcemia보다 hypophosphatemia가 더 중요

2. 원인

(1) <u>vitamin D deficiency</u> (m/c)
 - 일광노출 부족, 섭취 부족, 흡수장애 (1,25(OH)$_2$D$_3$보다 25(OH)D가 감소하는 경우가 많음)
 - 1,25(OH)$_2$D$_3$ 합성 장애 ; 신부전(1α-hydroxylation↓), 간부전(25-hydroxylation↓)
 - 1,25(OH)$_2$D$_3$에 대한 target cell resistance
 - anticonvulsants (e.g., phenytoin, phenobarbital)
 - 유전질환 (AR 유전)
   ① hereditary vitamin D-dependent rickets (VDDR) type 1
     : 신장의 1α-hydroxylase 결함 → 혈중 1,25(OH)$_2$D$_3$↓, PTH↑
   ② hereditary vitamin D-dependent rickets (VDDR) type 2
     : 표적장기의 VDR 감소/이상 → 혈중 1,25(OH)$_2$D$_3$↑, PTH↓
 * serum 25(OH)D <37 nmol/L (<15 ng/mL)면 PTH↑ 및 골밀도↓ 유발

(2) <u>phosphate deficiency</u> (hypophosphatemic rickets, HR) ⋯ 25(OH)D & PTH 대개 정상
 - 섭취 부족, 흡수장애(e.g., phosphate binders)
 - renal hypophosphatemia : 신장에서의 phosphate 소실(재흡수 장애)
   ① AD hypophosphatemic rickets (ADHR) : FGF23 mutation
   ② X-linked hypophosphatemic rickets (XLH, m/c 유전성 구루병) : PHEX matation
   ③ Fanconi's syndrome : generalized proximal tubulopathy
   ④ <u>oncogenic osteomalacia</u> : mesenchymal tumor에서 phosphatonin (e.g., FGF23) 분비
     ; 대부분 양성, 천천히 성장, 크기 작음(→ 위치 파악 어려움), 1,25(OH)$_2$D↓↓

(3) acidosis ; type 1 (distal) RTA, secondary renal acidosis, ureterosigmoidostomy,
   drug (acetazolamide, ammonium chloride) ...

(4) CKD : vitamin D의 1α-hydroxylation↓ → 1,25(OH)$_2$D$_3$↓

(5) drug & toxins ; bisphosphonate, fluride, anticonvulsant, aluminum, lead, cadmium

(6) primary mineralization defects ; hypophosphatasia, osteopetrosis,
   fibrogenesis imperfecta ossium

3. 임상양상

(1) 증상

- skeletal deformity (rickets ; rachitic rosary, Harrison's groove)
- bone pain/tenderness, waddling gait, painful proximal muscle weakness (특히 pelvic girdle)
- fatigue, weakness

(2) 영상소견

- <u>pseudofracture</u> (Looser's zones or Milkman's fracture) : scapula, pelvis, femoral neck에 호발
- <u>bone density 감소</u>, periosteal resorption, biconcave collapsed vertebra
- bone scan : pseudofracture가 hot spot (warm nodule)으로 나타남

(3) 검사소견

- 원인 질환 및 질병의 진행정도에 따라 다양
- <u>25(OH)D↓</u> (vitamin D deficiency 진단) ⇨ <u>hypocalcemia, hypophosphatemia</u>
  - hypocalcemia에 의한 secondary hyperparathyroidism 유발로 초기에는 비교적 정상 calcium level이 유지될 수 있음
  - PTH에 의한 renal 25(OH)D 1α-hydroxylase 활성화로 1,25(OH)$_2$D 합성↑
    → 심한 vitamin D 결핍에서도 1,25(OH)$_2$D는 정상인 경우가 흔함
- <u>secondary hyperparathyroidism</u> (bone turnover↑) ⇨ ALP↑, hypocalciuria, phosphaturia
- TRP (tubular reabsorption of phosphate) = phosphate clearance/creatinine clearance (C_P/C_{Cr})
  - 높으면 phosphate 재흡수 장애를 의미
- BMD ; 진단에는 필요 없음
  - vitamin D deficiency에 의한 osteomalacia 때는 감소 (but, osteoporosis와 감별 안됨)
  - X-linked hypophosphatemic rickets (XLH), fibrogenesis imperfecta 등 때는 오히려 N~↑
- pathology (transiliac bone biopsy) … 확진
  ① 유골(osteoid) 증가
  ② mineralization 저하
  ③ double tetracycline labelling된 석회화 선단(calcification front)이 거의 안보임

	Calcium	Phosphorus	PTH	25(OH)D	1,25(OH)$_2$D
Vitamin D deficiency	↓	↓	↑	↓↓	↓↓
CKD	↓	↑	↑↑	↓	↓
Hyphophosphatemia	N	↓↓	N	N	N~↓
VDDR type 1	↓↓	↓↓	↑↑	N~↑	↓↓
VDDR type 2	↓↓	↓↓	↓	N~↑	↑↑
Anticonvulsants	↓↓	↓↓	↑↑	↓↓	N

4. 치료

- 원인에 따라서 치료
- 일광노출 증가, vitamin D & calcium 보충, phosphate 보충 ....
- 치료반응 monitoring ; 혈청 & 소변 calcium (→ 100~250 mg/day 유지)

c.f.) XLH → $1,25(OH)_2D_3$ + phosphate

       oncogenic osteomalacia → 수술 (못하면 XLH와 동일)

7
크롬친화세포종/갈색세포종(Pheochromocytoma)

개요

- pheochromocytoma : 부신수질(adrenal **medulla**)의 크롬친화성 세포(chromaffin cells)에서 유래한 catecholamine (epinephrine & NE)을 분비하는 종양
  - extraadrenal pheochromocytoma : 부신 외의 chromaffin cells에서 발생한 catecholamine 생산 종양(e.g., retroperitoneal, pelvic, thoracic)
  - paraganglioma : 보통 두경부의 catecholamine 생산 종양 및 parasympathetic ganglia 유래 종양 (catecholamine은 소량 분비 or 분비×)을 지칭, WHO에서는 extraadrenal을 모두 지칭
- 30~40대에서 호발, 여자가 더 많음 (소아의 경우는 남자가 더 많음)
- 전체 HTN 환자의 0.1~0.2% 차지, secondary HTN을 일으키는 종양 중 가장 큼
- 대부분 unilateral (Rt > Lt), 종양의 경계가 뚜렷하고 피막으로 쌓여있음
- highly vascular tumors, 출혈/괴사/낭종성 변화 흔함 → 종양 내부가 비균질성(nonhomogeneous)
- 병리조직 소견으로 양성↔악성을 구별할 수 없음! (c.f., 모든 pheochromocytoma는 악성화 가능성이 있음)
  ⇨ 주변 조직 침범이나 원격전이 조직 존재시 malignancy로 봄

* "Rule of 10"
  ① 10%는 hypertension과 관련이 없음
  ② 10%는 bilateral (소아는 성인에 비해 bilateral 및 extra-adrenal이 더 많다)
  ③ 10%는 extra-adrenal (실제로는 15~20%) ; 이중 10%는 extra-abdominal
  ④ 10%는 malignant (8~13%) : 대개 종양 직경이 5 cm 이상
  ⑤ 10%는 소아에서 발생
  ⑥ 10%는 familial (최근 연구에 의하면 25~33%) ; bilateral or multiple 흔함

* extraadrenal pheochromocytoma
  - adrenal보다 크기 작음(대개 <5 cm ↔ adrenal은 대개 <10 cm), 악성화 경향 큼
  - 대부분 복강 내에 발생 (sup./inf. abdominal paraaortic area가 m/c [75%]), 약 10%는 bladder, 약 10%는 thorax, 약 5%는 두경부 등에서 발생 / 약 20%는 multiple,

* catecholamines hypersecretion
  - NE와 epinephrine을 함께 분비 (NE > Epi.) ↔ 정상인에서는 NE < Epi.
  - extraadrenal은 주로 NE만 분비 / MEN에서는 Epi.만 분비!
  - dopamine, HVA (homovanillic acid) : benign보다 malignant에서는 분비 많이 됨

■ Hereditary (familial) pheochromocytoma

• 전체 pheochromocytoma의 약 25~33%, 대부분 AD로 유전
• 산발성보다 bilateral, multifocal, extra-adrenal, malignant가 더 흔하고, 발병 연령이 약 15세 어림
• 관련 유전 질환
　① MEN type 2A (Sipple's syndrome) : *RET* protooncogene의 activating mutation
　　; pheochromocytoma (50%), MTC, parathyroid tumor/hyperplasia
　② MEN type 2B (mucosal neuroma syndrome) : type 2A보다 훨씬 드묾 (MEN 2의 약 5%)
　　; pheochromocytoma (50%), MTC (100%), mucosal & GI neuromas, marfanoid body
　③ neurofibromatosis type I (von Recklinghausen's dz.) : *NF1* mutation
　　; pheochromocytoma (2~3%), hyperparathyroidism, somatostatin-producing carcinoid
　　　tumor (duodenum), MTC, precocious puberty (조숙), café au lait spot
　④ von Hippel-Lindau syndrome (retinal cerebellar hemangioblastomosis) : *VHL* mutation
　　; pheochromocytoma (10~20%), RCC, cerebellar hemangioblastoma,
　　　epididymal cystadenoma, retinal angioma (hemorrhage), pancreatic islet cell tumor,
　　　multiple pancreatic or renal cysts
　⑤ familial paraganglioma syndrome (PGL) : succinate dehydrogenase (SDH) subunits gene의
　　　mutations … PGL2 (*SDHAF2*), PGL4 (*SDHB*), PGL3 (*SDHC*), PGL1 (*SDHD*, m/c)
　　; 주로 head & neck parasympathetic paragangliomas와 관련
　⑥ familial pheochromocytoma (FP) ; adrenal에만 발생, *TMEM127* gene의 mutations

임상양상

(1) paroxysms^발작 (3大 증상) : <u>두통</u>, 발한, <u>심계항진(가슴두근거림, palpitation)</u>
　• 보통 몇분~몇시간 또는 그 이상 지속, 가장 특징적이지만 약 50%에서만 발생 (두통이 m/c)
　• 불안 & 창백, 흉/복부 통증, N/V 등도 동반 가능　　　　　└ 최근엔 incidentaloma로 발견↑
　• 유발인자 (복부 내용물의 이동을 일으키는 활동에 의해 유발 가능) ; 수술, <u>체위변경</u>, 운동, 임신,
　　배뇨(특히 bladder pheochromocytoma), 약물(e.g., TCA, opiates, metoclopramide)
　　 − 심리적 stress에 의해서는 발작이 유발되지 않음
(2) <u>HTN</u> (m/c, 약 90%) : 변동이 심함 (60%는 sustained, 40%는 paroxysmal)
　• 대개 심하며, 일반적인 항고혈압제에 반응이 없는 경우가 흔함
　• HTN + 3대 증상 ⇨ 진단의 민감도(91%), 특이도(94%) 높다!
(3) <u>orthostatic hypotension</u> (∵ plasma volume 감소와 sympathetic response 둔화 때문)
(4) arrhythmia, angina, AMI, cardiomegaly, noncardiogenic pul. edema, 뇌출혈 …
(5) pain, weakness, flushing, anxiety & panic attack, irritability, tremor, blurred vision
(6) <u>체중감소</u>, 식욕은 항진, constipation (∵ 위장관 운동 억제로)
(7) glucose intolerance, DM (∵ insulin 분비↓)
(8) Hct↑ (secondary polycythemia) (∵ plasma volume 감소 때문)
(9) electrolyte는 대개 정상, Ca^{2+}↑ (∵ PTH-rP 분비로 인해)

■ 감별진단(R/O)

① 갑상선중독증(thyrotoxicosis) : TSH↓, free T4↑

② catecholamines & metabolites가 정상인 경우

   ; anxiety, panic attack, hyperventilation, arrhythmia, essential or renovascular HTN,
   postural orthostatic tachycardia syndrome (POTS), idiopathic orthostatic hypotension,
   mastocytosis, carcinoid syndrome, recurrent idiopathic anaphylaxis ...

③ catecholamines (and/or metabolites)가 일시적으로 상승되는 경우

   ; any acute stress (e.g., 수술, 심부전, shock, HTN, 뇌출혈/병변, 편두통, 자간전증), 약물

Drugs	Short-acting sympathetic antagonist (e.g., clonidine, β-blocker)의 갑작스런 중단 (∵ antagonist 사용 동안 sympathetic receptors upregulation + catecholamine 분비↑) Sympathomimetic drugs ; 마약(e.g., cocaine, heroin, LSD, phencyclidine), amphetamines, phencyclidine, epinephrine, terbutaline, isoproterenol, decongestants (e.g. ephedrine, pseudoephedrine) ...
→ 검사 2주 전에는 중단해야!	대부분의 psychoactive agents ; TCA (e.g., amitriptyline, imipramine, nortriptyline), MAOI (e.g. phenelzine, tranylcypromine, selegiline), buspirone, prochlorperazine ... └ 특히 tyramine (MAO에 의해 분해됨) 함유 음식 섭취시 (e.g., 맥주, 치즈, 간, 바나나) 기타 ; ethanol, levodopa, reserpine, AAP (일부 검사에서 metanephrines↑) 등

진단

1. 생화학 검사

(1) plasma catecholamines & metabolites 증가

• fractionated free metanephrines (met. & normet. 각각/분획 측정), fractionated catecholamines
  (dopamine, epi., NE) ⇨ 민감하지만 위양성이 문제

• chromogranin A : pheochromocytoma에 특이적이지 않고, 다른 NET에서도 증가될 수 있음

• metanephrine이 음성인데 catecholamines이 양성으로 나오는 경우는 거의 없음

• 검사기법 ; 대부분 high-performance liquid chromatography (HPLC) or mass spectrometry

• 혈중 분해속도가 빠르므로 EDTA tube로 채혈 즉시 원심분리하여 검사 (or 혈장 냉동 보관)

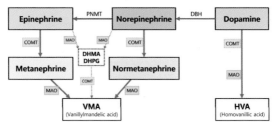

DBH (dopamine β-hydroxylase), PNMT (phenylethanolamine N-methyltransferase)
COMT (catechol-O-methyltransferase), MAO (monoamine oxidase)

(2) urine catecholamines & metabolites 증가

- 24-hr fractionated **metanephrines** & fractionated catecholamines (민감도 98%, 특이도 98%)
- 24-hr VMA (vanillyl mandelic acid)는 진단 민감도와 특이도가 떨어짐

2. 약리학적 검사

(1) clonidine suppression test

  ┌ central α_2-receptor 자극 → 정상인 및 본태성 고혈압에서는 혈중 free catecholamines 감소
  └ pheochromocytoma에서는 catecholamines & metanephrines 억제되지 않음

(2) provocation test (glucagon, histamine, metoclopramide, tyramine 등)

- BP↑ & catecholamines↑ (정상인에선 별 영향 없음)
- 위험하고, 민감도 떨어지고, 다른 검사의 발전 등으로 현재는 이용 안 됨

3. 영상 진단 (localization)

(1) 조영증강 CT or MRI (sensitive!)

  : 부신의 large (대개 4 cm 이상) nonhomogeneous cystic mass

    (c.f., Conn's syndrome, Cushing's syndrome은 병변이 작음)

(2) 기능적 영상 (more specific!)

- CT/MRI에서 안 보이거나, CT/MRI에서는 보이는데 biochemical tests는 불확실할 때 이용!
- extra-adrenal tumors 및 paragangliomas에도 uptake → 전이 발견, 유전성 질환에 특히 유용!
- iobenguane I-123 [^{123}I (or ^{131}I) labeled metaiodobenzylguanidine (MIBG)] scintigraphy
  ↳ norepinephrine과 유사한 약물, NE receptor에 의해 pheochromocytoma에 농축됨
  - sensitivity는 CT/MRI보다 낮지만 specificity 높음
- PET (PET/CT) ; ^{18}F-DOPA, ^{68}Ga-DOTATATE, ^{18}F-fluorodeoxyglucose (FDG) 등
  → 부신의 진단은 MIBG scan과 비슷함 / 부신이외 paraganglioma와 전이 발견에는 더 우수함

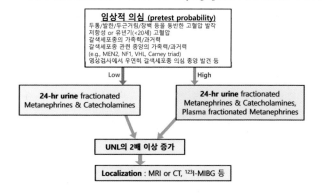

* FNA를 이용한 조직검사는 금기! (∵ 급격한 혈압 상승 위험)
* 유전자검사도 필요한 경우 ; bilateral adrenal pheochromocytoma, paraganglioma,
    pheochromocytoma/paraganglioma의 가족력, 어릴 때 발병, 다른 증후군들을 시사하는 소견 등
* 조기 진단이 중요한 이유
  ① 수술적 제거로 HTN 완치 가능
  ② 치명적인 hypertensive crisis or shock 위험
  ③ 8~13%는 malignant
  ④ 다른 endocrine or non-endocrine familial dz.의 실마리가 됨

c.f.) HTN과 DM이 같이 나타나는 내분비 질환
    ; pheochromocytoma, primary aldosteronism, Cushing's syndrome, acromegaly, DM

■ 치료

* 가능한 빠른 수술이 TOC (laparoscopic removal of tumor)
* 수술 전후의 관리 : 혈압의 관리, shock시의 대응책

1. 수술 전처치 (10~14일 이상) or 내과적 치료

* 목적 ┌ 유효 순환 혈장량과 혈압을 정상화 (≤160/90 mmHg)
       └ catecholamines에 대한 생체의 반응을 정상화
(1) 적절한 수분과 염분의 공급 (→ orthostasis 방지)
(2) antihypertensive agents (보통 α-blocker와 β-blocker의 병합요법)
  • α-blocker ; oral **phenoxybenzamine** (DOC) … 작용시간이 길고, 효과가 서서히 증가됨
    - phenoxybenzamine의 부작용 ; orthostatic hypotension, tachycardia,
                nasal congestion, dry mouth, diplopia, ejaculatory dysfunction
    - selective α_1-blocker (e.g., prazosin, terazosin, doxazosin)도 phenoxybenzamine 대신 가능
  • β-blocker (e.g., oral propranolol) : 빈맥/부정맥의 조절/예방에 도움, 저용량으로 사용
    ↳ 반드시 α-blocker가 효과를 나타낸 뒤에 (대개 수술 2~3일 전) 사용해야 됨!!
        (∵ β-mediated vasodilation 억제로 α가 더 자극되어 갑작스런 심한 고혈압 유발 위험)
  • CCB (e.g., nicardipine, amlodipine) ; α- & β-blocker로 혈압 조절이 안 될 때 고려
  • IV nitroprusside, IV phentolamine ; severe HTN (crisis) 때 유용
(3) metyrosine (Demser®) : catecholamines 합성을 50~80% 감소시킴
  • 위의 항고혈압제들이 효과가 없거나 사용할 수 없는 경우 고려
  • 절제가 어려운 수술 전에도 α- & β-blocker에 추가로 사용 가능(e.g., malignant tumor)

2. 수술 중 처치

- severe HTN [acute hypertensive crisis] (∵ 수술 도중 종괴 촉진시 급격한 혈압상승의 위험)
  ⇨ IV nitroprusside, phentolamine, nicardipine (short-acting CCB) 등
- 부정맥 or 빈맥 발생시 ⇨ β-blocker (atenolol, esmolol) or lidocaine
- shock 발생시 ⇨ IV saline or colloid, norepinephrine
- 수술 후에는 혈압이 저하하는 경우가 많으므로, 충분한 양의 수액 공급
- IV 5% dextrose : hypoglycemia 예방

* cortical-sparing bilateral adrenalectomy를 시행한 경우는 cortisol deficiency를 R/O하기 위해 ACTH stimulation test도 시행

* catecholamines 분비는 수술 후 10일까지는 여전히 높게 유지되므로, 수술 2주 이후에 urine catecholamines & metabolites F/U 검사 시행하여 정상화 확인하고 퇴원
  → 수술 6개월 뒤 F/U, 이후 증상 없으면 1년에 한번 5년 이상 F/U

3. 수술 불가능한 pheochromocytoma의 치료

(1) phenoxybenzamine (oral) 등의 항고혈압제 : chronic symptomatic Tx.로 사용
(2) metyrosine (Demser®) : catecholamine 합성 억제
(3) **malignant (metastatic) pheochromocytoma**
  - 흔한 전이 부위 (혈행성 전이) ; skeleton > liver > LN > lung > CNS > pleura
  - pheochromocytoma의 전형적인 증상은 benign에서 더 흔함 / 복통과 등통증은 악성에서 더 흔함
  - 24hr urinary dopamine↑, 종양 무게↑, 종양내 dopamine 농도↑, 수술 이후 HTN 지속시 malignant pheochromocytoma의 가능성 높음
  - 치료 (치료 성적은 좋지 않은 편) : 가능하면 종양 및 전이 병소의 제거
    - CTx (e.g., cyclophosphamide + vincristine + dacarbazine) : 약 1/2에서 완화(palliation)
    - high-dose (therapeutic) iobenguane I-131 (^{131}I-MIBG)
    - somatostatin receptors 발현 종양은 radiolabeled somatostatin analogs (^{177}Lu-DOTATATE)
    - bone metastasis → RTx, cryoablation therapy
    - 주기적으로 debulking surgery를 하면 증세 호전에 도움

■ 예후 및 F/U

- 수술 뒤 5YSR >95%, 재발률 5~10%
  ┌ 3/4은 HTN 완치
  └ 1/4은 HTN 재발 → 원인 ; 기저 essential HTN, catecholamine에 의한 비가역적 혈관 손상
- malignant pheochromocytoma : 5YSR 30~60%
- 재발 위험이 높은 경우
  ① extraadrenal tumors   ② malignant pheochromocytoma
  ③ flow cytometry에서 aneuploid or tetraploid cells↑

부신피질 질환

생리

1. Adrenal Steroids의 합성

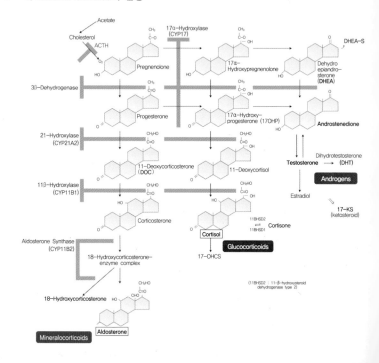

2. Steroid transport

(1) free cortisol : physiologically active, 전체 cortisol의 5% 미만

(2) protein-bound cortisol (대부분 CBG)

 ⎡ cortisol-binding globulin (CBG or transcortin) : high-affinity, low-capacity
 ⎣ albumin : low-affinity, high-capacity

 • inflammation시 CBG에 대한 affinity가 감소하여 free cortisol 증가

 • 대부분의 synthetic glucocorticoid analogues는 CBG에 대한 affinity가 낮다

 • aldosterone은 혈중에서 대부분 유리상태로 존재하므로 반감기가 짧다

3. Steroid metabolism & excretion

(1) glucocorticoids : cortisol secretion = 15~30 mg/day (circadian cycle, 오전 7~8시에 최대)

(2) mineralocorticoids : aldosterone secretion = 50~250 μg/day

(3) adrenal androgens : 주로 DHEA & DHEA-S = 15~30 mg/day

 • DHEA는 urine <u>17-KS</u> (ketosteroids)의 주 전구물질임

     ↳ 남성; 2/3는 부신 유래, 1/3은 고환 유래 / 여성; 대부분 부신 유래

4. Glucocorticoids의 작용

(1) metabolism에 미치는 영향

 ① blood glucose level ↑ ; dose-related, 특히 식후에 현저

  - anti-insulin effect ; 말초 insulin resistance↑, glucose 섭취↓, 간의 gluconeogenesis↑ 등

   (insulin의 분비는 자극하지만, anti-insulin effect에 의해 상쇄됨)

  - 공복 혈당이 정상 근처면 경구혈당강하제로 고혈당 조절 가능

 ② protein catabolism ↑ → hyperaminoacidemia

(2) 직접 간에 작용하여 tyrosine amino transferase, tryptophan pyrrolase 같은 enzymes의 합성을 촉진

(3) 대부분의 조직에서 nucleic acids 합성을 억제

(4) peripheral adipose tissue mass 감소 (abdominal & interscapular fat은 증가)

(5) anti-inflammatory action

 ① PMN leukocyte ↑ / eosinophil ↓, lymphocyte (특히 T-cell) ↓ (∵ redistribution)

 ② local inflammatory mediators의 생산과 작용 억제

 ③ T-lymphocyte에서 immune IFN 생산 억제 작용 억제, T-cell growth factor (IL-2) 생산 억제

 ④ macrophage에서 lymphocyte-activating factor (IL-1) 생산 억제 (→ fever ↓)

 ⑤ macrophage가 vascular endothelium에 붙는 것을 억제

(6) water intoxication 방지

 ① renal water excretion 촉진 ; vasopressin 분비 억제, GFR 증가, renal tubule에 직접 작용

 ② 세포 내로의 water 이동 억제

(7) mineralocorticoid-like action : 신장에서 Na$^+$ 재흡수와 K$^+$ 배설을 촉진

 (cortisol은 세포내 mineralocorticoid receptor [MR]에도 작용하지만, 신장의 11BHSD2 효소에

 의해 inactive cortisone으로 전환되어 실제 효과는 적음 /Cushing's syndrome 같은 고농도에서는

 11BHSD2의 능력을 초과하여 MR에도 작용함)

5. Aldosterone의 분비 조절

- renin-angiotensin system (RAS)에 의해 주로 조절됨
  : intravascular volume↓ → renin↑ → angiotensin II↑ → aldosterone↑
- potassium ion
  ① RAS에 관계없이 aldosterone 분비를 직접 촉진
  ② zona glomerulosa의 국소 RAS 활성화를 통해 간접적으로 aldosterone 분비 촉진
- 기타 ACTH, serotonin 등도 aldosterone의 분비를 자극
  (ACTH는 주로 glucocorticoid와 adrenal androgens의 분비를 조절)

Aldosterone 분비 촉진	Aldosterone 분비 억제
Renin-angiotensin system (m/i)	Sodium (hypernatremia)
Potassium (hyperkalemia)	Dopamine
ACTH (일시적)	ANP (atrial natriuretic peptide)
Serotonin	Ouabain-like factors
β-Endorphin, Endothelin	
Permissive ; GH, γ-MSH	

쿠싱 증후군 (Cushing's syndrome, CS)

* 정의 : 만성적인 glucocorticoid (cortisol)의 과잉 상태

1. 원인

■ **ACTH-dependent** (→ bilateral adrenal hyperplasia) : 90%
  1. Pituitary ACTH overproduction (m/c: 75%) - Cushing's disease
     Pituitary ACTH-producing (corticotrope) adenoma : 대부분 microadenoma
     Pituitary-hypothalamic dysfunction
  2. Ectopic ACTH production (15%)
     SCLC (m/c, ectopic ACTH의 약 50% 차지), Bronchial carcinoid (adenoma),
     Pancreatic islet cell tumors (carcinoid 포함), Medullary thyroid ca. (MTC), NSCLC,
     Thymic tumors (carcinoid 포함), Pheochromocytoma, 기타 전립선/유방/난소 등
  3. Ectopic CRH production (<1%) ... 임상적으로 ectopic ACTH production과 구별 안됨
     Bronchial carcinoid (adenoma)

■ **ACTH-independent** : 10%
  1. Adrenocortical neoplasia (대개 unilateral)
     Adrenocortical adenoma (4~8%) ; 30~60%에서 *PRKACA* mutations 존재
     Adrenocortical carcinoma (ACC, 1~4%)
  2. Adrenal nodular hyperplasia (1~2%)
     Primary bilateral macronodular adrenal hyperplasia (BMAH)
     Primary pigmented nodular adrenocortical disease (PPNAD) ; micro- and/or macronodular,
       sporadic or familial (Carney's syndrome : *PRKAR1A* mutations)
     McCune-Albright syndrome ; *GNAS-1* mutations ; polyostotic fibrous dysplasia,
       unilateral café-au-lait spots, precocious puberty, acromegaly ...
     Adrenal micronodular hyperplasia

** *Exogenous (iatrogenic)* ... 실제 가장 많은 원인

- exogenous (iatrogenic) steroid 투여가 전체적으로는 Cushing's syndrome의 m/c 원인임
  ↳ glucocorticoids (or 드물게 ACTH)의 장기간 사용 ; prednisone이 m/c이지만, 모든 제제가 가능
- Cushing's disease : pituitary ACTH overproduction
  - ┌ 대부분 pituitary adenoma (>90%) : 이중 90%는 microadenoma (<1 cm)
  - └ 나머지는 pituitary hyperplasia
  - noniatrogenic Cushing의 m/c 원인 (68%), 남:여 = 1:3~5, 임상경과 느림
  - pituitary adenoma의 30~60%에서는 *USP8* (ubiquitin-specific peptidase 8) mutations 존재
    ; ACTH 분비세포 증식↑, 남<여, adenoma 크기는 작지만 ACTH level은 더 높음, good Px
  - ectopic ACTH production
    - 빠르게 발현하는 경우 (e.g., lung ca.) → hypokalemic alkalosis가 현저,
      전형적인 Cushing의 임상양상은 없거나 경미함
    - 느린 경우 (e.g., carcinoid tumor, pheochromocytoma) → 전형적인 Cushing의 임상양상 보임
- adrenal nodular hyperplasia : 대개는 ACTH-dependent하여, 원인이 Cushing's dz. or
  ectopic ACTH production일 가능성이 많음 (high-dose DMST에 억제되지 않음)
- primary bilateral macronodular adrenal hyperplasia (BMAH, PBMAH) ; 드묾

2. 임상양상

(1) 특정 부위의 지방조직 침착 증가, 체중 증가 : "<u>구심성 비만(centripetal obesity)</u>"
- upper face → "**moon**" face (월상안, 달덩이얼굴)
- interscapular area → "buffalo hump"
- mesenteric bed → truncal (central) obesity (팔, 다리는 가늘어짐)
- supraclavicular fat pads

(2) catabolic effects → easy fatigability, proximal muscle weakness, muscle wasting
- <u>osteoporosis</u> (→ pathologic fracture, vertebral collapse)
- skin : 안면홍조[plethora] (Hct 증가 없이도 발생 가능), 넓은 보라색 선조[striae] (복부에 m/c),
  easy bruisability (∵ 진피 collagen fibers 약화/파열)
  * ectopic or pituitary Cushing의 경우 ACTH↑에 의한 과다색소침착(hyperpigmentation)도 가능

(3) <u>glucose intolerance</u>, overt DM (<20%)
- hepatic gluconeogenesis 증가 및 말초의 insulin resistance 증가 때문
- 대개 DM 소인이 있던 환자에서 더 잘 발생

(4) 심혈관계 이상
- <u>hypertension</u> ⋯⋯ cortisol 증가에 의해
- 심혈관계 질환으로 인한 사망↑ ; MI, stroke, venous thromboembolism (VTE), HF, DCM

(5) 생식계 이상
- <u>menstrual dysfunction</u> (~80%, ~33%는 무월경) [∵ cortisol↑→ GnRH 억제 때문]
- adrenal androgens↑ ⇨ 여성에서 남성화[virilization] 증상
  - 남성형다모증(hirsuitism), 지성피부, 여드름(acne), libido 감소(or 증가) 등
  - ACTH-dependent에서는 경미, adrenal carcinoma는 흔하고 심함, adrenal adenoma에는 없음
  - 남성은 androgens이 주로 고환에서 생성되므로 androgen excess 증상은 없음

(6) 위궤양 (∵ acid & pepsin 분비↑)

(7) 신경정신 이상 ; 감정 불안정, 과민(irritability), 우울증, 공황장애 ~ 실제 정신병까지 발생 가능,
    식욕↑(→ 체중증가), 인지기능/학습능력/기억력(특히 단기기억) 감소 등

* Cushing's syndrome에 특이적인 소견!
  ; 특징적인 체형(centripetal obesity), 멍이 잘 듦(반상 출혈), 안면홍조(plethora),
    넓은 보라색 피부선조들, 근육병증(근력 약화), 남성화 증상(다모증 등)

* adrenal carcinoma 및 ectopic ACTH syndrome은 hypercortisolism에 의한 증상보다 (e.g., 체중↑)
  종양 자체에 의한 증상이 먼저 나타날 수 있음 (e.g., 체중↓)

3. 검사소견

(1) plasma or urine cortisol↑   (iatrogenic Cushing에서는 감소!)
    (c.f., plasma cortisol은 오전 7~8시에 최대로 분비, 야간의 약 2배)

(2) urine 17-OHCS (hydroxycorticosteroid)↑   (요즘에는 free cortisol로 대체)
    * plasma DHEA-S or urinary 17-KS : adrenal androgen의 합성도를 반영
      ① cortisol-producing adrenal neoplasm
         : cortisol↑ → ACTH↓ → 다른 정상 adrenal gland의 위축
           → 정상 cortisol 및 adrenal androgen 합성 감소
           → DHEA-S & 17-KS 약간 감소
      ② pituitary or ectopic Cushing : ACTH↑
           → adenal androgen 합성도 증가 → DHEA-S & 17-KS 크게 증가
             (↳ 남성화 경향 : hirsuitism, 수염, 여드름 ...)
    * adrenal carcinoma ; 복부종괴 촉진, DHEA-S & 17-KS가 모두 크게 증가됨

(3) hypokalemic metabolic alkalosis (특히 ectopic ACTH 생산 종양에서 현저)
    : cortisol의 mineralocorticoid action → hypokalmeia
    Na^+은 upper normal → 유효순환혈장량↑ → plasma renin activity↓

(4) glucose intolerance & DM → glycosuria

(5) Hct↑(polycythemia), leukocytosis (neutrophil↑), eosinophil↓, lymphocyte↓

4. 진단

(1) 선별검사들(screening tests)

① overnight DMST (dexamethasone suppression test) : 1 mg DST
   • 밤 11~12시에 dexamethasone 1 mg 복용 후, 다음날 아침 8시에 plasma cortisol 측정
     ⇨ 1.8 μg/dL (50 nmol/L) 이상이면 Cushing 시사 (sensitivity >95%, specificity 80%)
   • pseudo-Cushing's syndrome의 감별진단에 도움이 되는 검사
     (1) 원인 제거 (e.g., 금주, 약물 중단) 후 다시 검사!
     (2) 깨어있는 상태에서 midnight cortisol level 측정
     (3) low-dose DMST (± CRH infusion test)

② 24hr urine free cortisol (UFC)
 • HPLC나 MS로 측정시 50 μg/day (140 nmol/day) 이상 or
  UFC/Cr 95 μg/ cortisol/g creatinine 이상이면 Cushing's syndrome 시사
 • overnight DMST가 어려운 경우 이용 (e.g., 임신, 비만, 우울증 환자)

③ midnight salivary cortisol : 0.18 μg/dL (5 nmol/L) ┐ 이상이면 Cushing's syndrome 시사
④ midnight plasma cortisol : 4.7 μg/dL (130 nmol/L) ┘

* 보통 선별검사 2가지 이상이 확실히 비정상이면 Cushing's syndrome으로 진단,
 1개만 비정상이거나 애매하면 추가적인 확진검사(low-dose DMST) 시행

* 특수한 경우의 선별검사 예
 – 임신 ; <u>24hr UFC</u> and/or midnight salivary cortisol 검사 권장
  (c.f., upper normal limit[UNL]의 기준은 높임 ; 24hr UFC 4배, salivary cortisol 2~3배)
 – adrenal incidentaloma, 신부전 ; overnight DMST 권장
 – cyclic Cushing's syndrome ; 24hr UFC or midnight salivary cortisol 검사 권장
 – epilepsy 환자 ; 24hr UFC or midnight cortisol 검사 권장

(2) 확진검사(definite Dx) … <u>Low-dose DMST (48-hr 0.5 mg/q6h DST)</u>
 : dexamethasone 0.5 mg을 6시간 간격으로 2일 동안 복용 후 (2 mg/day, 총 4 mg)
 ┌ urinary free cortisol ≥10 μg/day (25 nmol/day)
 │ urinary 17-hydroxycorticosteroid (17-OHCS) ≥2.5 mg/day
 └ <u>plasma cortisol ≥5 μg/dL</u> (140 nmol/L)
  로 cortisol 생산이 억제되지 않으면 Cushing's syndrome 진단!

5. 원인 감별진단

(1) <u>Plasma ACTH</u> (오전 8시 ⇨ 정상 : 6~76 pg/mL [1.3~16.7 pmol/L])
 ① **↑ (ACTH-dependent)** : 80%
  • pituitary microadenoma, pituitary-hypothalamic dysfunction
   (1/2은 정상 level, 대개 30~150 pg/mL)
  • pituitary macroadenoma
  • ectopic ACTH (or CRH)-producing tumors (대부분 >200 pg/mL)
 ② **↓ (ACTH-independent)** : 20%
  • **adrenal neoplasm** (대부분 <10 pg/mL [2 pmol/L]), exogenous steroid
  • abdominal (adrenal) unenhanced CT 시행!

(2) ACTH-dependent시 추가 검사
 ① high-dose DMST : 2 mg을 6시간마다 2일 동안 투여 (8 mg/day, 총 16 mg)
 ┌ cortisol 생산 억제되면 ⇨ **pituitary microadenoma**, hypothalamic-pituitary dysfunction
 └ cortisol 생산 억제되지 않으면 ⇨ pituitary macroadenoma, ectopic ACTH-producing
                    tumors, adrenal neoplasm, adrenal nodular hyperplasia

② CRH (or metyrapone) stimulation test ; 두 검사의 기본 목적은 비슷함

┌ CRH → pituitary에서 ACTH 분비 자극 → cortisol ↑↑
└ metyrapone : 11β-hydroxylase (cortisol 합성 최종 단계) block → cortisol ↓↓ → ACTH↑↑

- pituitary macroadenoma : CRH에는 반응하고, metyrapone에는 variable
- pituitary microadenoma, hypothalamus-pituitary dysfunction : 모두에 반응함
- adrenal neoplasm, ectopic ACTH-producing tumors : 반응 안 함

③ IPSS (inferior petrosal sinus sampling)하추체 정맥동 검사

- 임상적 or 영상검사(pituitary MRI)에서 Cushing's dz. (pituitary adenoma)와 ectopic ACTH 생산의 감별이 어려울 때 시행 (e.g, pituitary MRI 모호, CXR mass, high-dose DMST 음성)
- IPSS의 ACTH 농도가 peripheral의 2배 (CRH 자극시에는 3배) 이상이면 Cushing's dz.
- Cushing's dz.를 확진할 수는 있지만 pituitary adenoma의 localization 도움 여부는 논란
- 금기 ; HTN, MRI에서 pituitary adenoma가 확실히 보일 때

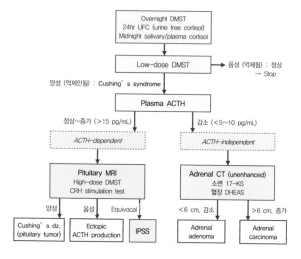

★	Plasma ACTH	High-dose DMST	CRH stimulation test
Pituitary-hypothalamic dysfunction or pituitary microadenoma	N ~ ↑	억제됨	반응함
Pituitary macroadenoma	↑ ~ ↑↑	억제 안됨	반응함
Ectopic ACTH or CRH production	↑ ~ ↑↑↑	억제 안됨	반응 안함
Adrenal tumor	↓	억제 안됨	반응 안함

	Cushing's dz. (ACTH-producing pituitary tumor)	Ectopic ACTH production
Hypokalemia	<10%	75%
High-dose DMST (1) plasma cortisol (2) urinary free cortisol (UFC) 　>80% suppressed	>5 μg/dL (억제 안됨) microadenoma : 90% macroadenoma : 50%	>5 μg/dL (억제 안됨) 10%
IPSS (inferior petrosal sinus sampling) (1) basal petrosal/peripheral ACTH (2) CRH 자극 후 petrosal/peri. ACTH	>2 >3	<2 <3
임상양상	남<여 Slow onset	남>여 Rapid onset Pigmentation, 심한 근육병증

(3) 종양의 위치 파악(localization)

① Cushing's dz. : pituitary MRI (gadolinium-enhanced), CT
  • 대부분의 ACTH-secreting pituitary adenoma는 크기가 작아서 60% 이하에서만 발견됨
  • adrenal gland는 양측성으로 비후를 보이지만 병력 기간이 짧은 경우에는
    그 비후가 잘 보이지 않음 (약 50%에서)

② adrenal neoplasm
  • 복부(adrenal) unenhanced CT (adrenal adenoma : low density, 대개 2 cm 이상)
  • adrenal scan : 19-[^{131}I] iodocholesterol scanning

③ ectopic ACTH production → chest CT 등

■ Iatrogenic Cushing's syndrome

  • exogenous glucocorticoids (mineralocorticoid & adrogenic activity 無) ⇨ HPA axis 억제
  ; CRH & ACTH 분비 감소 ⇨ bilateral adrenocortical atrophy (adrenal insufficiency)
    - basal state의 ACTH↓, plasma/urine/salivary cortisol↓, 17-KS↓↓
      (특히 아침 plasma ACTH와 cortisol이 낮음)
    - ACTH stimulation test, CRH (or metyrapone) stimulation test에 반응 안함
    - hyponatremia (↔ endogenous Cushing은 대개 hypernatremia)
  • 임상양상은 endogenous Cushing's syndrome과 비슷함
  ┌ 백내장, 안압↑, 두개내압↑, 대퇴골두 무혈성괴사, 골다공증, 췌장염 등은 더 흔함
  └ HTN, 남성형다모증(hirsutism), menstrual dysfunction 등은 드묾
  • severity와 관련있는 것
    ① total steroid dose
    ② steroid의 biologic half-life
    ③ 치료 기간
    ④ 아침에만 투여할 때보다 오후/저녁에도 투여하는 경우 더 빨리 발생

6. 치료

* 치료 목표 ; HPA (hypothalamic-pituitary-adrenal) axis 기능 회복을 통한 hypercortisolism (Cushing's syndrome 증상) 정상화
* 원인 질환의 치료 이후 HPA axis의 회복에는 대개 몇 개월~몇 년 필요 (일부는 회복 안됨)
* 원인 교정에 따른 회복률 ; ectopic ACTH (80%) > Cushing's dz. (60%) > 부신 종양(40%)

(1) Cushing's dz. (ACTH-producing pituitary tumor)

① endoscopic transsphenoidal surgery (TOC) : corticotrope tumor의 선택적 절제
  • 수술 뒤 남겨진 뇌하수체의 기능이 회복되는 동안 hydrocortisone 보충 치료 필요
  • 75~90%에서 initial cure / 10~25%는 late relapse ⇨ 재수술 or 아래의 치료 고려

② pituitary irradiation ⋯ stereotactic radiosurgery (SRS)정위방사선수술
  • 완해까지 시간이 오래 걸림(6-12개월 ~ 2-3년) → 그 동안 hypercortisolism 조절을 위한 medical therapy 필요 (medical therapy와 병용시 85~100% cure도 가능)
  • 수술의 발전으로 primary therapy로는 권장 안됨 ⇨ 소아(<18세, RTx가 효과적),
    수술 불가능, 수술 실패, bilateral adrenalectomy, Nelson syndrome 등의 경우 고려

③ medical therapy (부신피질호르몬 분비 억제)
  • Ix ; severe Cushing's dz.의 수술 전처치, 수술 금기/불가능, 수술 실패/재발, RTx 이후 효과 발생까지의 기간, occult ectopic ACTH syndrome, metastatic adrenocortical carcinomaACC
  • adrenal enzyme inhibitors ; <u>ketoconazole</u>, <u>metyrapone</u>, aminoglutethimide, trilostane, fluconazole, <u>etomidate</u> (심한 경우) 등
  • adrenolytic agent ⋯ <u>mitotane</u> ("medical adrenalectomy")
    - 기전 ; adrenal mitochondria 파괴 → 주로 ACC에 사용, RTx에 보조적으로도 사용 가능
    - 치료 후에는 장기간 glucocorticoid 투여 필요 (일부는 mineralocorticoid도 필요)
    - 약 1/3에서 부신종양 및 전이가 감소되나, 장기 생존율에는 변화 없음
    - 골 전이는 반응을 안 하므로 RTx 필요
    - 고용량에서는 소화기 및 신경계 부작용 발생
  • glucocorticoid-receptor antagonists ⋯ mifepristone (RU-486)
    ; 원래 낙태약이지만, 고용량에서는 Cushing's syndrome의 hyperglycemia 치료에 효과적
  • pituitary ACTH 분비 억제 ; cabergoline (dopamine agonist), pasireotide (somatostatin analog)
    (→ 20~40%에서 24hr UFC 정상화, 특히 mild hypercortisolism인 경우)

④ laparoscopic total (bilateral) adrenalectomy
  • 100% cure 가능하지만, 많이 시행되지는 않음
  • 위의 치료들이 실패 or 증상이 매우 심할 때 고려
  • 수술 당일부터 glucocorticoid 보충, 며칠 뒤부터는 mineralocorticoid도 보충
  • 단점 (부작용)
    ┌ 평생 mineralocorticoid & glucocorticoid 보충 치료 필요
    └ Nelson's syndrome (10~30%) : residual pituitary tumor가 다시 커지는 것 (아래 참조)

(2) adrenal neoplasms

① adenoma → laparoscopic unilateral adrenalectomy로 완치 가능
  (반대측 부신의 기능이 억제되어 있었으므로 회복될 때까지 glucocorticoid 보충 필요)

② carcinoma (ACC) → 가능하면 surgical resection + adjuvant mitotane

(전이 등으로 수술 불가능 or 재발 → medical adrenalectomy [mitotane] ± CTx)

③ ACTH-independent bilateral adrenal hyperplasia (e.g., PPNAD, BMAH)

→ surgical bilateral adrenalectomy

(3) ectopic ACTH-producing tumors

① 가능하면 원인 종양의 수술적 제거 (but, 대부분은 전이로 인해 불가능)

② 원인 종양의 수술이 불가능하면 ⇨ medical or surgical adrenalectomy

(4) 치료 이후의 경과

- 완치 이후 신체적인 증상은 2~12개월에 걸쳐 회복됨

(but, 체중증가, HTN, glucose intolerance, osteoporosis 등은 완전히 회복 안 되는 경우 많음)

- bone loss가 심하면 oral bisphosphonate 치료 등 시행

- 삶의 질, 인지장애, 신경정신 증상 등도 호전은 되지만 완전히 정상화되지는 않음

■ **Nelson's syndrome**

- Cushing dz.에서 bilateral adrenalectomy 후, residual pituitary tumor가 다시 **빠르게 커지는 것**

(∵ glucocorticoid에 의한 negative feedback 소실로 ACTH 분비↑↑)

- pituitary RTx.를 받지 않은 성인의 ~25%, 소아의 ~50%에서 발생 (RTx 받은 경우 발생 감소)

- 대부분 adrenalectomy 후 3년 이내에 발생 → 주기적으로 pituitary MRI/CT, 혈중 ACTH 검사

- Sx/Dx : <u>hyperpigmentation</u>, hypopituitarism, headache, visual field defect, 혈중 <u>ACTH↑↑</u>

- Tx : pituitary tumor resection + irradiation (∵ 수술만 하면 큰 종양은 재발 가능)

- Px : good

고알도스테론증 (Hyperaldosteronism)

* mineralocorticoid excess의 m/c 원인은 primary aldosteronism (부신이 원인)

(↔ Cushing's syndrome은 pituitary or exogenous가 m/c 원인)

1. Primary aldosteronism (PA)

(1) 정의

- 부신 자체에서 aldosterone을 과다 분비하는 것 [→ (-)feedback으로 renin ⇩]

- 남:여 = 1:2, 30~50세에 호발, 전체 HTN 환자의 5~12% 차지 (∵ 점점 발견 증가)

(2) 원인

① bilateral (micronodular) adrenal hyperplasia (idiopathic hyperaldosteronism, IHA)

- m/c (60~70%), 원인은 모름, low-renin essential HTN과 유사

- adenoma (APA) 환자보다 aldosterone level 낮고, 임상양상(e.g., hypokalemia) 덜 심함

② aldosterone-producing adrenal adenoma (APA, aldosteronoma, "Conn's syndrome")

- 30~40% (과거의 m/c), 대부분 unilateral, 대개 1 cm 미만

③ adrenal carcinoma (ACC) : 드묾(<1%), 크기가 매우 큼, 증상이 매우 심함

④ familial hyperaldosteronism (FH)

    (a) FH type 1 (glucocorticoid-remediable aldosteronism, GRA) → 뒷부분 참조

    (b) non-GRA ; FH type 2 (chloride channel *CLCN2*의 germline mutations),

        type 3 (potassium channel subunit *KCNJ5*), type 4 (*CACNA1H* gene)

(3) 임상양상

① (diastolic) <u>hypertension</u> : 체위에 따른 변화×, 심한 경우 두통도 유발

    (∵ Na^+ 재흡수↑, ECF volume↑)

② <u>K^+↓</u> ⇨ 근무력감(muscle weakness), fatigue, periodic paralysis, 손발저림, DTR↓,

    요농축능 감소 (→ <u>polyuria</u>, nocturia, polydipsia)

  - 경미한 PA는 (특히 bilateral hyperplasia) K^+ low-normal → hypokalemia 증상 없음

③ Ca^{2+}↓ ⇨ 손발저림/감각이상(paresthesia), tetany, DTR↓

    (∵ metabolic alkalosis → albumin에 Ca^{2+} 결합↑ → Ca^{2+} level↓)

  - 드물게 Chvostek's sign, Trousseau's sign도 (+)

④ LVH, heart failure, stroke, proteinuria (50%), renal failure (15%) ...

* 체중증가(edema)는 없는 것이 특징!

  - mineralocorticoid escape 현상 때문 (∵ 보상성 ANP↑ 등 → natriuresis & diuresis)

  - CHF, CKD 등을 동반하면 부종 발생 가능

(4) 검사소견

① plasma aldosterone↑ (정상: 2~9 ng/dL), renin↓ (정상: 0.3~3 ng/mL/hr)

② <u>hypokalemia</u> : 과거에는 PA의 주요 특징으로 여겼으나, 실제로는 10~40%에서만 동반됨

  - TTKG >4 : distal tubular K^+ secretion에 의한 renal K^+ loss

  - adenoma에서는 심함(<3 mmol/L), 대부분의 bilateral hyperplasia 환자는 low-normal

  - K^+-sparing diuretics를 사용하거나, 저염고칼륨 식이 환자에서도 정상일 수 있음

③ hypernatremia : 드물게 발생 가능 / 대개 약간 증가 ~ upper-normal (특히 adenoma에서)

  - distal tubular Na^+ 재흡수 증가되나 수분도 함께 저류되어 serum Na^+는 대개 정상임

④ <u>metabolic alkalosis</u> (∵ 신장에서 H^+ 소실, 세포내로 H^+ 이동) : hypokalemia 정도와 관련

⑤ hypomagnesemia : hypokalemia가 심하면 발생 가능, 대개 경미함

⑥ glucose intolerance (∵ hypokalemia → insulin 분비↓)

⑦ 신장/소변

  - 요농축장애 (∵ hypokalemia) → urine specific gravity↓

  - urine pH N~↑, Na^+↓, K^+↑, proteinuria (~50%)

  - renal biopsy : hypokalemic nephropathy

⑧ EKG (hypokalemia) ; U wave, arrhythmia, premature contractions, QT prolongation

⑨ LVH (EKG & CXR에서) : 혈압 상승 정도에 비해 심함

c.f.) DM에서도 다음, 다뇨, 손발저림, HTN 등 aldosteronism과 비슷한 양상을 보일 수 있으므로

    기본적으로 DM을 R/O해야 됨

(5) 진단

1. **선별검사** ; <u>plasma aldosterone ↑, renin ↓</u> ··· aldosterone/renin ratio (ARR) ↑
2. **억제검사(확진)** ; volume expansion에도 불구하고 plasma aldosterone ↑ (억제 안됨)
   예) <u>IV saline loading</u> (m/c), oral sodium loading ...
3. **원인검사** ; adrenal CT, adrenal vein catheterization & sampling (AVS)

- HTN 환자에서 hypokalemia 동반시 의심!
  : 고혈압치료제로 이뇨제(e.g., thiazide, loop)를 사용한 적이 있는지 확인해야 됨 (더 흔함)
    → if 사용시, 1~2주간 이뇨제를 중단한 후 다시 K⁺ level을 측정
- 기타 PA 선별검사가 필요한 경우 ; severe HTN, early-onset HTN, HTN을 동반한 adrenal
  incidentaloma^{우연종}, sleep apnea, 40세 이전에 CVA 병력, PA 환자의 부모/형제/자녀 등
- plasma renin activity (PRA) 측정 : primary aldosteronism과 다른 원인에 의한 HTN의
  감별력은 떨어짐 (∵ essential HTN의 25%에서도 PRA↓)

- **aldosterone-renin ratio (ARR)** ··· 선별검사!
  = plasma aldosterone^{PA} (ng/dL) / plasma renin^{PRA} (ng/mL) ratio (아침 기립 시 동시에 측정)
  - ARR 20~30 이상이면서 plasma aldosterone (PA) 15~20 ng/dL 이상이면 진단 가능
  - 검사 전 주의사항 ; hypokalemia 교정, 식염은 제한하지 않음,
    ARR에 영향을 미치는 일부 고혈압약 중단 후 검사 권장
    ┌ MRA (→ renin↑, aldosterone↑ → ARR↓) → 4주 이상 중단
    │ ACEi, ARB, DRI 등 (→ renin↑, aldosterone↓ → ARR↓) ┐ 큰 영향은 없으므로
    └ β-blocker (→ renin↓, aldosterone↑ → ARR↑)   ┘ 2주 중단 or 계속 복용
    - CCB와 α-blocker는 ARR에 영향 없음
    - severe HTN or 심혈관질환 환자는 고혈압약 변경으로 인한 부작용 발생에 주의
- **확진검사** : aldosterone 분비 억제 후 plasma renin & aldosterone 측정 (억제 안되는 것 확인)
  ① **생리식염수부하검사(IV saline loading/infusion test)**
    - 세포외액 증가에 의해 aldosterone 분비 억제 안 되면 primary aldosteronism 확진 가능!
    - 주의 ; saline 주입 전에 hypokalemia를 교정해야 함
    - severe HTN (diastolic BP >115), heart failure 때는 금기
  ② 기타 억제 ; oral sodium, ACEi, mineralocorticoids, angiotensin II antagonist 등
- tumor localization 및 <u>adenoma ↔ hyperplasia의 감별</u> (→ 치료가 다르므로 감별 중요!)
  ① **abdominal (adrenal) CT** ; aldosterone-secreting adenoma는 보통 low density, <2 cm
    - 진단 정확도는 70% 정도로 높지 않으므로 CT/MRI에만 의존하면 안 됨
    ┌ 한쪽에서 mass가 뚜렷이 발견되고 40세 이하면 → adenoma로 생각하고 수술
    └ mass가 발견되지 않거나 40세 이상 → bilateral adrenal vein sampling (AVS) 시행
  ② bilateral (selective) **adrenal vein catheterization & sampling (AVS)**
    - unilateral (adenoma) ↔ bilateral (hyperplasia) 분비 감별에 가장 정확!
    - catheter 위치와 시간에 따른 sampling 오차를 보정하기 위해 cortisol을 같이 측정하여
      CCAR (cortisol-corrected aldosterone ratio)을 사용함
    - IVC와 좌우 부신정맥에서 sampling (부신정맥이 IVC보다 CCAR 10배 이상 높아야 됨)

- 환측 부신정맥의 CCAR이 반대측보다 4배 이상이면 unilateral (lateralization) adenoma,
  3배 이하면 bilateral hyperplasia로 판정함, 3~4배 사이면 판정 불가
- bilateral adrenal hyperplasia : adenoma 환자에 비해 aldosterone↓, renin↑
  ① hypokalemia가 경미하거나 K+ 정상 (metabolic alkalosis 및 urine pH↑도 드묾)
  ② RAA에 어느 정도 반응 (e.g. 기립후 aldosterone 증가)
- adenoma ; aldosterone의 전구물질인 deoxycorticosterone (DOC), corticosterone,
  18-OH corticosterone의 혈중 농도도 증가

* hypokalemia & HTN에서 renin, aldosterone이 모두 낮은 경우 ★
  - exogenous aldosterone : 감초(licorice... 한약), 씹는담배, corticosterone-producing tumor
  - Liddle's syndrome : mineralocorticoid의 과잉이 없이도, 신세뇨관의 이상에 의해
    serum Na+↑, K+↓, 체액 증가, HTN, renin↓

RAA-independent mineralocorticoid excess의 원인
Aldosterone-secreting adenoma
Adrenal cancer
Congenital adrenal hyperplasia ; 11β-hydroxylase, 17-hydroxylase deficiency
11β-hydroxysteroid dehydrogenase deficiency
Licorice intoxication
Severe hypercortisolism
Glucocorticoid-remediable aldosteronism (GRA)

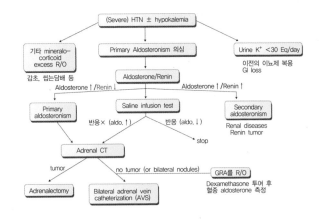

(6) 치료

- severe hypokalemia시의 응급조치 : KCl IV
  (spironolactone : 이미 K⁺ 소실되었으므로 응급시엔 도움 안 됨)

- bilateral adrenal hyperplasia (IHA)
  ① 내과적 치료 (TOC)
    - <u>aldosterone (mineralocorticoid receptor^{MR}) antagonist (MRA)</u> : spironolactone, eplerenone
      → 보통은 HTN & hypokalemia 잘 교정됨
      ┌ spironolactone 장기 사용은 남성에서 gynecomastia, 성욕↓, 발기부전 유발
      └ eplerenone : 효과는 다소 약하지만 more selective MR antagonist, 부작용 적음
    - 2nd line (MRA 사용 못하면) ; K⁺-sparing diuretics (e.g., amiloride, triamterene)
    - 염분제한, IBW 유지, 규칙적인 유산소운동 등
  ② bilateral adrenalectomy … 보통은 시행하지 않음
    - 내과적 치료로 조절 안되는 심한 hypokalemia 때에만 고려
    - hypokalemia는 교정되지만, HTN은 잘 교정되지 않는다

- unilateral adrenal adenoma (APA), unilateral adrenal hyperplasia
  ① surgical resection (TOC) : <u>laparoscopic adrenalectomy</u> 선호
    → hypokalemia 완치, HTN은 일부에서만 완치 (40~65%는 경미한 HTN 지속됨)
  ② 내과적 치료 : 수술 전 HTN & hypokalemia 교정 위해 시행 (3~5주)
    or 수술 뒤에도 HTN 지속, 수술 불가능/거부시

■ Glucocorticoid-remediable (-suppressible) aldosteronism (GRA)

- AD 유전의 familial hyperaldosteronism
- 원인 : 11β-hydroxylase (*CYP11B1*)와 aldosterone synthase (*CYP11B2*) 유전자 사이의
  promotor crossover에 의한 *CYP11B1/CYP11B2* chimeric gene에 의해 발생
  - <u>zona fasciculata</u>에서 aldosterone이 합성되고 (RAAS 대신) ACTH의 조절을 받음
    ↳ 원래 cortisol만 합성되는 곳 (c.f., aldosterone은 원래 zona glomerulosa에서 합성됨)
  - glucocorticoid는 합성 감소 → ACTH↑ → aldosterone↑
- plasma renin↓, adrenal imaging 정상, severe HTN, early-onset HTN의 가족력
  등이 있을 때 의심 (hypokalemia는 흔하지 않다)
- serum 18-hydroxycortisol↑, 18-oxocortisol↑
- 선별검사 ; dexamethasone 투여 뒤 aldosterone level↓
- 치료 : 소량의 glucocorticoid (e.g., dexamethasone), 일부는 MRA 추가도 필요
  ↳ ACTH 억제

2. Secondary aldosteronism

- 부신 이외의 원인으로 renin-angiotensin-aldosterone system (RAAS)이 활성화 or
  renin 합성이 증가된 것 (= hyperreninism, hyperreninemic hyperaldosteronism)
  ; <u>renin↑</u> ⇨ aldosterone↑

- aldosterone 생산속도는 대개 primary aldosteronism보다 빠르다
- 원인 (renin ⇧)

나트륨 소실 ; 설사, 구토, 이뇨제(thiazide, furosemide), Na⁺-wasting nephropathy
체액 소실 ; 출혈, 탈수
부종성 질환 ; CHF, LC, NS (∵ renal blood flow↓)
Renovascular HTN ; AS, fibromuscular hyperplasia
Malignant HTN (∵ arteriolar nephrosclerosis)
Accelerated HTN (∵ 심한 신혈관 수축)
Renin 분비 종양 (reninoma, juxtaglomerular cell tumor)
Estrogen (→ renin↑) ; 임신, 경구피임약
Cushing's syndrome
Na⁺ 섭취 제한, K⁺ 과다 섭취
Bartter's syndrome, Gitelman's syndrome ⇨ 고혈압과 부종은 없음!

- HTN : 일차적인 renin 과나생산 (primary reninism) 또는 신혈류 감소에 의한 이차적인
  renin 생산 증가 때문
- edema ; CHF, liver cirrhosis, nephrotic syndrome (CKD는 아님!)
  : effective circulating volume↓ → RAA system activation (renin↑)
- reninoma ; 매우 드묾, 청소년~젊은 성인에서 발생, severe HTN
- Bartter's syndrome ; HTN (−), edema (−), renin↑, 심한 hyperaldosteronism의 sign
  (e.g., hypokalemic alkalosis)

부신기능저하증, 부신부전 (Adrenal insufficiency)

* 드묾, 대부분(70~80%) primary adrenal insufficiency
  - 부신의 90% 이상이 파괴되어야 adrenal insufficiency의 증세 발생
  - 전체적인 adrenal insufficiency의 m/c 원인은 exogenous steroid

1. Primary adrenocortical insufficiency (Addison's dz.)

(1) 원인

1. Gland의 파괴
   자가면역(autoimmune adrenalitis) ; isolated, PGA type 1, PGA type 2
   수술적 제거
   감염 ; 결핵(과거, 후진국의 m/c 원인), 매독, 진균, 바이러스(특히 HIV, CMV)
   출혈 ; anticoagulation, thrombolytic therapy, coagulopathy, thromboembolic dz., 외상, 수술 등
   종양의 침범 ; 폐, 유방, lymphoma 등 (부신의 90% 이상이 파괴되어야 하므로 부신저하증은 드묾)
   Adrenoleukodystrophy (ALD)
2. 호르몬 생산의 장애
   Congenital adrenal hyperplasia (CAH) ; 21-hydroxylase deficiency 등
   Enzyme inhibitors ; metyrapone, ketoconazole, aminoglutethimide
   Cytotoxic agents ; mitotane
3. ACTH-blocking antibodies
4. ACTH receptor gene의 mutation
5. Adrenal hypoplasia congenita

- autoimmune adrenalitis : m/c 원인 (80~90%)
  - isolated autoimmune adrenalitis : 30~40%, 남＞여
  - PGA syndrome의 일부로 발생 : 60~70%, 남＜여

- humoral & cell-mediated (cytotoxic T cells) immune 기전
  ↳ ~86%에서 steroidogenic enzymes (21-hydroxylase가 m/c)에 대한 autoAb 존재
- **polyglandular autoimmune (PGA) syndrome** (= autoimmune polyendocrine syndrome [APS], autoimmune polyendocrinopathy-candidiasis-ectodermal dystrophy [APECED] syndrome) **type 1**
  - *AIRE* (autoimmune regulator) gene의 mutation 때문, AR 유전 (HLA는 관련 없음)
  - 대개 소아 때 발병, mucocutaneous candidiasis, hypoparathyroidism, teeth & nails의 dystrophy, adrenal insufficiency, alopecia …
- <u>PGA (APS, APECED) syndrome type 2</u> (1보다 훨씬 흔함, 20~60세 성인에서 발병, 남:여=1:3)
  - adrenal insufficiency, <u>autoimmune thyroid dz.</u> (대개 hypothyroidism, 가끔 hyperthyroidism), <u>type 1 DM</u>, primary ovarian failure, vitiligo, myasthenia gravis, pernicious anemia, celiac spure
  - 다인자유전, *HLA-DR3* gene region과 관련 (*CTLA-4, PTPN22, CLEC16A* 등)
  - 다양한 자가항체 ; 갑상선(anti-TPO, anti-Tg, TSH-R Ab), 부신(anti-21-hydroxylase, ACTH-R Ab), 췌장(anti-GAD, insulin-R Ab) …
- Schmidt's syndrome : adrenal insufficiency + type 1 DM + autoimmune thyroiditis (hypothyroidism) + hypogonadism
- bilateral adrenal hemorrhage/infarction의 원인 ; sepsis, anticoagulation, heparin-associated thrombocytopenia, antiphospholipid Ab syndrome, hypercoagulability, surgery or trauma
- adrenoleukodystrophy (ALD) : X-linked 유전질환, *ABCD1* gene mutations
  - very long chain fatty acids (VLCFAs)가 adrenal cortex, testes, brain, spinal cord 등에 침착
  - 30~40%에서 primary adrenal insufficiency 동반, 남자 소아 Addison's dz.의 약 1/3 차지
  - 여성 보인자는 성인 때 AMN 양상으로 발병, adrenal insufficiency와 뇌 침범은 드묾
- AIDS : CMV, MAC, Cryptococcus, Kaposi's sarcoma 등에 의한 부신 파괴 가능
  (→ 검사상 adrenal reserve는 감소되어도 증상이 없을 수 있음)

(2) 임상양상

- 무력(asthenia) ; <u>weakness</u> & <u>fatigue</u> … 주증상(100%)
  (∵ 전반적인 대사기능 저하와 gluconeogenesis 감소 때문)
- 전신 피부 및 점막의 색소과다침착(<u>hyperpigmentation</u>) … primary adrenal insufficiency의 특징
  - POMC↑ → ACTH↑, MSH↑ → 피부의 melanin 합성↑
  - 햇빛 노출 부위(얼굴, 목, 손등 등) 및 마찰 부위(팔꿈치, 무릎, 허리, 어깨 등)에서 현저함
  - 정상 색소침착 부위인 손바닥 주름, 유륜, 겨드랑이, 회음부, 배꼽 등에서는 더 심하게 나타남
  - 급격한 부신 파괴 시에는 보통 안 나타남 (e.g., bilateral adrenal hemorrhage)
- orthostatic <u>hypotension</u> : 때로는 80/50 mmHg 이하로도 감소
  (∵ aldosterone 결핍 → water & salt retention↓ → ECF↓, CO↓)
- GI 이상 ; 소화불량, <u>A/N/V</u>, 복통, C/D, <u>체중감소</u>(∵ anorexia와 탈수 때문)
  - 심한 경우 acute abdomen과 혼동될 수도 있음 (abdominal tenderness도 동반 가능)
  - 구토 & 복통은 adrenal crisis의 전조증상일 수 있음, V/D에 의한 탈수는 crisis를 유발 가능
- 공복시 저혈당 (∵ counterregulatory hormone↓)
- 여성에서 axillary & pubic hair 감소, libido 상실 (∵ adrenal androgen↓)
- 기타 ; diffuse myalgia & arthralgia, 인격변화, irritability↑, restlessness, salt craving

(3) 검사소견

- cortisol ↓, ACTH ↑↑ (stress가 심할 때는 cortisol이 정상일 수도)
- hyponatremia (∵ aldosterone 결핍에 의한 소변으로의 소실 및 세포내로 이동 때문) : 70~80%
- hyperkalemia (∵ aldosterone 결핍과 GFR 감소, acidosis 때문) : ~40%
- Ca^{2+} ↑, Cl^- ↓, HCO_3^- ↓, hypoglycemia, azotemia
- 일부에서 eosinophilia, relative lymphocytosis, neutropenia, anemia 등 (Cushing과 반대)
- abdominal X-ray : tuberculous Addison's dz.의 1/2에서 부신 calcification
- abdominal CT

  ┌ 결핵, 육아종성 질환, 전이성 암, 출혈 → 부신 비대
  └ autoimmune → 부신 비대×

  (결핵 ; 초기엔 부신 비대 → 수개월~수년 뒤엔 위축 & 석회화)

* adrenal insufficiency 유발/악화시킬 수 있는 (cortisol 합성 억제) 약물 복용 R/O 후 진단/평가
  (rifampin, phenytoin, ketoconazole, fluconazole, megestrol, metyrapone, etomidate, opiate 등)

(4) 진단

① 아침 8시 plasma cortisol & ACTH level (∵ 생리적으로 cortisol은 이른 아침에 peak)
   ↳ 3~5 μg/dL 이하면 adrenal insufficiency를 강력히 시사함

② standard high-dose rapid ACTH stimulation test (m/i)
- cosyntropin (합성 ACTH) 250 μg 투여 0, 30, 60분 뒤 혈장 cortisol (± aldosterone) 측정

  ┌ 정상 ┌ peak cortisol >18 μg/dL [495 nmol/L] *or* 기저치보다 7 μg/dL 이상 상승
  │   └ aldosterone 5 ng/dL [150 pmol/L] 이상 상승 (최근에는 cortisol만 측정하는 경향임)

  ┌ primary insufficiency : cortisol & aldosterone 모두 반응 없음 (∵ 이미 ACTH ↑↑)
  └ secondary insufficiency : cortisol 반응 없음 / aldosterone 반응은 정상
- primary insufficiency 진단에는 sensitivity 높으나, secondary insufficiency에는 sensitivity 낮음
  → 정상이면 primary insufficiency R/O 가능
- 비교적 안전 (전문가 감시 필요×), 어느 시간에도 검사 가능, 공복이 아니어도 됨

③ plasma ACTH level
  ┌ primary insufficiency : ↑↑ (250 pg/mL 이상, 대개 400~2000 pg/mL 이하)
  └ secondary insufficiency : ↓~N (0~50 pg/mL, 대개 20 pg/mL 이하)

④ pituitary ACTH reserve 평가 : secondary insufficiency 의심시
   ⇨ hypothalamic-pituitary-adrenal (HPA) axis를 전체적으로 평가
- CRH (or metyrapone) stimulation test
- insulin-induced hypoglycemia (insulin tolerance test[ITT]) : 저혈당 위험, 전문가 감시 필요!

⑤ 원인을 찾기 위한 검사
- steroid autoAb. (e.g., 21-hydroxylase Ab) : (+)면 autoimmune adrenal insufficiency
   ⇨ 다른 내분비(e.g., 갑상선) 이상 동반 여부도 평가하여 PGA 여부 확인!
- steroid autoAb. (−)면 → abdominal CT로 감염, 출혈, 전이암 확인
  ; 결핵 의심시 다른 부위의 active TB 확인, ALD 의심시 VLCFA level 및 유전자검사 등
- secondary adrenal insufficiency 의심시에는 hypothalamic-pituitary imaging (MRI)

(5) 치료 : "hormone replacement"

① glucocorticoids ; hydrocortisone (DOC), cortisone acetate
- 정상 diurnal rhythm을 맞추기 위해 short-acting 제제를 아침에 2/3, 늦은 오후에 1/3 투여
  (long-acting 제제인 prednisolone, dexamethasone 등은 권장 안됨)
- 용량 조절/monitoring 기준 → 증상 호전 / 아침 ACTH level은 과잉투여 발견에 일부 도움
  (plasma ACTH 및 cortisol level, 24hr UFC 등은 도움 안됨)

┌ 용량 증가 ; infection (fever), severe illness, trauma, surgery, stress, obesity,
│　　임신 후반기, steroid 대사↑약물 복용(e.g., barbiturate, phenytoin, rifampin)
└ 용량 감소 ; insomnia, irritability, 홍분, HTN & DM, PUD, 간질환, 노인

② mineralocorticoids (e.g., fludrocortisone) 추가
- glucocorticoid 만으로는 mineralocorticoid 성분의 보충이 부족하므로 glucocorticoid 치료
  4~5일 후부터 salt + sodium도 섭취해야 (3~4 g/day)
- 여름(땀으로 염분 소실↑), 임신(progesterone의 mineralocorticoid activity) 때는 용량 증가
- 용량 조절/monitoring 기준 → 증상(혈압, 맥박, 부종 등), electrolytes, BUN, renin
  ; plasma renin activity (PRA)를 UNL로 유지 (c.f., 임신 때는 renin이 상승하므로 ×)

③ 여성 : androgen (DHEA) 투여도 고려 (→ 삶의 질 및 골밀도 증가)

* PGA type 2 (e.g., autoimmune thyroiditis 등 동반) or secondary adrenal insufficiency에 의한
  hypothyroidism도 치료해야 되는 경우, 반드시 glucocorticoid 먼저 보충해야 됨!
  (∵ glucocorticoid 보충 없이 갑상선호르몬 투여시 acute crisis 유발 위험)

■ 참고: Glucocorticoids 제제의 종류 및 상대적인 효력

일반명	상대적인 효력		Biologic half-life (hr)
	Glucocorticoid	Mineralocorticoid	
Short-acting Hydrocortisone (cortisol) / Cortisone acetate	1 / 0.8	1 / 0.8	8~12
Intermediate-acting Prednisone, Prednisolone / Methylprednisolone, Triamcinolone	4 / 5	0,25 / <0.01	18~36
Long-acting Paramethasone / Betamethasone / Dexamethasone	10 / 25~30 / 30~40	<0.01 / <0.01 / <0.01	36~54

■ steroid 투여의 부작용

① 뇌하수체와 부신 기능의 억제
② 체액 및 전해질의 불균형 (e.g., Na⁺↑, K⁺↓, edema, 체중증가)
③ hyperglycemia, DM, hyperlipidemia, 지방간　④ Cushing's syndrome (iatrogenic), 고혈압
⑤ 위염, 출혈성 궤양, 췌장염, 골다공증, myopathy, avascular necrosis of bone,
  post. subcapsular cataracts, glaucoma, 성장장애, 행동장애
⑥ 결핵 등의 감염에 대한 이환 증가

- 골다공증 고위험군은 예방적으로 bisphosphonate 투여 고려
- alternate-day therapy : HPA axis 회복 기회 증가 (but, 골다공증 예방 효과는 없음,
  adrenal insufficiency 환자에서는 둘째 날 삶의 질 저하 단점)

2. Secondary adrenocortical insufficiency

- 원인 : pituitary ACTH deficiency
  ① hypothalamic-pituitary disease에 의한 hypopituitarism
  ② hypothalamic-pituitary axis의 suppression
  ; exogenous (steroid 투여), endogenous steroid 생산 (종양 등)
- exogenous steroid (iatrogenic Cushing)가 m/c 원인 → HPA suppression & adrenal atrophy
  → ACTH에 대한 adrenal response 감소, pituitary ACTH release 감소
- primary insufficiency (Addison's dz.)와 임상양상(Sx & sign)은 비슷함
- 혈중 cortisol 및 ACTH level↓, rapid ACTH stimulation test에서 cortisol 반응↓
- hyponatremia : cortisol에 의한 ADH 억제↓(→ mild SIADH), vasopressin↑, 수액저류 등 때문
- primary insufficiency와의 차이점
  - hyperpigmentation 없이 창백한 피부 (∵ plasma ACTH↓ → MSH↓)
  - aldosterone 분비는 거의 정상! → hyperkalemia, 탈수, 저혈압, adrenal crisis 등은 드묾
  - 다른 pituitary hormone의 결핍에 의한 증상도 보일 수 있음

  * 심한 mineralocorticoid 결핍 소견인 심한 탈수, hyponatremia, hyperkalemia 등은
    primary adrenocortical insufficiency를 시사!
- 치료
  ① glucocorticoid 보충 (primary adrenal insufficiency와 동일)
  ② mineralocorticoid 보충은 대개 필요 없다

3. Acute adrenocortical insufficiency (Adrenal crisis)

- 3/4 : chronic adrenal insufficiency의 급성 악화로 발생
- 1/4 : (e.g., 급성 부신 파괴)

(1) 원인/유발인자

- chronic primary adrenal insufficiency의 치료 중 급성 악화로 발생
  - 호르몬 용량 부족
  - stress, infection (sepsis), trauma, surgery, prolonged fasting 등으로 인한 호르몬 필요량↑
  - 심한 구토/설사(fluid loss)로 인한 호르몬 흡수↓
- 처음부터 acute adrenal insufficiency로 발생 (급성 부신 파괴)
  - 외상, 수술, bilateral infarction or hemorrhage (e.g., 항응고제, 응고장애, thrombosis)
  - 소아에서는 *Pseudomonas*에 의한 septicemia나 meningococcemia
    (Waterhouse-Friderichsen syndrome)와 종종 관련
  - secondary adrenal insufficiency에서 급성 원인 ; pituitary gland의 갑작스런 파괴 (pituitary
    infraction/necrosis), hypoadrenalism 환자에게 갑상선호르몬 먼저 투여시
- 장기간 oral (or inhaled) steroid 사용자가 갑자기 사용을 중단했을 때 (m/c)
- drugs : congenital adrenal hyperplasia or adrenocortical reserve 감소된 환자에서 steroid 합성
  억제제 (mitotane, ketoconazole) or steroid 분해 증가제 (phenytoin, rifampin) 투여시

(2) 임상양상

- 심한 N/V & 복통, fever, weakness, lethargy, azotemia (BUN↑), oliguria
- volume depletion & hypotension, shock, 의식저하 …
  - ↳ primary adrenal insufficiency에서는 주로 mineralocorticoid 결핍 때문
    (secondary insufficiency에서는 vascular tone 감소에 의해 hypotension, shock 발생 가능)
- hyponatremia, hyperkalemia, metabolic acidosis, hypoglycemia, eosinophil↑,
  cortisol↓ (stress 상황이라면 평소보다 더 높아야 정상)
- 진단 : rapid ACTH stimulation test 등 (→ 앞의 primary adrenal insufficiency 진단 부분 참조)

(3) 치료 … medical emergency!

① 수액공급 : 1~3L의 N/S or 5% glucose를 첨가한 N/S (5% DS)
② high-dose glucocorticoid (e.g., hydrocortisone) IV : 의심되면 검사결과 기다리지 말고 투여!
③ mineralocorticoid (e.g., fludrocortisone) : 초기 high-dose glucocorticoid 치료 때는 필요 없음!
   (glucocorticoid 감량 이후에 필요하면 고려)
④ vasoconstrictor (e.g., dopamine) : volume depletion이 매우 심한 경우
⑤ 원인/유발인자의 교정
c.f.) dexamethasone은 mineralocorticoid 작용이 없으므로 사용 안함

4. Functional (or relative) adrenal insufficiency

- 급성 질환(e.g., 외상, 수술, sepsis, shock) 때 cortisol의 정상적인 (4~6배) 상승이 안 나타나는 것
  → 저혈압, 전신혈관저항↓, shock, 사망 유발 가능
- 진단 : random cortisol level
  - ≤15 μg/dL [441 nmol/L] → relative adrenal insufficiency 시사
  - >34 μg/dL [938 nmol/L] → relative adrenal insufficiency R/O
  - 15~34 μg/dL [441~938 nmol/L] → ACTH (cosyntropin) 자극검사 시행
    : 9 μg/dL [255 nmol/L] 이상 증가되지 않으면 relative adrenal insufficiency로 치료
- 환자 상태 (혈역학적 불안정)도 치료 여부 결정에 중요
- 치료 : 1주일 이상 cortisol 보충 (hydrocortisone IV)
  (→ inflammatory marker↓, 혈압 및 혈류↑ → survival↑)

5. Isolated hypoaldosteronism

- aldosterone만 결핍되고 cortisol은 정상인 경우
- 대부분 renin 생산 감소 때문 (hyporeninemic hypoaldosteronism)
  - 원인 ; DM, mild renal failure, hyperkalemic metabolic acidosis
  - aldosterone 분비 기능은 정상 : ACTH stimulation시 aldosterone 분비는 즉시 증가됨
  - 대개 unexplained hyperkalemia (염분 섭취 제한시 흔히 악화)로 내원
- hyperreninemic hypoaldosteronism : 중환자에서 발생 가능
  - high mortality (80%), hyperkalemia는 없음
  - 기전 : mineralocorticoid에서 glucocorticoid로의 steroidogenesis shift, 장기간의 ACTH 자극

- 진단
  ① 우선 pseudohyperkalemia를 R/O (e.g., hemolysis, thrombocytosis)
  ② ACTH stimulation에 대한 cortisol 분비 반응 정상
  ③ stimulation (기립 자세, 염분 제한)후 renin & aldosterone level 측정
  ┌ renin ↓ & aldosterone ↓ : hyporeninemic hypoaldosteronism
  └ renin ↑ & aldosterone ↓ : hyperreninemic hypoaldosteronism
- 치료
  ① mineralocorticoid 보충 (fludrocortisone)
  ② 염분 섭취 제한 + furosemide 투여

부신 우연종 (Adrenal incidental mass, Incidentaloma)

1. 개요

- 정의 : 다른 목적으로 시행한 영상검사에서 우연히 발견된 부신 종괴 (보통 크기 ≥1 cm인 경우)
- 유병률 : 2~10% (영상검사의 발전/보급에 따라 증가 추세), 10~15%는 bilateral
  - 나이가 들수록 증가 (50~60대에 m/c), 남≒여
  - obesity, DM, HTN 환자에서 더 흔함
- 대부분(70~85%) 비기능성 종양(nonfunctioning adrenocortical adenoma)
  (c.f., carcinoma의 약 20%도 nonfunctioning)
- 10~25%는 functioning tumor (e.g., cortisol-secreting adenoma [m/c], pheochromocytoma)
- primary adrenal carcinoma는 incidentaloma의 2~5% 차지 / metastasis는 5~7% (유방, 폐가 m/c)
  ↳ 간과 폐로 m/c 전이

2. 기능성과 비기능성 종양의 감별

- 부신 우연종이 발견되면 우선 적절한 호르몬 검사를 통해 기능성 종양 인지를 확인해야 됨

의심 종양	임상 양상	검사(screening test) ★
Pheochromocytoma (모든 환자에서 R/O 필요!)	HTN, catecholaminergic Sx (두통, 발한, 심계항진 등)	Plasma free metanephrine, 24hr urine metanephrine
Primary aldosteronism	HTN, hypokalemia	Plasma renin, aldosterone
Cushing's syndrome	Central obesity, moon face, striae, HTN 등	Overnight DMST (1 mg DST), 24hr urine free cortisol, midnight salivary cortisol
Adrenocortical carcinoma	Virilization or feminization	Urine 17-KS, plasma DHEAS

- 특히 phenochromocytoma, Cushing' syndrome 초기에는 무증상인 경우가 종종 있으므로
  검사(screening tests)를 통해 확인해야 됨
- 기능성 종양으로 확인되면 크기에 관계없이 치료(대부분 수술) 필요!
- 비기능성(hormones 정상)이라도 4년 동안은 매년 hormonal screening tests F/U 권장

3. 비기능성 종양 → 양성과 악성의 감별

	악성	양성
크기	≥4 cm	<4 cm
변두리	불규칙, 경계 불분명	규칙
음영의 균질성	inhomogeneity	homogeneity
CT value (unenhanced)	≥10 HU (hounsfield unit)	<10 HU
기타	CT에서 soft tissue calcifications Contrast-enhanced CT에서 washout 감소/지연 Chemical-shift MRI image (CSI)에서 악성의 소견	

• CT 만으로 불명확한 경우 MRI or PET/CT 시행 가능
• FNA (CT-guided) : 양성↔악성 부신 종양의 감별은 어렵기 때문에 도움 안 됨!
  – 부신 종양 ↔ 전이 암의 감별에는 유용
    ⇨ extra-adrenal cancer 환자에서 새롭게 부신에 종양이 발견된 경우 시행
      (c.f., extra-adrenal cancer가 매우 작거나 widespread metastatic dz.에서는 필요 없음)
  – 반드시 pheochromocytoma를 R/O한 뒤에 시행
      ↳ hypertensive crisis 유발 위험, 영상검사 소견이 악성과 비슷할 수 있음

• 양성 소견 ⇨ F/U : 3~6개월 마다 & 이후 매년 CT, 4년 동안 매년 DHEAS & 1 mg DST
  → 진행 소견이 나타나면 수술 고려
    ; 크기 ≥4 cm, 1 cm 이상 크기 증가, hormones 생산
• 악성 소견 or 크기 ≥4 cm ⇨ 수술 권장
• 수술 ; laparoscopic adrenalectomy (모든 10 cm 이상의 종양은 open adrenalectomy 권장)

* bilateral incidentaloma도 동일하게 평가를 진행
  – bilateral metastasis, infiltrating dz., hemorrhage 의심시에는 adrenal insufficiency에 대한 평가
  – congenital adrenal hyperplasia R/O을 위해 17-OHP (hydroxprogesterone) 검사

9
성발달 이상(disorders of sex development, DSD)

개요

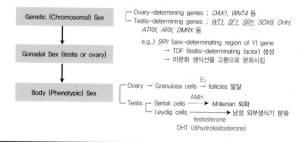

Genetic (Chromosomal) Sex
— Ovary-determining genes ; *DAX1, WNT4* 등
— Testis-determining genes ; <u>*WT1, SF1, SRY,* SOX9, DHH, ATRX, ARX, DMRX</u> 등

e.g.,) *SRY* (sex-determining region of Y) gene
→ TDF (testis-determining factor) 생성
→ 미분화 생식선을 고환으로 분화시킴

Gonadal Sex (testis or ovary)

Body (Phenotypic) Sex
— Ovary → Granulosa cells $\xrightarrow{E_2}$ follicles 발달
— Testis — Sertoli cells $\xrightarrow{AMH}$ Müllerian 퇴화
        — Leydig cells $\xrightarrow{testosterone}$ 남성 외부생식기 분화
                    DHT (dihydrotestosterone)

성발달 이상(disorders of sex development, DSD)의 분류/원인	
성염색체이상 DSD	Klinefelter syndrome (47,XXY, m/c), Turner syndrome (45,X, gonadal dysgenesis), 45,X/46,XY mosaicism (mixed gonadal dysgenesis), 46,XX/46,XY (chimerism/mosaicism)
46,XX DSD 과거 여성가성반음양 (female pseudo-hermaphroditism [androgenization])	**성선(난소) 발달 이상** 성선이형성증(gonadal dysgenesis), 난소고환성발달이상(ovotesticular DSD)*, Testicular DSD (e.g., *SRY+*, dup *SOX9, RSPO1, NR5A1* 등) **Androgen 과잉** 태아 원인 ; <u>Congenital Adrenal Hyperplasia^{CAH}</u> (m/c, 21-Hydroxylase [*CYP21A2*] 결핍 등) 태아-태반 요인 ; Aromatase deficiency (*CYP19*), Oxidoreductase deficiency (*POR*) 산모 요인 ; 부신/난소 종양, Androgenic drugs 복용
46,XY DSD 과거 남성가성반음양 (male pseudo-hermaphroditism [under-androgenization])	**성선(고환) 발달 이상** 성선이형성증(e.g., *SRY, SOX9, SF1, WT1, DHH* 등) Leydig cells 기능이상(e.g., *SF1/NR5A1, CXorf6/MAMLD1, HHAT, SAMD9* 등) 난소고환성발달이상(ovotesticular DSD)*, Ovarian DSD, 고환쇠퇴증후군(testis regression) **Androgen 합성/작용 이상** Androgen 합성 이상 ; LH receptor mutations, Smith-Lemli-Opitz syndrome, Steroidogenic acute regulatory protein mutations, Cholesterol side chain cleavage (*CYP11A1*) deficiency, 3β-Hydroxysteroid dehydrogenase 2 (*HSD3B2*), 17α-Hydroxylase/17,20-lyase (*CYP17*), P450 oxidoreductase (*POR*), 17β-Hydroxysteroid dehydrogenase 3 (*HSD17B3*) 등의 결핍 등 Androgen 작용 이상 ; Androgen insensitivity syndrome, 약물, 환경요인 등 **기타** ; 남성 성기의 발달 장애, Anti-Müllerian hormone (AMH) 장애 (persistent müllerian duct syndrome), 고환소실증후군(vanishing testis syndrome), 잠복고환 등

*과거 진성반음양(true hermaphroditism) ; 난소와 고환을 동시에 가짐 (70%는 XX, 10%는 XY, 20%는 mosaic)

CHROMOSOMAL SEX의 이상

1. Klinefelter syndrome

(1) 원인

- 염색체 이상 ; 47,XXY (m/c, classic form)
  - spermatogenesis (40%), oogenesis (60%) 중의 meiotic nondisjuction 때문
  - buccal smear에서 Barr body (X chromatin) 관찰 가능
  - 기타 : 46,XY/47,XXY mosaicism, 48,XXYY, 48XXXY, 46,XX male
    - mosaic : less severe clinical manifestation
    - X가 셋 이상 : mental retardation, somatic abnormality 증가
    - Y가 둘 이상 : 키 크고, 매우 과격, 반사회적 경향증가
- 고환의 장애 : seminiferous tubule dysgenesis
  - → spermatogenesis와 testosterone 합성이 모두 장애
- 발생률 : 남자 약 1/500~1000 (매우 흔함), 산모 나이가 45세 이상이면 5%로 증가

(2) 임상양상

- 표현형은 남성이며, 임상양상은 사춘기 이후의 2차 성징 결여로 나타남
- 고환이 작고(평균 2.5 cm, 4 mL) 딱딱 [정상 : 3.5 cm↑, 12 mL↑]
  - 무정자증(azoospermia) → 불임증(infertility), 성욕감퇴
  - penis와 scrutum은 정상! (↔ Kallmann syndrome과 차이)
- feminization (∵ estrogen/androgen ratio↑) : 여성형유방(gynecomastia), 2차 성징 발현 장애
- 키가 크고, 다리도 김
- 10%에서 지능 저하도 동반 (but, 대부분은 정상 지능)
- 인격/성격의 이상 (∵ androgen deficiency 때문)
- DM, COPD, 자가면역질환(SLE, Hashimoto's thyroiditis), 종양(breast ca., lymphoma, germ cell neoplasm), varicose vein 등의 발생률이 약간 증가
- mosaic form은 임상양상이 경미하고, 고환도 큼 (일부 fertility도 가능)

(3) 검사소견

- gonadotropin↑ : 90%에서 FSH↑, 80%에서 LH↑
- testosterone ↓~N (free testosterone은↓), urinary 17-KS↓
- estradiol↑ (∵ Leydig cells의 만성 자극, 지방조직에서 androstenedione의 방향화)
- Dx : lymphocyte나 testicular tissue의 염색체검사(karyotyping, 핵형분석)

(4) 치료

- androgen 보충 (long-acting testosterone)
- gynecomastia는 미용상 문제되면 수술
- 불임(infertility) → 정자 추출 뒤 intracytoplasmic sperm injection (ICSI)으로 체외수정 (최대 50%에서 임신 성공 가능)

2. Turner syndrome (gonadal dysgenesis)

(1) 원인
- 염색체이상 : 45,X (50%), 45,X/46,XX (20%), X fragments, isochromosomes, rings
- 발생률 : 여자 신생아중 약 1/2500
  (45,X : conceptus의 0.8% → 이중 3% 미만만 term까지 생존)
- 여성 hypergonadotropic hypogonadism (primary amenorrhea)의 m/c 원인

(2) 임상양상
- 표현형과 genitalia는 여성의 모습
- bilateral streak gonads : 대부분 complete ovarian failure → amenorrhea, infertility
  (약 30%는 제한된 사춘기 발달, 2%는 초경도 가능)
- sexual infantilism, short stature, webbed neck, low hairline, short 4th metacarpals, lymphedema ...
- 선천성 심장병 동반이 흔함 (30%)
  - bicuspid aortic valve : 30~50%
  - coarctation of aorta (CoA) : 30%
  - aortic root dilatation : 5%
- 신장 및 요로계 기형 (30%)
- HTN : 선천성 심장병이나 신장기형 없이도 발생 가능
- 중이염 및 중이 질환 (50~85%), 감각신경성 난청 (70~90%)
- autoimmune hypothyroidism (15~30%)
- 지능은 정상

(3) 진단
- 어린이에서 키 작으면 의심
- hypogonadism은 "사춘기의 지연"으로 나타남
- GH, somatomedin level은 정상
- FSH·LH ↑, estradiol ↓ (→ "primary hypogonadism")
- 염색체 검사 : 핵형분석(karyotyping) - 확진

(4) 치료
- high-dose recombinant GH : 최종 신장 증가 효과 (약 5~10 cm ↑)
  ± low-dose nonaromatizable anabolic oxandrolone (8세 이상에서)
- estrogen 보충 → 여성화 유도, 성장 보조, 골밀도 유지
- 호르몬 치료로 거의 정상적인 삶을 살 수 있으나, infertility는 교정 안됨

선천성 부신과형성증 (부신성기 증후군)
(Congenital adrenal hyperplasia [CAH], Adrenogenital syndrome)

- 정의 : 부신피질에서 cortisol 및 aldosterone 생성에 관여하는 enzyme의 선천적 결핍으로,
  뇌하수체에서 ACTH의 과잉 분비가 일어나 부신피질의 과형성을 초래하고,
  androgen의 과잉분비에 의한 외부 성기의 남성화가 나타나는 현상

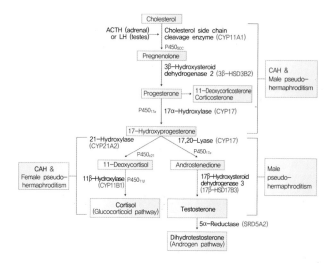

1. Classic 21-hydroxylase (*CYP21A2*) deficiency

(1) 원인

- enzyme defect로 adrenal glucocorticoid & mineralocorticoid 생산 감소 → ACTH↑
  → adrenal hyperplasia & 다른 pathway (adrenal androgen)의 생산 증가

  ┌ nonclassic CAH : partial defect (2/3) ; cortisol 생산은 정상, "simple virilizing"
  │   (∵ ACTH↑로 cortisol 생산이 compensation)
  └ classic CAH : complete defect (1/3) ; cortisol↓, aldosterone↓ ("salt-losing" type)

- CAH의 m/c 원인 (95%), AR 유전
- 신생아의 ambiguous genitalia의 m/c 원인 (1/10,000~1/15,000)

(2) 임상양상

- 여성에선 virilization (남성화) : female pseudohermaphroditism
  - clitoris hypertrophy, fused labia, urogenital sinus, hirsuitism, amenorrhea
  - infertility → 일찍 (대개 10주 이전에) 치료하면 예방 가능
- 남성은 정상 male phenotype을 보이고 fertility도 있음
  ; 생식기의 성숙, 이차성징의 발현이 빠르다
- early growth spurt (∵ androgen) : 초등학교 때는 친구들보다 키가 큼
  → 성인에선 키 작다 (∵ premature closure of epiphyseal plate)
- salt-losing type (1/3) : adrenal failure
  - aldosterone & cortisol 생산 감소 (→ ACTH↑ → hyperpigmentation)
  - hypoglycemia, hyponatremia, hyperkalemia, metabolic acidosis, hypovolemia
  - 생후 1~3주에 "salt-losing crisis" 발생 위험
    (anorexia, vomiting, volume depletion, vascular collapse)
    → 신생아에서 ambiguous genitalia시 꼭 R/O해야 됨

(3) 검사소견/진단

- 혈액
  - 전구물질의 증가 ; 17-OHP (hydroxprogesterone), progesterone
  - alternative pathway의 산물 증가 ; testosterone, DHEA-S
- 소변 ; 17-KS (ketosteroid) 증가, pregnanetriol 증가
  (DHEA, 17-KS → "adrenal androgen" 반영)
- free cortisol : 정상(partial) or 감소(complete)
- ACTH stimulation test : m/g hormonal Dx

	Classic CAH	Nonclassic CAH	정상 or heterozygote
기저 17-OHP	>300 nmol/L (>10,000 ng/dl)	6~300 nmol/L (200~10,000 ng/dl)	<6 nmol/L (<200 ng/dl)
ACTH 자극 이후 17-OHP	>300 nmol/L (>10,000 ng/dl)	31~300 nmol/L (1,000~10,000 ng/dl)	<30 nmol/L (<990 ng/dl)

- 분자유전검사 (확진) : CYP21A2 genotyping (sequencing or MS)

(4) 치료

① glucocorticoid 보충 (→ ACTH↓ → adrenal androgen↓)
  : 영아 때는 hydrocortisone, 이후에는 prednisone 권장
  (늦게 발병한 성인은 long- or intermediate-acting glucocorticoid 최소량만 투여)
② salt-losing type ; mineralocorticoid 보충, salt diet
③ 성기 남성화가 심한 여성 → ambiguous genitalia를 수술로 교정

2. 11β-hydroxylase (*CYP11B1*) deficiency

- hypertensive variant of CAH, CAH의 2nd m/c 원인 (5~8%)
- <u>11-deoxycorticosterone (DOC)</u>, 11-deoxycortisol이 증가됨
  - ↳ 강력한 salt-retaining hormone (mineralocorticoid)
- HTN, plasma volume expansion, hypokalemia, plasma renin activity↓, aldosterone↓
- cortisol deficiency와 androgen deficiency에 의한 증상은 21-hydroxylase deficiency와 비슷
  (e.g., female ambiguous genitalia)
- 치료 : glucocorticoid 보충

3. 17α-hydroxylase/17,20-lyase (*CYP17*) deficiency

- corticosterone, 11-deoxycorticosterone (DOC)이 증가됨
- DOC → HTN, hypokalemic alkalosis, renin↓, aldosterone↓
- cortisol↓, urinary 17-KS↓
- hypogonadism, 2차 성징 발현 안 됨
  - 남 : defective virilization, ambiguous genitalia (male pseudohermaphroditism)
  - 여 : primary amenorrhea, absent sexual hair
- adrenal insufficiency는 안 나타남
  (∵ corticosterone은 weak glucocorticoid, DOC는 mineralocorticoid)
- 치료 : glucocorticoids, gonadal steroids

| 결핍 효소▷ | Classic 21-hydroxylase | | 11β-Hydroxylase | 3β-Hydroxy-steroid dehydrogenase2 | 17α-Hydroxylase/17,20-Lyase | Cholesterol side chain cleavage enzyme |
	Partial (simple virilizing or compensated)	Severe (salt-losing)				
Cortisol	N	↓	↓	↓	↓	–
Aldosterone	↑	↓	↓	↓	↓	–
증가되는 steroid	17-Hydroxy-progesterone	17-Hydroxy-progesterone	11-Deoxycortisol 11-deoxy-corticosterone	Δ5-3β-OH compounds (dehydroepi-androsterone)	Corticosterone, 11-deoxy-corticosterone	Cholesterol (?)
여성의 남성화	++++	++++	++++	+	–	–
남성의 여성화	–	–	–	++++	++++	++++
기타	m/c (>90%) 1/3은 완전 결핍 (salt loss)		2nd m/c (5~8%) HTN	대개 salt loss 동반	HTN	드물다, 대개 salt loss 동반

저성선자극호르몬성 성선기능저하증
Hypogonadotropic (Central, Secondary) hypogonadism

1. Congenital disorders

- 대부분 idiopathic hypogonadotropic hypogonadism (IHH)
- Kallmann syndrome, Prader-Willi syndrome, Alström's syndrome, Laurene-Moon syndrome, adrenal hypoplasia congenita, GnRH receptor mutations, 17-ketosteroid reductase deficiency ...

■ Kallmann syndrome (Hypogonadotropic eunuchoidism, Anosmic IHH)

(1) 개요/원인

- "isolated" GnRH 합성장애 → "isolated" gonadotropin (LH, FSH) deficiency
- 다양한 gene mutations에 의한 유전질환 (XR, AD, AR 등 다양한 유전/침투도 양상)
  - *ANOS1* [과거 *KAL1*] mutation (GnRH neurons의 장애, Xp22.3에 위치, XR 유전)
  - *SOX10* (AD), *SEMA3A* (AD), *IL17RD* (AD), *FEZF1* (AR), *FGFR1* (AD), *FGF8* (AD), *PROK2* & *PROKR2* (AR 등), *CHD7* (AD), *NSMF* [과거 *NELF*], *HS6ST1, FGF17, DUSP6, SPRY4, FLRT3, WDR11* ...
  - c.f.) normosmic IHH (isolated GnRH deficiency) ··· 대부분 AR 유전
    : *KISS1R* (kisspeptin 1 receptor gene, 과거 GPR54), *KISS1, GNRHR, GNRH1, TAC3 & TAC3R* ...
- 여성을 포함하여 다른 가족에서도 나타날 수 있음 (가족력 50% 미만, 남:여 = 5:1)

(2) 임상양상

- gonadotropin (LH, FSH) deficiency의 양상
  - androgen ↓ : 사춘기 지연 (성 발육과 이차성징 발현 안됨)
  - 고환 크기 감소 (consistency는 정상), 잠복고환(cryptorchidism), 여성형유방, 높은 목소리
  - 왜소음경(micropensis), 음낭의 주름과 pigmentation이 없음 / 수염, 액모, 음모 등의 소실
  - 정자 형성 장애: oligospermia/azoospermia → infertility
  - c.f.) 여성 ; 일차성 무월경, 작은 난소, 자궁/유방 발달 저하, 음모 발달 저하, 낮은 목소리 등
- 신경학적 이상 ; 경상운동(mirror movement), 청력소실, 소뇌성 운동 실조 등
- **후각신경 이상** (약 80%) : anosmia or hyposmia (∵ olfactory bulbs의 hypoplasia)
- midline anatomic defect 동반 가능 (약 50%)
  ; cleft lip/palate, color blindness, renal agenesis, nerve deafness

(3) 검사소견/진단

- serum testosterone ↓, LH-FSH ↓ (다른 anterior pituitary hormones은 정상)
- urinary 17-KS ↓
- MRI : 후구(olfactory sulci)의 무형성이나 후삭(olfactory tract)이 보이지 않는 것을 확인

(4) 치료

- sexual maturation 유도/유지

  ┌ 남성 ⇨ hCG (LH) or <u>testosterone</u>
  └ 여성 ⇨ cyclic estrogen & progestin

- fertility 획득

  ┌ 남성 (정자생성 유도) ⇨ hCG (LH) + rFSH (or hMG), or <u>pulsatile GnRH</u> (더 좋음)
  └ 여성 (배란 유도) ⇨ gonadotropins (hMG [FSH+LH]) or <u>pulsatile GnRH</u> (더 좋음)

2. Acquired disorders

- hyperprolactinemia (→ hypothalamic dopamine↑) → GnRH 분비 억제 → amenorrhea
- pituitary tumor, hypopituitarism (e.g., Sheehan's syndrome),
- CNS tumor/infiltrative disorders ; craniopharyngioma, astrocytoma, germinoma, glioma, lymphoma, sarcoidosis, TB, syphilis, abscess, histiocytosis X, hemochromatosis ...
- trauma, surgery, irradiation
- 남성의 estrogen 과잉, androgenic anabolic steroids, opiate-like drugs, polyglandular endocrine deficiency (autoimmune)...
- aging, obesity, malnutrition, 전신질환(e.g., AIDS, ESRD, COPD, cancers, steroid 복용)
- 특히 여성에서 ; anorexia nervosa, starvation, 장거리 육상선수, stress...

고성선자극호르몬성 성선기능저하증
Hypergonadotropic (Primary) hypogonadism

1. Congenital disorders

- 남성(primary testicular failure) ; Klinfelter's syndrome (m/c), cryptorchidism, anorchia, Noonan's syndrome ...
- 여성(primary ovarian failure) ; Turner's syndrome (m/c), 17α-hydroxylase deficiency, 17, 20-lyase deficiency, resistant-ovary syndrome ...

■ Androgen insensitivity syndrome (AIS)

: androgen receptors (AR)의 mutation으로 androgen이 작용하지 못하는 것, XR 유전

(1) complete AIS (testicular feminization syndrome)

- male pseudohermaphroditism의 흔한 원인 (46,XY 핵형)
- 표현형은 완전한 여성의 모습 (external genitalia도 정상 여성)
  - 사춘기 이후에 유방발육, primary amenorrhea, axillary & pubic hair는 없거나 미약
  - vagina는 짧고 맹관(blind-ending), 모든 internal genitalia는 없다 (testis가 있음)

- pathophysiology : hypothalamic-pituitary level에서의 androgen action의 resistance
  → feedback 결함 → LH↑ → testosterone 분비↑ → estradiol 분비↑
- 치료 (여자로 키움) ; 고환절제술(+ 질확장술) + estrogen 보충

  ■ phenotypic women에서 "primary amenorrhea" (hypergonadotropic hypogonadism)의 원인
  ; Turner syndrome (m/c) > Müllerian agenesis > Testicular feminization

(2) incomplete AIS (Reifenstein syndrome)
- 회음음낭부 요도하열, 작은 정류 고환, 여성형 유방 ...
- 치료 (남자로 키움) ; 수술 등 (testosterone 보충은 도움 안됨)

2. Acquired disorders

- viral orchitis (m/c) : 특히 mumps orchitis
- trauma, radiation, drug (spironolactone, alcohol, ketoconazole, cyclophosphamide ...)
- systemic dz ; CKD, LC, tuberculosis, sickle cell dz., AIDS, RA ...
- * Sx. (androgen↓) ; gynecomastia, 2차 성징 발현 지연, microtestis ...
- * 조기폐경(premature menopause, premature ovarian failure)
  - 용어가 primary ovarian insufficiency (POI)로 바뀌었음
  - 40세 이전에 hypergonadotropic hypogonadism이 발생하는 것
  - FSH↑ & estradiol↓ (∵ estradiol 감소에 따른 negative-feedback 상실)

■ 다낭난소증후군 (polycystic ovary syndrome, PCOS)

1. 개요/병태생리

- 가임 여성의 4~8%에서 발생, 여성 불임의 m/c 원인
- hyperandrogenism^고안드로겐혈증, chronic anovulation^무배란, polycystic ovaries가 특징
- 병인이 불명확하고 표현형이 매우 다양함 ; 여러 유전, 환경 요인들이 관여
  (1) functional ovarian hyperandrogenism (FOH) (90%) ⇨ PCOS의 대표적 증상 발생
    ; androgen↑(e.g., 다모증), 난소내 androgen↑(→ granulosa cell dysfunction → 배란 장애)
    ┌ typical PCOS/FOH (2/3) ; 17-hydroxyprogesterone (17-OHP)의 비정상적 상승
    └ atypical PCOS/FOH (1/3) ; 17-OHP 정상
  (2) hyperinsulinism (약 1/2에서) ; 비만 정도에 비해 심한 insulin resistance ⇨ FOH 더욱 악화
  (3) 동반되는 병태생리적 이상
    ① gonadotropin 이상 (약 1/2에서) ; LH↑, FSH↓~N (LH/FSH >2)
      (∵ 증가된 androgen이 sex-steroid negative feedback을 방해하여 LH 분비 자극)
    ② obesity (약 1/2에서) ; 비만이 아닌 환자의 1/3 이상도 복부지방은 증가되어 있음
      - insulin resistance에 의해 유발, insulin resistance를 더욱 악화 ⇨ FOH 악화 (악순환)
      - 지방조직에서 androgen & estrogen 생산↑, gonadotropin 분해↑(→ LH 정상 혼합)
    ③ functional adrenal hyperandrogenism (FAH) ; 25~50%에서 동반

2. 임상양상/진단

진단기준 ; Rotterdam ESHRE/ASRM criteria (2003)
1. Oligo- or Anovulation
2. Clinical and/or biochemical Hyperandrogenism
3. Polycystic ovaries (transvaginal US)
▶3개 중 2개 만족 & 다른 질환 R/O (e.g., congenital adrenal hyperplasia, Cushing syndrome)

• hyperandrogenism ; 여드름, 다모증[hirsutism], 남성형 탈모 등 … 초경 직후 발생하여 서서히 진행함
  ↳ 검사 : 대개 serum total testosterone↑ (매우 높으면 DHEAS도 검사하여 androgen 분비 종양 R/O)
• 배란 이상, 무배란, 불임, amenorrhea/oligomenorrhea (이차성 무월경)
  ↳ 약 1/3에서는 spontaneous uterine bleeding 발생 (시기, 기간, 양은 예측 불능)
• PCOS로 진단되면 심혈관계 위험도 평가도 시행 ; BP, BMI, lipid profile, OGTT 등
• insulin resistance → insulin↑, glucose intolerance (40%), type 2 DM (10%), 심혈관질환 증가
• 비만(약 1/2, 특히 내장 비만), metabolic syndrome (40~50%) → PAI-1, TG, LDL 등 증가
• 장기적으로는 breast ca. 및 endometrial ca.의 위험도 증가
• ovary pathology (PCOS에 특이적인 소견은 없음) ; sclerosis, multiple follicular cysts,
  난소막 및 기질의 증식, 백색체 감소 …

3. 치료

• 악순환의 차단
  ① 난소의 androgen 분비↓ ; 경구피임약, wedge resection
  ② 말초(지방조직)의 estrogen 형성↓ ; 체중 감량
  ③ FSH 분비↑ ; clomiphene, hMG, GnRH, purified FSH 등
• 치료 방법은 임상양상 및 환자의 요구에 따라 선택
  ① 다모증이 없고, 임신을 원하지 않음 ⇨ medroxy progesterone acetate를 매달 10일씩 투여
    (→ 규칙적인 월경 유도, 자궁내막증식 예방)
  ② 다모증이 있고, 임신을 원하지 않음 (자궁출혈이 오래 지속 或 심할 때에도)
    ⇨ 복합 경구피임약 [estrogen + progesterone] → 효과 없으면 antiandrogens
  ③ 임신을 원함 ⇨ 배란 유도 ; 체중감량 우선
    - letrozole (aromatase inhibitor, m/g) 或 clomiphene citrate (3/4에서 성공)
    - insulin-sensitizing drugs (e.g., metformin, thiazolidinediones) ; 비만, DM의 경우 추가
    - gonadotropins ; hMG, FSH, GnRH
• 호르몬 치료가 효과 없으면 → 복강경을 이용한 ovarian drilling (laser, cautery) 고려
• 다모증(hirsutism)의 치료
  - 면도, 발모, electrolysis, dexamethasone (→ ACTH↓ → adrenal androgen↓)
  - antiandrogens ; spironolactone, finasteride, dutasteride, flutamide, cyproterone acetate 등
    ↳ 임신을 원하지 않을 때에만 (∵ teratogenic)
  - 심한 경우엔 hysterectomy & bilateral oophorectomy + HRT

4. 감별진단 (estrogen이 있는 chronic anovulation)

① ovary tumors ; granulosa-theca cell tumors, Brenner tumor, cystic teratomas, mucous cystadenomas, Krukenberg tumor
② adult-onset partial CAH (21-hydroxylase deficiency)
③ hypothyroidism
④ hyperprolactinemia

여성형유방 (Gynecomastia)

1. 개요/원인

기전	예
Increased Serum Estrogens 1. Exogenous	Topical estrogen creams and lotions Ingestion of estrogens Use of aromatizable androgens Environmental exposure
2. Increased aromatization in testes, adrenals, or peripheral tissues	Testicular tumors Adrenal tumors Obesity Liver disease (e.g., LC) Hyperthyroidism Aging Familial/sporadic excessive aromatase activity
3. Displacement of estrogens from SHBG	<u>Spironolactone</u>, Ketoconazole
4. hCG-secreting tumors	Choriocarcinoma Lung, liver, renal, gastric carcinoma
Decreased Testosterone Synthesis	Primary hypogonadism Klinefelter syndrome Viral orchitis, Trauma, Castration Secondary hypogonadism Drug-induced : Spironolactone, Ketoconazole
Androgen Receptor Defects	Congenital mutations : Testicular feminization syndrome (= androgen insensitivity synd.) Drug interference : Cimetidine, Cyproterone, Flutamide, Spironolactone

(SHBG: sex hormone-binding globulin)

• 기전 : androgen deficiency or estrogen excess (→ estrogen/androgen ratio↑)
• 생리적 gynecomastia ; 신생아, 사춘기, 노인
　(사춘기의 gynecomastia는 대개 1~2년 내에 자연 소실됨)
• 나이들수록, 비만할수록 호발함 / 약물이 원인인 경우가 20~25%
• pseudogynecomastia : 지방조직의 과다
• breast cancer (매우 드묾) ; 대개 unilateral firm mass, eccentric (유두부위 아님), skin dimpling, ulcer, nipple retraction/discharge, axillary lymphadenopathy, 크기 증가 등 ⇨ 조직검사 시행!

2. 임상양상/진단

- true gynecomastia는 대개 bilateral, glandular tissue >4 cm, tender인 경우가 많음
  (breast ca.로 발전할 가능성은 거의 없음)
- evaluation (but, evaluation해도 1/2 미만에서만 원인 확인 가능)
  ① 약물 복용력 확인
  ② 고환의 진찰 ┌ 양쪽 다 작으면 → karyotyping
             └ 비대칭적이면 → testicular tumor W/U
  ③ 간기능 검사
  ④ endocrine W/U ; serum androstenedione, testosterone, estradiol (E_2), LH, FSH, hCG,
     24-hr urine 17-KS
- malignancy 의심되는 소견이 있으면 mammography, breast US, biopsy 등을 시행

3. 치료

(1) 원인을 찾아 교정

(2) 수술의 적응증
  ① 심한 정신적 and/or 미용상의 문제
  ② 계속 커지거나 통증이 지속되는 경우
  ③ 유방암이 의심되는 경우

(3) 약물치료
- 통증은 있지만, 수술을 원치 않는 경우 고려 (→ 통증 및 유방크기 감소)
- antiestrogens (e.g., tamoxifen), diethylstilbesterol

c.f.) 성선 기능이 저하된 남자 노인에서 testosterone 투여시의 변화
  - body & visceral fat↓, muscle mass & strength↑ (BUN/Cr↓)
  - bone mineral density↑
  - LDL↓ / HDL은 대부분 영향 없음 (고용량에서는 감소 가능)
  - 성욕 & 성기능 향상, 기분 좋아짐

10
당뇨병(DM)

개요(생리학)

* 정의 : insulin 분비 and/or 효과의 감소로 발생한 고혈당 및 이에 따른 대사장애가 장기간 지속되는 상태로, 혈관장애에 의한 여러 장기의 합병증이 동반되는 질환
  - type 1 DM : 심한 insulin 결핍이 원인 (과거의 insulin-dependent DM [IDDM])
  - type 2 DM : 다양한 정도의 insulin 저항성, insulin 분비 장애, glucose 생산 증가 등이 원인

1. Insulin의 합성

- pancreatic islets의 β-cells에서 합성됨
- preproinsulin → proinsulin → insulin + C-peptide
- C-peptide : insulin과 같이 granules에 저장되어 있다가 insulin 분비 자극시 분리됨
  - C-peptide 농도 = endogenous insulin 농도
  - insulin보다 간에서 분해가 느리기 때문에 insulin 분비의 유용한 marker로 이용됨
  - exogenous insulin therapy 받고 있는 환자에서 β-cells의 insulin 분비 기능을 측정 가능!
  - hypoglycemia 환자에서 insulin의 유래가 endogenous 인지 exogenous 인지 구별 가능
- β-cells은 amylin (islet amyloid polypeptide, IAPP)도 분비함

2. Insulin 분비의 조절

(1) stimulation

- glucose : "key regulator" (IV보다 oral이 분비를 더 촉진)
  - → 췌장 세포막의 glucose transporter (GLUT-2)에 의해 β-cells 내로 운반
  - → glucokinase에 의해 glucose phosphorylation (insulin 분비의 "rate-limiting step"임!)
  - → glucose-6-phosphate는 glycolysis되어 ATP를 생성 (ATP/ADP ratio↑)
  - → ATP-sensitive K^+ channel (K_{ATP})을 자극하여 닫히게 함 (→ K^+ efflux 차단)
    - ↳ 2개의 subunits으로 구성
      - sulfonylurea receptor (SUR) : insulin secretagogues의 작용부위
      - inwardly rectifying K^+ channel (K_{IR}6.2)
  - → 세포내 K^+↑ → β-cells membrane의 depolarization
  - → Ca^{2+} channels 개방(open) → 세포내 Ca^{2+}↑ → insulin 분비(exocytosis) 자극

> ■ <u>Incretins</u> : 음식 소화시 위장관에서 분비되어 췌장의 "glucose-stimulated insulin 분비"를 촉진하고
>   glucagon 분비를 억제하는 호르몬, GLP-1과 GIP가 있음   → 뒤 치료 부분 참조
>   – GLP-1 (glucagon-like peptide-1) : 가장 강력한 incretin, 식후 소장 원위부의 L-cells에서 분비됨,
>   type 2 DM 환자에서 분비 감소 (반응은 보존), 일부 환자에서는 GLP-1에 대한 저항성이 발견됨
>   – GIP (glucose-dependent insulinotropic polypeptide, 과거 gastric inhibitory peptides) : K-cells에서 분비됨,
>   type 2 DM 환자에서 분비는 정상이나 반응이 떨어짐(저항성을 보임)
>   – GLP-1과 GIP는 모두 dipeptidyl peptidase-4 (DPP-4)에 의해 빨리 불활성화 됨
>   – incretin의 효과 : glucose를 IV로 투여할 때보다 oral로 투여할 때 insulin의 분비가 더 증가됨

  • aminoacids, ketones, 여러 영양소들
  • GI peptides, glucagon, GH, corticosteroid, estrogen, progesterone
  • obesity, vagal stimulation, β-adrenergic agonist, acetylcholine, theophylline, sulfonylurea

(2) inhibition
  • somatostatin
  • α-adrenergic stimulation (Epi, NE)
  • β-blockers, diazoxide, thiazide, phenytoin, vinblastin, colchicine …

■ **insulin의 정상 분비 양상**
  • pulsatile pattern (baseline, 공복시)
    ┌ 매 10분마다 small secretory bursts 발생
    └ 80~150분마다 greater secretory bursts 발생
  • 식사 등의 주요 insulin 분비 자극시엔 large secretory bursts 발생 (baseline보다 4~5배 증가)
    → 2~3시간 뒤 baseline으로 회복

3. Insulin의 작용 기전

  • 세포막의 insulin receptor (tyrosine kinase class)에 결합
    → tyrosine kinase activity 자극
    → receptor autophosphorylation & intracellular signaling molecules (e.g., IRS)의 활성화
    → 인산화/탈인산화의 복잡한 연속 반응을 통해 <u>insulin의 다양한 작용</u> 발생
  • phosphatidylinositol-3'-kinase (PI-3-kinase) pathway 활성화
    → 세포질 내의 <u>GLUT-4</u>를 세포막으로 이동시킴
      ↳ 근육세포와 지방세포의 <u>glucose uptake 촉진</u> (⋯ 결함시 insulin resistance)
  • 기타 glycogen 합성, protein 합성, lipogenesis, mitogenesis 등을 일으킴

4. Insulin의 작용 (대사에의 영향)

* insulin의 주 기능은 섭취된 영양소의 저장을 촉진하는 것

① 간에서 glucose 생산 감소
  • gluconeogenesis 억제, glycogen 합성 촉진/분해억제
    ┌ type 1 DM ; 간문맥의 insulin ↓ → 간의 gluconeogenesis ↑
    └ type 2 DM ; 간의 insulin 저항성 → 간의 gluconeogenesis ↑
② 간의 단백질 합성 촉진 (amino acid uptake 증가), 단백질 분해 억제

③ 간의 glucose uptake 증가 (→ 지방질 합성 ↑)

④ 말초(특히 근육 및 지방조직)에서 glucose uptake 증가

⑤ 지방조직에서 free fatty acid (FFA) 유리 억제

　　→ 간내로 들어가는 FFA 감소 → TG, ketone body 형성 감소

⑥ 지방조직에서 fatty acid 합성 증가, lipolysis 억제

⑦ plasma K^+ 감소 (∵ 근육과 간세포로 들어가는 K^+ 증가)

5. 저혈당에 대한 counter-regulatory hormones

(1) catecholamine

- 가장 일찍 분비됨
- insulin ↓, glucagon ↑, gluconeogenesis ↑, glycogenolysis ↑

(2) glucagon

- 2번째로 일찍 분비됨, diabetic Sx 발생에 가장 중요
- 간에서 gluconeogenesis ↑, glycogenolysis ↑, ketogenesis ↑

(3) GH

- diabetic Sx 발생에 관여
- 말초조직에서 glucose 이용 ↓, lipolysis ↑

(4) cortisol

- gluconeogenesis ↑, insulin ↓, glucagon ↑, glucose 이용 ↓

■ 병인

■ 원인에 따른 분류

1. Type 1 DM

: 자가면역기전(autoimmunity)에 의한 췌장 β-cells 파괴에 따른 insulin deficiency가 특징인 DM, 대부분 30세 이전에 발병 (5~10%는 30세 이후), 유전적 소인이나 환경인자도 발병에 기여 가능

(1) autoimmune factors

- β-cells의 80% 이상이 파괴되어야 insulin 분비 장애 발생
- type 1 DM에서 발견되는 면역학적 이상
  ① islet cell antibodies (ICAs)
  ② activated lymphocytes ; islets, 췌장주위 LN, 혈중에 존재
  ③ islet proteins으로 자극시 T lymphocytes 증식
  ④ insulitis (lymphocytes로 침윤된 islets)의 cytokines 분비
  　　(β-cell은 특히 TNF-α, IFN-γ, IL-1 등의 toxic effect에 약함)

---

1. Type 1 DM (β-cell 파괴에 의한 insulin 결핍, 치료에 insulin이 절대적으로 필요함)
  type 1A : Immune-mediated
  type 1B : Idiopathic

2. Type 2 DM (다양한 insulin 저항성 ～ insulin 분비 장애)

3. Gestational DM (GDM)

4. 기타/secondary DM
  β-cells의 유전적 결함 ; MODY1 (HNF-4α), MODY2 (glucokinase), MODY3 (HNF-1α), MODY4 (IPF-1),
    MODY5 (HNF-1β), MODY6 (NeuroD1), mitochondrial DNA, ATP-sensitive K^+ channel의 subunits,
    proinsulin or insulin conversion, 기타 pancreatic islet regulators/proteins (e.g., *KLF11, PAX4, BLK,*
    GATA4, GATA6, SLC2A2 (GLUT2), *RFX6, GLIS3*) ...
  Insulin 작용의 유전적 결함 ; insulin resistance (e.g., PCOS), Rabson-Mendenhall syndrome,
    leprechaunism, lipoatrophic diabetes (post-receptor 이상) ...
  췌장 외분비 질환/손상 (type 3c DM) ; pancreatitis, pancreatectomy, trauma, neoplasia, cystic fibrosis,
    hemochromatosis, fibrocalculous pancreatopathy, carboxyl ester lipase mutation ...
  내분비 질환 ; acromegaly, Cushing's syndrome, glucagonoma, pheochromocytoma, hyperthyroidism,
    somatostatinoma, aldosteronoma ...
  간질환 ; 만성간염, 간경화 (∵ 만성간질환에서 당뇨병 유병률 15～30%)
  감염 ; congenital rubella, CMV, adenovirus, coxsackievirus, mumps ...
  약물 또는 화학물질 ; antipsychotics (e.g., clozapine), asparaginase, β-agonists, calcineurin inhibitors
    (e.g., cyclosporin, tacrolimus), diazoxide, dilantin (phenytoin), epinephrine, glucocorticoids, interferon-α,
    mTOR inhibitors (e.g., everolimus), nicotinic acid, pentamidine, phenytoin, protease inhibitors,
    pyrimidine (Alloxan, 표백제), pyrinuron (pyriminil, Vacor), streptozotocin, thiazides, thyroid hormones ...
  드문 면역매개성 DM ; Stiff-person syndrome, anti-insulin receptor Ab, Ab to insulin ...
  DM을 동반하는 기타 유전 증후군 ; Down syndrome, Friedreich's ataxia, Huntington's chorea,
    Klinefelter's syndrome, Lawrence-Moon-Biedl syndrome, myotonic dystrophy, porphyria,
    Prader-Willi syndrome, Turner syndrome, Wolfram syndrome ...

---

* MODY: maturity-onset diabetes of the young (→ 뒷부분 참조).
  HNF: hepatocyte nuclear transcription factor, IPF: insulin promoter factor

- β-cell 파괴의 기전 (정확히는 모름) ; NO 대사물 형성, apoptosis, direct CD8+ T cell toxicity
  (ICA는 β-cell의 파괴에는 관여 안함)
- islet cell (auto)antibodies (ICAs) = T1DM-associated (auto)antibodies
  ; proinsulin, insulin, GAD (glutamic acid decarboxylase), IA-2 (= ICA-512, islet antigen-2,
    insulinoma-associated Ag-2), ZnT-8 (beta cell-specific zinc transporter) 등에 대한 항체
  - 각각 type 1 DM에 대한 specificity는 높지만, sensitivity는 낮음 → 2가지 이상 검사 권장
  - anti-GAD (GAD-65) Ab와 다른 한개 이상의 Ab 조합이 권장됨 ; anti-IA-2/ICA-512 Ab,
    anti-ICA IgG, IAA (anti-insulin autoAb), anti-ZnT-8   ↳ GAD와 흔히 조합됨
- islet cell Ab. (ICA)의 임상적 의의
  - 새로 진단된 type 1 DM의 85% 이상에서 (+) → type 1 DM의 진단 및 발생 예측에 도움
  - type 1 DM 환자의 1차친족(부모/형제/자녀) 중 3～4%도 (+)
    (type 1 DM이 1차친족에서 병발할 위험은 상대적으로 낮음)
  - type 1 DM의 발생을 예측 가능! ··· 양성인 Ab의 수가 많을수록 DM 발생 위험↑
    ; multiple Ab(+) 소아의 type 1 DM 발생 확률은 10년 뒤 ~70%, 15년 뒤 ~80%
  - ICA 검사의 적응 ⇨ DM으로 진단됨.. ① 소아,
      ② 성인 ; type 2 DM 위험인자(e.g., 비만, 가족력) 無, type 1↔2 DM 감별이 어려운 경우
            (일반적인 type 2 DM 성인 및 non-DM에서는 필요 없음)

(2) genetic factors

- 일란성 쌍생아에서 type 1 DM 발생 일치율 40~60% (→ 발병에 다른 요인들도 관여 시사)
  ↔ type 2 DM은 일치율 70~90% … type 2 DM이 가족력/유전적성향 더 강함
- HLA polymorphism은 type 1 DM 발생의 유전적 소인의 40~50% 차지
  (chromosome 6의 HLA region에 존재)
- HLA-DR3 and/or DR4 : 95%에서 (+) (일반인은 45~50%)
- HLA-DQ genes의 관련성
  ┌ DQA1*0301, DQB1*0302, DQB1*0201 ⇨ type 1 DM↑: 약 40%에서 존재 (일반인은 2%)
  └ DQA1*0102, DQB1*0602 ⇨ type 1 DM↓: 1% 미만에서 존재
- 기타 insulin gene의 promotor region의 polymorphisms 등도 관여
- 가족 중 type 1 DM 환자가 있으면 발병 위험이 약 10배 증가되지만, 전체적으로는 1차친족의
  병발 위험도는 낮음 (부모가 type 1 DM이면 3~4%, 형제가 type 1 DM이면 5~15%)

(3) environmental factor

- virus (e.g., coxsackievirus, rubella, enterovirus) → 직접 β-cells 파괴 가능
- 약물/화합물 ; streptozotocin, nitrosourea compounds … (앞의 표 참조)
- 분유/우유 단백에 빨리 노출(bovine serum albumin[BSA]), vitamin D deficiency 등

(4) type 1 DM의 예방

- 동물 연구에서는 성공적이지만, 사람에서 type 1 DM의 예방은 아직은 연구 차원임
- type 1 DM 발생 고위험군에서 예방적 insulin 투여도 type 1 DM의 발생은 예방 못함
- 처음 진단된 type 1 DM 환자에서 anti-CD3 (T-cell co-receptor) Ab (e.g., teplizumab),
  GAD65 vaccine, anti-B lymphocyte Ab. 등의 투여는 C-peptide level의 감소 속도 지연 효과
- type 1 DM 발생 고위험군(e.g., multiple ISAs(+), type 1 DM 가족력, IFG or IGT)에게
  anti-CD3 Ab (teplizumab) 투여시 DM 진단까지의 기간 2배 연장, 발생률 약 60% 감소했음

2. Type 2 DM

: 다양한 정도의 <u>insulin resistance</u> (m/i), <u>insulin 분비 장애</u>, <u>간의 glucose 생산 증가</u>, 지방대사 이상
등이 특징, 주로 성인에서 나이가 들수록 발병 증가 (최근에는 비만한 소아/청소년도 발병 증가)

(1) 인슐린 저항성(insulin resistance)

┌ 말초(특히 근육)에서 glucose 이용 장애 ⇨ 식후 hyperglycemia
└ 간의 insulin resistance ⇨ 공복시 hyperglycemia (FPG↑), 식후 간의 glycogen 저장↓

- relative resistance (∵ 정상 level 이상의 insulin은 혈당을 정상화함)
- insulin 용량-반응곡선(dose-response curve)
  ┌ 우측 이동(right shift) : 감수성 저하, receptor 결합이 주로 관여
  └ 하방 이동(downward shift) : 반응성 감소, receptor 결합 이후가 주로 관여,
    insulin resistance 심할수록 더 중요, type 2 DM에서는 혼합된 양상을 보임
- insulin resistance의 기전
  ① insulin receptor의 문제
    - insulin receptor 수 감소 (down regulation) ; 대개 hyperglycemia에 따라 이차적으로 발생

- 근육/지방 세포의 insulin receptor tyrosine kinase activity↓ : DM 대사장애의 이차 현상?

② insulin receptor 결합 후의 (세포내) 문제 … type 2 DM insulin resistance의 주요 기전
 - IRS (insulin receptor substrates)-1의 polymorphisms
 - PI-3-kinase signaling pathway defect → GLUT-4 감소
 - FFA level↑(e.g., 비만) → 근육세포에 lipid 중간산물 축적 → insulin의 작용 방해
  (지방조직의 insulin resistance : lipolysis & FFA↑ → 간세포에서 VLDL 및 TG 합성↑
   → nonalcoholic fatty liver, dyslipidemia)

 * insulin resistance에 기여하는 요인들 ; obesity (FFA, adipocytokines), stress & infection
  (∵ counterregulatory hormones↑), drugs, inactivity, pregnancy, immune …

• 비만("<u>central/visceral</u> <u>obesity</u>") : fat에서 FFA, <u>leptin</u>, <u>TNF-α</u>, RBP4, resistin, IL-6 등 분비↑
 (TNF-α : IRS-1의 인산화 억제 → insulin receptor signaling 억제)
 - <u>adiponectin</u> (anti-inflammatory & insulin-sensitizing peptide)은 분비 <u>감소</u>
 - inflammatory markers (e.g., IL-6, CRP)의 증가도 type 2 DM 환자에서 흔함
 ⇨ insulin resistance, insulin 분비 장애, 간의 glucose 생산 증가 등

■ Insulin resistance syndrome

• metabolic syndrome (syndrome X) ; insulin resistance (type 2 DM or IFG/IGT), HTN,
 dyslipidemia (HDL↓, TG↑), central/visceral obesity, accelerated CVD (e.g., CAD, stroke)
 * CHAOS (CAD, HTN, Atherosclerosis, Obesity, Stroke)
 - plasminogen activator-inhibitor 1 (PAI-1) 증가 / hyperinsulinemia → CAD의 risk marker
 - 치료 : 혈당조절 + 혈압조절 + dyslipidemia 조절 (→ 12장 참조)
• severe insulin resistance ; 드물, insulin receptor mutations, hyperinsulinemia 심함,
 acanthosis nigricans와 hyperandrogenism (여성에서 hirsutism, acne, oligomenorrhea) 동반,
 ┌ type A : 젊은 여성, obesity, insulin-signaling pathway 결함
 └ type B : 중년 여성, autoimmune disorders, insulin receptor에 대한 autoAb
• PCOS (polycystic ovary syndrome) ; chronic anovulation, hyperandrogenism,
 다수에서 insulin resistance를 보이며, type 2 DM 발생 위험 증가 (→ 9장 참조)

(2) insulin 분비 장애

• type 2 DM 환자의 특징적인 insulin 분비 이상 ; <u>glucose 자극에 대한 insulin 분비↓</u>,
 1차성 insulin 분비반응 소실, insulin 분비의 박동성(pulsatile) 소실, proinsulin 분비↑
 * glucose 이외의 insulin 분비 자극(e.g., arginine, isoproterenol, secretin, tobutamide)에 대한
  반응은 비교적 잘 보존되어 있음
• <u>β-cells의 소실과 기능 이상</u> ; 오래된 type 2 DM 환자는 β-cells 양이 정상인의 약 50%로
 감소 (점진적으로 계속 감소됨), amylin (IAPP) 침착, pancreatic duct 섬유화 등을 보임
• 기전 : 유전적 소인에 더해 여러 인자들이 관여 (e.g., glucose toxicity, lipotoxicity, amylin)
 - <u>glucose toxicity</u> : 장기간의 고혈당이 β-cells의 기능 장애 및 사멸을 일으킴
  (e.g., 혈당조절이 개선되면 β-cells 기능도 호전되는 경우가 흔함)
 - lipotoxicity : β-cells 내 FFA 증가는 β-cells 기능을 악화시킴

- insulin 분비 반응 (IV 당부하 시험)
  ① 공복시 insulin level : 정상 ~ 약간 상승
  ② IV 당부하후 초기(1차성) insulin 분비반응 소실 … DM의 특징
  ③ IV 당부하후 후기(2차성) insulin 분비반응은 보존
    ↳ hyperglycemia 심해지면(FPG >250 mg/dL) 현저히 감소
- 3 phases : type 2 DM 초기에는 insulin 저항성을 극복하기 위해 insulin 분비↑

	insulin resistance	insulin level	plasma glucose
I	존재	↑	정상
II	악화	↑	식후 고혈당
III overt DM	변화×(간에서 glucose 생산↑)	↓	공복시 고혈당

(3) genetic factors

- 유전적 성향은 매우 강하지만, HLA나 autoimmune과는 관계없다!
- epidemiologic study
  - 일란성 쌍생아에서 DM 발생률 : 70~90%
  - 부모가 모두 DM일 때 자식이 DM일 확률 : 40%
- type 2 DM의 발생에 관련된 유전자의 예 (일부에서만 확인됨 / 대부분은 polygenic)
  ① GLUT-2, 4
    - GLUT-2 : β-cells의 glucose transporter (→ 결함시 glucose-stimulated insulin 분비↓)
    - GLUT-4 : 골격근과 지방 세포의 glucose transporter (→ 결함시 insulin resistance)
  ② amylin (islet amyloid polypeptide, IAPP) : amylin gene과 type 2 DM의 관련성은 불확실함
    - insulin secretory granules에 저장되어 있다가 insulin과 함께 분비됨
    - type 2 DM시 islet cells에 침착 증가 (∵ insulin resistance에 따른 overproduction 때문)
    - amylin↑↑ (long-standing type 2 DM) → glucose uptake↓, insulin 분비 억제
  ③ glucokinase ; MODY type2와 관련
  ④ 근육세포의 glycogen synthase의 활성 감소
  ⑤ insulin receptor, PI-3-kinase 등의 mutation
  ⑥ mitochondrial DNA의 mutation

(4) environmental factor

- polygenic & multifactorial : type 2 DM 발생에는 유전적 소인 외에 환경요인도 관여
- 칼로리 과잉 섭취 (→ insulin 요구량↑ → insulin resistnace 발달)
- 비만 (특히 복부비만), 운동부족, 스트레스, 약물남용 …

■ MODY (maturity onset diabetes of the young)

- 드묾 (전체 DM의 1~5%), 대개 25세 이전에 발병, mild DM (합병증 적고, 예후 좋다)
- glucose-induced insulin 분비의 장애 (insulin의 작용에는 문제없음)
- 단일 유전자성(monogenic defects), 3세대 이상의 가족력, AD 유전, HLA와의 관련성은 없음
  ① MODY 1 : hepatocyte nuclear factor (HNF)-4α gene의 변이 (염색체 20q)
    (HNF : transcription factor로 간, 췌도, 신장 등에 존재, insulin 분비에 관여)

② MODY 2 : glucokinase^{GCK} gene의 변이 (염색체 7p)

    (glucokinase : glucose 인산화를 통해 β-cells에서는 glucose를 감지하고[→ insulin 분비],

    간세포에서는 glucose를 glycogen으로 저장하는데 중요한 역할을 함)

③ MODY 3 (m/c) : HNF-1α gene의 변이 (염색체 12q)

④ MODY 4 : insulin promotor factor (IPF)-1β gene의 변이 (염색체 13q)

⑤ MODY 5 : HNF-1β gene의 변이 (염색체 17q), insulin 저항성도 동반

⑥ MODY 6 : NeuroD1/BETA2 gene의 변이 (염색체 2q)

• type 1, 3, 4는 경구혈당강하제(sulfonylurea)에 잘 반응함

• type 2는 diet/운동으로 잘 조절됨 / type 5, 6은 insulin 치료 필요

임상양상

1. 역학

• 유병률 (모두 증가 추세) : 12~16% (우리나라), 11.1% (미국), 남>여 (젊은 환자가 빠르게 증가함)

  ┌ type 2 DM : 90~95% (미국), 우리나라는 99% 이상 … 더 빨리 증가 추세

  └ type 1 DM : 5~10%　　　　　　　　　　　　　　(∵ 비만↑, 활동량↓, 고령인구↑)

      ↳ [미국] bimoal (4~6세, 10~14세에 호발), 15세 이후에는 type 2 DM의 비율도 증가하여 비슷해짐

• 성인에서 CKD/ESRD, 비외상성 amputation, 실명 등의 주원인

• 심장/뇌/말초혈관질환의 위험 증가

• hyperglycemia와 cardiovascular risk factors를 잘 치료하면 만성 합병증의 대부분을 예방하거나 지연시킬 수 있음

2. type 1 DM

• polyuria : hyperglycemia에 의한 osmotic diuresis 때문 (→ glucose뿐 아니라 수분/전해질도 소실)

• polydipsia (thirst) : hyperosmolar state 때문

• blurred vision : lens와 rentina가 hyperosmolar fluid에 노출되어 발생

• weight loss : type 1 DM의 특징, 몇 주만에 subacute하게 발생

• superficial infection 호발 (e.g., vaginitis, 피부진균감염), 상처 치유 지연

• 처음 발견된 경우 엄격한 혈당조절을 하면 만성합병증의 위험이 감소됨

  (예; retinopathy 76% 감소, neuropathy 60% 감소)

* latent autoimmune diabetes in adults (LADA)성인지연형자가면역당뇨병

  - 늦게 나타나 서서히 진행하는 type 1 (자가면역기전) DM (↔ 보통 type 1 DM은 급격히 진행)

  - type 1 & 2의 임상적 특징과 유전적 배경을 모두 가짐 (type 1.5 DM or double DM)

  - 대부분 30~50세에 진단됨, 전체 DM의 2~12% 차지, anti-GAD (GAD65) Ab (+)가 특징

  - 초기에는 type 2 DM의 양상이지만 (경구혈당강하제로 치료 → 점점 조절 안됨),

    5년 이내에 반드시 insulin 치료가 필요하게 됨

  - BMI는 대개 정상, 다른 자가면역질환 동반 병력/가족력

type 1 DM의 자연경과

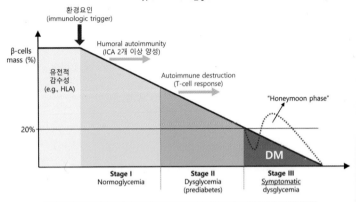

■ Honeymoon period (phase)
– type 1 DM 환자에서 첫 임상증상(e.g., ketoacidosis) 발생으로 insulin 치료를 시작하고 수주 뒤
  잔존 β-cells에서 분비되는 약간의 insulin으로 인해 혈당조절이 잘 되는 (insulin 요구량↓) 시기
  (∵ acute stress시 epinephrine 분비↑ → insulin 분비↓ → 증상 발생
   → stress에서 회복되면 insulin은 이전 level로 회복 & insulin 요구량↓)
– β-cells는 계속 감소되기 때문에 대개 수주~수개월(때때로 ~수년)만 지속되고 결국엔 다시
  insulin 요구량이 증가하게 됨
– 이 기간 중 hypoglycemia도 발생할 수 있음

3. type 2 DM

• 초기에는 증상이 없는 경우가 많다 (특히 비만형 환자에서)
  → 증상이 발생하여 병원을 방문한 경우 대개 7~10년 이전에 DM이 시작
• type 1 DM보다 증상이 천천히 발생함 → 처음 진단시 약 20~50%에서 DM의 합병증 존재,
  type 2 DM 환자의 50%는 DM이 있는지를 모르고 있음
• 대개 비만하지만 (서양 75~80% /우리나라 등 동양 <30%), 노인에서는 비비만형도 많음
• chronic skin infection이 흔하다
• 여성에서는 generalized pruritus와 vaginitis의 증상이 주소인 경우가 흔하다
• chronic candidial vulvovaginitis, 거대아 출산, polyhydramnios, preeclampsia,
  unexplained fetal loss시 DM을 꼭 의심해야 함
• 비비만형 중 발병 이후에 심한 체중감소가 있었던 경우 slowly progressive type 1 DM의 초기일
  가능성이 높음

* ketosis-prone type 2 DM ; DKA가 발생했지만, 자가항체는 없고 경구혈당강하제에 반응

4. 한국인 DM의 특성

- type 2 DM이 서양인보다 훨씬 많으며, 상대적으로 BMI가 낮음, 서양보다 젊은 연령에서 발생 (최근 소아/청소년의 type 2 DM도 증가 추세)
- insulin 분비능은 서양인에 비해 매우 제한적 (선천적) → 유전적/환경적 요인에 의해 insulin resistance가 유발되면 쉽게 DM 발생 (경미한 비만 상태에서도) → 최근 유병률이 급격히 증가
- insulin 분비능의 부족으로 DM 발생시 체중 감소가 심하고, 조기에 insulin 치료가 필요한 환자가 많다
- 서양인보다 비만에 더 유의하고, 심한 폭음이나 과식, 불규칙한 식사, 과로 등을 피하고, 적당한 운동으로 DM 발생을 예방해야 됨!

	Type 1 DM	Type 2 DM
발생연령	<30세 (but, 어느 연령도 가능)	>30세 (but, 비만한 소아/청소년도 가능)
발생양상	갑자기	서서히
성비	M≒F	M>F
비만	−	+
Acute metabolic Cx	DKA	NKHC (HHS)
혈중 insulin (C-peptide)	↓↓	다양
혈중 glucagon	↑, suppressible	↑, resistant
Genetic locus	6번 염색체	다양(polygenic)
HLA 관련성	(+) DR3, DR4 DR2-negative association	−
가족력	드묾	흔함
일란성 쌍생아 일치율	30~70%	70~90%
계절적인 변이	+	−
ICA (islet cell Ab.)	+	−
Insulin 저항성	±	+
Insulin 치료	반응 (처음부터 필요)	반응~내성 (처음에는 필요 없음)
Sulfonylurea	반응없음	반응
식이요법만으로 조절	불가능	가능
동반질환	Autoimmune dz. (갑상선염, 부신부전, 악성빈혈, 백반증 등)	Metabolic syndrome (고혈압, 심혈관질환, 고지혈증, PCOS 등)

진단

1. 진단기준

DM* ★	Abnormal glucose homeostasis (preDM)
1. HbA₁c ≥6.5% or 2. 공복혈장포도당 ≥126 mg/dL (8시간 이상 금식 후) or 3. 경구당부하검사 2시간 후 혈장포도당 ≥200 mg/dL or 4. 전형적인 증상이 있으면서 무작위 혈장포도당 ≥200 mg/dL 다음, 다뇨, 설명되지 않는 체중감소 등	• HbA₁c 5.7~6.4% or • 공복혈장포도당 100~125 mg/dL [IFG] or • 경구당부하검사 2시간 후 혈장포도당 140~199 mg/dL [IGT]

*1~3은 다른 날 재검사하여 만족 or 하루에 2가지 이상의 기준을 동시에 만족하면 확진할 수 있음!
4는 재검이 필요 없음

(1) 당화혈색소(glycated hemoglobin, HbA₁C, A1C)
- 2010년 미국당뇨병학회(ADA)부터 DM 진단에 HbA₁C가 가장 먼저 추천됨
- Hb β-chain 말단, AA의 non-enzymatic glycation (glycosylation)으로 생성됨, 주로 HbA₁C
- HbA₁C/HbA의 비율(%)로 보고됨 … 참고치 ; 정상 ≤5.6%, preDM 5.7~6.4%, DM ≥6.5%
- poorly controlled DM 환자는 10~20%까지 상승
- 최근 2~3개월간 혈당(glycemia) 상태 반영 (∵ RBC 수명 약 120일) → DM 합병증과 더욱 밀접

HbA₁C (%)	평균 혈장 glucose (mg/dL)	HbA₁C (%)	평균 혈장 glucose (mg/dL)
5	97	9	212
6	126	10	240
7	154	11	269
8	183	12	298

- 공복이 필요하지 않고, 단기간의 생활습관(e.g., 운동) 변화에 영향을 받지 않음
- DM 치료의 monitoring에도 주로 이용됨, 보통 3~6개월마다 측정 권장 (1년에 2~4회)
- 반드시 표준화된 A1C 검사방법을 사용해야 됨
- HbA₁C 검사에 영향을 미치는 인자
  - 적혈구 수명↓(e.g., 수혈, reticulocytosis, 용혈, 출혈, uremia/CKD) → HbA₁C↓
  - 적혈구 수명↑(e.g., asplenia) → HbA₁C↑
  - IDA → HbA₁C & fructosamine (GA)↑ / 철분보충요법 → HbA₁C & fructosamine (GA)↓
    (임신 말기에는 IDA에 의해 HbA₁C는 높아지나, glycated albumin^GA은 변화 없음)
  - HbA 비율↓(e.g., persistence of HbF) → 실제보다 HbA 높게 계산됨 → HbA₁C↓
  - 기타 ; hemoglobinopathies, alcohol, opioid, salicylate, 다량의 vitamin C or E 섭취 …

(2) 공복혈장포도당(fasting plasma glucose, FPG) : 8시간 금식 후
① 정상 : FPG <100 mg/dL
② DM : FPG ≥126 mg/dL (증상이 없어도)
③ impaired fasting glucose (IFG)^공복혈당장애 : FPG 100~125 mg/dL
┌ FPG 100~109 (or HbA₁C 5.7~6.0%) ⇨ F/U (매년 FPG or HbA₁C 측정)
└ FPG 110~125 (or HbA₁C 6.1~6.4%) ⇨ 경구당부하검사(OGTT) 시행

(3) 무작위/임의 혈당(random plasma glucose)

: 임의 시간에 (식사와 관계없이) 측정한 혈당

┌ ≥200 mg/dL & 전형적인 증상 (다음, 다뇨, 체중감소 등) ⇨ DM 진단
└ ≥200 mg/dL & 전형적인 증상 없을때 ⇨ fasting plasma glucose 측정

(4) 경구당부하검사(oral glucose tolerance test, OGTT)

• overnight fasting뒤 glucose 75 g (in 250~300 mL water) or 상품화된 용액을 5분 이내에 투여

Venous plasma glucose level	DM	IGT*	정상
2시간 후 (PP2)	≥200	140~199	<140
0~2시간 사이에 한번 이상	≥200	≥200	<200
0시간 (공복혈당, FPG)	≥126	<126	<100

* IGT (impaired glucose tolerance, 내당능장애) ; IFG보다 많고, 심혈관질환/사망률과의 관련성 큼

• DM 진단에는 간편한 공복혈당(FPG) or HbA₁c 검사가 우선 선호됨

• OGTT의 적응 : DM이 의심되지만 FPG 정상 or IFG인 경우

> 1. 이전의 공복혈당(FPG) 결과가 경계치 (e.g., 100~125 mg/dL)
> 2. 스트레스 상황(e.g., 수술, 감염, 외상, 대사성)에서 overt hyperglycemia
> 3. 임신
> 4. 비만
> 5. type 2 DM의 뚜렷한 가족력
> 6. DM의 microvascular Cx. 존재 (특히 retinopathy or neuropathy)

■ **Abnormal glucose homeostasis (prediabetes, intermediate hyperglycemia) ★**

• 정의 : 공복혈당장애(IFG) or 내당능장애(IGT) or HbA₁c 5.7~6.4%인 경우

• type 2 DM으로 진행 위험 높음(25~40%), 때로는 정상으로 회복 가능, 유병률은 DM의 약 2배

• DM의 microvascular Cx. (retinopathy, nephropathy)은 대단히 드묾

• 사망률 및 심혈관질환의 발생률 증가 (atherosclerosis에 대한 risk증가)

　→ 심혈관 위험인자 동반 유무를 조사하고, 발견된 위험인자에 대한 치료 시행

• 치료 … DM으로의 진행 예방

　① 철저한 생활습관개선 ; 운동, 체중감량, 임상영양요법(medical nutrition therapy^MNT), 금연 등

　　→ 58%에서 type 2 DM 예방/지연 가능

　② 약물치료 : 여러 약물이 DM 예방/지연 효과는 있지만 비용효과, 안전성 문제로 권장 안됨

　　* metformin만 IFG & IGT 환자에서 DM으로의 진행 위험이 높은 군에서 적극 고려

　　　⇨ 60세 미만, BMI ≥35, TG↑, HDL↓, HTN, HbA₁c >6%,

　　　　1차친족의 DM 병력, GDM (gestational DM)의 과거력 등

2. 선별검사(screening)

• DM 환자의 약 30%는 DM을 인지하지 못하고 있고, DM을 처음 진단받은 환자의 10~30%는
　이미 DM 관련 합병증을 가지고 있음 → DM을 조기에 발견하기 위한 선별검사가 매우 중요

• 진단시 검사와 동일 ; HbA₁c, 공복혈당, 경구당부하검사 2시간 후 혈당 (요당 검사는 아님)

• 매년 실시 권장 (c.f., 미국은 선별검사에서 정상이면 3년마다 실시)

```
★ DM screening의 대상 ▶ Type 2 DM의 Risk factors
```

1. 40세 이상의 성인

2. 위험인자를 가진 30세 이상의 성인
- 비만/과체중(m/i) : body mass index (BMI) ≥25 kg/m² (우리나라는 ≥23 kg/m²)
- 1차친족(부모/형제/자매) 중에 DM이 있는 경우
- 공복혈당장애(IFG) or 내당능장애(IGT) or HbA₁c 5.7~6.4% [prediabetes] 과거력
- 임신성당뇨병(GDM) or 4 kg 이상의 거대아 출산력
- 고혈압(HTN) : ≥140/90 mmHg or 항고혈압제 복용중
- 이상지질혈증(dyslipidemia) : HDL <35 mg/dL and/or TG ≥250 mg/dL
- insulin 저항성 : PCOS (polycystic ovary syndrome) or Acanthosis nigricans
- 심혈관질환 병력 : CAD, stroke 등
- DM 발병 위험이 높은 민족 : 흑인, 라틴계, 동양인, 인디언, 태평양섬주민 등
- 주로 앉아있는 생활습관
- 약물 : glucocorticoid, atypical antipsychotics (e.g., clozapine, risperidone, zotepine)

- 미국은 45세 이상 성인 or 위험인자를 가진 모든 성인에서 3년마다 시행 권장
- 흡연 : DM 발생위험↑ 및 심혈관위험↑ (but, 금연시 체중증가로 인해 DM 발생↑ → 체중조절 중요)
- 음주 : 적절한 음주는 DM 발생 위험↓, 노인 DM 환자에서 심혈관 사망 위험↓
  (but, 당뇨병성망막병증은 악화 가능, 공복 가능, type 1 DM 환자에서는 심한 저혈당 발생 위험)

- type 1 DM은 일반적으로 급성으로 발병하여 즉시 발견되는 경우가 대부분이므로 (무증상기 짧음)
  자가면역항체(immunologic marker)를 정상인에게 선별검사로 이용하는 것은 권장 안됨
  (∵ 연구 부족, 표준화된 검사기준 無, 양성이어도 진료지침 無, type 1 DM의 낮은 유병률)

3. type 1 vs type 2 DM의 분류

- 자가항체(islet cell Ab, ICA) ; anti-GAD, anti-IA-2, IAA, ICA 등 ⇨ 양성이면 대개 type 1
  (but, 우리나라는 type 2 DM에서도 anti-GAD 4~25% 양성 → insulin 치료 가능성 높음)
- serum insulin or C-peptide : 공복 C-peptide가 0.2 nmol/L (0.6 ng/mL) 미만이면 type 1 DM,
  0.33~0.4 nmol/L (1.0~1.2 ng/mL) 이상이면 type 2 DM으로 분류 가능
- but, 항상 구별하지는 못함, C-peptide가 낮으면 insulin 치료는 필요
- 우리나라는 type 1/2 감별이 어려운 비전형적인 DM이 흔함 → 잠정적으로 분류하고 이후
  임상 경과 및 C-peptide, 자가항체 F/U을 통해 재평가

4. 혈당 조절의 monitoring

(1) 자가혈당측정(self-monitoring of blood glucose, SMBG)
- 대개 손가락 끝 모세혈관의 전혈을 이용
  (전혈의 glucose level은 plasma glucose보다 10 mg/dL 낮다)
- 횟수 ┌ type 1 DM, insulin을 자주 주사 맞는 type 2 DM : 3회/day 이상
       └ type 2 DM : 경구약 복용시 1~2회/day
- 지속적혈당감시장치(continuous glucose monitoring system, CGM)
  - interstitial fluid의 glucose를 측정 / iontophoresis or indwelling subcutaneous catheter 이용
  ┌ type 1 DM ; 다회 insulin 요법이나 insulin pump 치료를 하는 환자에서 유용
  └ type 2 DM ; insulin 치료중 혈당 변동이 크거나 잦은 저혈당, 저혈당 무감지증 등에서 유용
- 요당 측정은 혈당 조절 상태를 정확히 반영 못함

- ketone의 측정 (→ DKA의 indicator)
  - 적응 ; type 1 DM에서 혈당>300 mg/dL, 급성질환 동반, N/V, 복통 등 때
  - 소변검사보다 혈액에서 β-hydroxybutyrate를 측정하는 것이 권장됨

(2) 장기간의 혈당 조절 평가
- glycated Hb (HbA_{1C}) : 최근 2~3개월의 혈당 상태를 반영 (RBC 반감기 2개월) → 앞부분 참조
- fructosamine : glycated proteins (ketoamines)을 지칭, 적혈구의 영향 안 받음
  - glycated albumin^{당화알부민} (%) : 최근 2~3주간의 혈당 상태를 반영 (albumin 반감기 14~20일)
  - HbA_{1C}가 부정확한 상황일 때 유용 (e.g., anemia, hemoglobinopathies, CKD, 임신)
  - but, 단점들로 인해 잘 사용안함 (∵ variation↑, 표준화 부족, serum albumin의 영향)

■치료

1. 식이요법/임상영양치료(medical nutrition therapy, MNT)

- 비만인 type 2 DM 환자의 1차 목표 : 생활습관개선을 통해 체중 5~10% 감량 (6개월 동안)
  - 메타분석 결과 type 2 DM 환자는 체중 5% 이상은 감량해야 혈당/지질/혈압 개선 효과 有
  - type 2 DM은 MNT와 exerise 만으로도 혈당조절이 가능할 수 있음 : HbA_{1C} 1~1.5%↓
    (에너지[칼로리] 제한 & 체중 감량 → insulin sensitivity↑ 혈당 감소)
  - ⇨ 에너지(calorie) 필요량보다 500~750 kcal/day 적게 섭취! (→ 1주일에 0.5~1.0 kg↓ 기대됨)
  - * BMI ≥25 kg/m² (1단계 비만) 환자가 식사/운동/행동치료로 체중감량 실패시 항비만제 고려
    BMI ≥30 kg/m² (2단계 비만) 환자가 비수술적치료로 혈당조절 실패시 비만수술 고려
- 에너지 구성에서 탄수화물, 단백질, 지방의 이상적인 비율은 없음! (연구 결과 효과에서 차이 無)
  → 총 에너지를 목표로 하고 식습관, 선호도, 치료목표 등에 따라 개별화함 (다양한 요법이 가능함)
- 탄수화물 : 일반적으로 총 에너지의 50~60%가 좋음
  - 전곡(whole grains), 채소, 과일, 콩류, 유제품 등 권장 / 식이섬유 많은 식품 우선 권장
  - 설탕은 동량의 전분보다 혈당을 더 상승시키지는 않지만, 당류는 10% 이내로 제한함
- 단백질 : 1.5 g/kg/day (20%) 이내로 섭취, nephropathy 있으면 0.8 g/kg/day로 유지 권장
- 지방 : 총 에너지의 30% 이내로 섭취 권장, 지방의 조성도 중요함
  - unsaturated fatty acid (지중해식 식단) 권장 → 혈당 및 지질 개선, CVD 사망률 감소
    (c.f. omega-3 보충제는 DM 환자에서 혈당 개선 및 CVD 예방 효과 없음)
  - saturated fatty acid 및 trans fat 섭취는 제한 (∵ CVD↑)
  - total cholesterol <300 mg/day, saturated fat <7%
- 나트륨(sodium) : 일반인과 동일하게 나트륨 2 g/day (소금^{NaCl} 5 g/day) 이내로 제한
- alcohol : 가능하면 금주 or 소량으로 제한 (하루 남성 2잔, 여성 1잔 이내, 2일/주 이상은 금주)
  - insulin/경구혈당강하제 치료 환자는 음주시 hypoglycemia 위험 → 주의, 식사/안주와 함께
- 비타민, 미네랄 등 미량영양소의 추가적 보충은 일반적으로 필요하지 않음
- 인공감미료 : 혈당조절에 유의한 영향은 없으나, 에너지과 탄수화물 섭취를 줄이는데 도움될 수

■ **type 1 DM 환자** (intensive insulin therapy 중)
- insulin으로 다양한 음식 섭취를 cover 가능하므로 type 2에 비해 MNT는 flexible함, 가능한 일정 시간에 섭취
- 탄수화물 계산법(carbohydrate counting) : 탄수화물 위주로 영양을 관리하는 방법
  ; insulin-to-carbohydrate ratio로 식사/간식 전 insulin 용량 조절 → 환자가 식사계획 및 혈당관리 쉬움
- 소아 환자는 DM control 외에 성장과 발달도 고려해 적절한 영양을 공급
  ⇨ ~생후 1년 : 1000 kcal
  2~10세 : 1000 + 100×age kcal (예; 5살 → 1500 kcal, 10살 → 2000 kcal)
  11~15세 : 2000 + [남]200×age kcal (예; 15살 → 3000 kcal)
  [여]50~100×age kcal (예; 15살 → 2250~2500 kcal)

2. 운동요법

(1) 운동의 효과
① 혈당 감소 (∵ insulin sensitivity 증가)   ② 혈압 강하 효과
③ 지질대사 개선 (HDL↑, VLDL-TG↓) → 동맥경화 (심혈관질환)↓
④ 지방 및 체중 감소   ⑤ 근육 mass 증가 (→ glucose distribution)
⑥ 심폐기능 향상, 체력과 적응성 향상, 삶의 질 향상, stress 감소, 우울증 예방

(2) 운동의 방법
• 운동시간 : 하루에 30~60분 (1주일에 총 150분 이상 권장)
• 운동횟수 : 가능하면 매일, 최소한 주 3회 이상
  - 이틀 이상 쉬면 안됨 (∵ 1회 유산소 운동의 insulin 감수성 개선 효과는 24~72시간 지속됨)
• 시작 전후 5분에 각각 준비운동과 마무리운동을 포함하여야 함
• 알맞은 운동 강도 ⋯ 중강도(moderate) 운동 : 최대 심박수(HR$_{max}$)의 64~74%
  - 최대 심박수(HR$_{max}$) (회/분) = 220 - 나이
  - 운동시 목표 HR = (최대 HR - 안정시 HR)×운동강도 + 안정시 HR
• **유산소 운동**이 좋음 (예; 빨리걷기, 계단오르기, 조깅, 수영, 자전거)
• <u>금기</u>가 없는 한 **저항성(근력) 운동**도 주 2회 이상 권장 (유산소 운동와 비슷하게 insulin 감수성 개선)
  ↳ moderate~severe proliferative retinopathy, severe CAD 등

운동 전 운동부하검사(exercise stress test)가 필요한 경우
1. 35세 이상
2. 유병기간 : type 1 DM >15년, type 2 DM >10년
3. Microvascular Cx 존재 ; retinopathy, albuminuria, nephropathy
4. CAD의 다른 위험인자 존재
5. 말초혈관질환(PAD)
6. Autonomic neuropathy

- 중간 강도의 유산소 운동(e.g., 걷기)을 할 때에는 일반적으로 필요 없음
- 심혈관질환 위험이 높은 환자에서 고강도의 유산소 운동을 원하는 경우 필요

(3) type 1 DM 및 insulin 치료중인 type 2 DM
• insulin level이 낮은 경우 운동을 하면 catecholamines 증가에 의해 혈당이 상승되어
  ketone body 합성 촉진 (→ DKA 발생 위험)
• insulin 치료중 환자가 예정에 없는 운동을 하면 insulin 과잉에 의해 <u>hypoglycemia</u> 발생 위험
  (∵ 정상인 : 운동시 insulin 분비 감소)
• 식후에 운동 실시 권장, 운동전후 & 운동중 혈당 측정, 운동 종류에 따른 혈당 반응 차이 학습

- hypoglycemia 예방위해 운동전 탄수화물 섭취, 과도한 운동시 운동 후 24시간까지 음식 섭취량↑
- 혈당이 250 mg/dL 이상이고 ketone (+)면 운동을 연기
- 혈당이 100 mg/dL 미만이면 운동전 탄수화물 섭취
- 운동전후에는 insulin 투여량 감량
- 운동하지 않는 부위에 insulin 주사 (∵ 주사 부위 운동시 insulin 흡수↑)

(4) type 2 DM
- 가장 중요한 혈당 관리 방법임, 체중 감소 여부와 관계없이 치료에 도움
- 운동중 or 운동 후 근육의 glucose 이용↑(→ 당대사 개선), 운동 후 insulin 감수성 증가
  → 혈당조절 향상, impaired glucose tolerance의 overt DM으로의 진행 지연
- 주 이점은 cardiovascular risk의 감소
- insulin 주사를 맞지 않고 심한 신경/혈관 합병증이 없는 환자는 정상인처럼 운동하면 됨
  (운동에 의한 hypoglycemia 발생 위험은 type 1 DM보다 적음)

(5) 주의할 점
- insulin or insulin 분비촉진제 치료중인 환자에서 공복 or 식사 전 hypoglycemia 발생 위험
- ketoacidosis 존재시 고강도 운동은 금기
  (ketoacidosis 없고 전신상태가 양호하면 고혈당이라도 운동의 금기는 아님)
- proliferative retinopathy[PDR], severe NPDR 존재시 망막 출혈/박리 위험으로 고강도 유산소 운동
  (e.g., 뛰기, 점프) 및 저항성 운동 금기
- protective sensation이 감소된 환자는 체중부하가 없는 고정식 자전거, 수영, 팔운동 등이 좋음
  (빨리걷기, 조깅, 계단오르기 등은 상처 발생 위험 있으므로 주의)
- autonomic neutropathy ; 심장반응↓, 저혈압 등 다양한 Cx 위험 → 심장에 대한 정밀검사 필요

3. Insulin

(1) insulin의 종류

약동학에 따른 분류	Preparation	작용시작(onset)	최고작용(peak)	작용지속시간
초속효성(rapid-acting)	Lispro, Aspart, Glulisine	5~15분	40~80분	2~4시간
속효성(short-acting)	Regular insulin (RI)* Inhaled human insulin	30~60분 30~60분	2~3시간 2~3시간	3~6시간 3시간
중간형 (intermediate-acting)	NPH (neutral protamine Hagedorn)*	1~3시간	4~10시간	10~16시간 (대개 ~12시간)
지속형(long-acting)	Glargine, Detemir	1.5~2시간	일정하게 지속	12~24시간
Ultra long-acting	Degludec	1.5~2시간	일정하게 지속	42시간
	Glargine U300	6시간	일정하게 지속	36시간

* Human insulin : recombinant DNA technology로 제조, native insulin의 AA 서열과 동일함
  나머지는 모두 insulin analog (유사체)임 : 일부 AA를 바꾸어 약동학 특성에 변화를 준 것

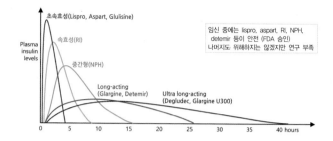

- 과거에는 속효성+중간형 insulin (RI, NPH)을 주로 사용했으나, insulin analog의 발전에 따라
  현재는 지속형+초속효성의 다회요법 집중치료가 주로 사용됨 (∵ 혈당개선 향상, 저혈당 감소)
- 초속효성 : lispro (Humalog®), aspart (Novolog®, Novorapid®), glulisine (Apidra®) 등
  ; 주사 후 작용시작 및 peak 도달 시간 빠르고, 지속시간 짧음 → 식후 혈당 조절에 유리
  (식사 직전/직후에 주사 가능, 생리적인 식후 insulin 작용과 유사), 저혈당↓ → RI보다 선호됨
- 지속형 insulin analogs → 다회 insulin 요법에서 basal insulin 공급 목적으로 유리
  − 장시간에 걸쳐 서서히 흡수되므로 혈중 peak 거의 없이 일정한 농도를 유지함
- glargine (Lantus®): A chain 21번째 asparagine을 glycine으로 치환하고 B chain 말단에 arginine
  2개 추가한 것, 피하주사 후 결합체(hexamer) 형태로 조직에 침착되어 있다가 서서히 분리됨
  − NPH insulin 대비 저혈당(특히 야간) 발생 감소 (체중증가의 부작용도 적음)
  − glargine 300 (Toujeo®) : glargine의 3배 고농축 insulin (300 U/mL), 반감기 & 작용시간↑
- detemir (Levemir®) : fatty acid side chain을 추가한 것 → 흡수 뒤 혈중 albumin에 결합
  → 흡수/분해 지연 (6~8시간에 약간의 peak이 있고, 작용 지속시간은 glargine보다 약간 짧음)
  − 중성 & 수용성으로 결정체를 만들지 않아 작용에 개인차나 시간차가 매우 적음
  − glargine과 혈당개선 및 저혈당 감소 효과 비슷함
- degludec (Tresiba®) : glargine + detemir의 약동학 형태를 보임, multi-hexamer 형태로 조직에
  침착되어 있다가 서서히 분리되고 흡수 뒤에는 혈중 albumin에 결합함
  − 지속시간이 매우 길어 (용량으로 조절 가능) 일중 투여 시간이 더 자유로움
  − glargine과 혈당개선 효과는 비슷하지만, 저혈당(특히 야간) 발생은 더 적음
- 지속형 insulin analogs는 다른 insulin 제제(e.g., 초속효성)와 섞으면 안 됨! (NPH는 가능)
- insulin 제제들을 섞을 때는 주사 직전에 혼합 (mix 후 2분 이내에 주사)
- 혼합형(fixed-ratio pre-mixed) insulin 제제 ; type 1 DM에는 권장 안 되고, insulin이 필요한
  type 2 DM 일부에서 고려 가능, 간편한 장점이 있지만 개별 용량 조절은 불가능한 단점
- inhaled insulin ; 초속효성으로, 주사를 꺼려하는 환자에서 고려 가능하지만 많이 쓰이지는 않음
  − 흡수율이 낮기 때문에 치료 효과를 얻기 위해서는 많은 용량이 필요함
  − 기침, 기관지수축 유발 가능 → 사용 전 반드시 FEV_1 검사 / 폐질환, 흡연자는 금기

(2) 투여방법

A. conventional insulin therapy

1) 기저(basal) 인슐린요법 (single injection) … 처음 insulin을 시작하는 type 2 DM에서 고려
   - 아침식전 or 취침전에 basal insulin 피하주사 : 중간형 or 지속형(좀 더 좋지만 비쌈)
   - 0.2~0.4 U/kg/day로 시작, SMBG 결과에 따라 10% 정도씩 용량 조절
   - 정상 insulin 분비 양상과 매우 다름 → 환자가 적정량의 insulin을 분비할 수 있을 때만 사용
   - 대개 metformin 등의 경구혈당강하제와 병합치료

2) 1일 2회 인슐린요법
   - 기저인슐린 + 경구혈당강하제 병합요법으로도 혈당조절이 안되거나 식후 고혈당 발생시 고려
   - <u>basal-plus 요법</u> : 기저인슐린은 유지하면서 식사인슐린을 1회 추가
     - 식사량이 가장 많은 때 초속효성 insulin을 추가 (TDD의 10% 이하 or 4 U로 시작)
     - 목표혈당에 도달할 때까지 단계적으로 식사인슐린 주사 횟수를 늘리면서 다회인슐린요법
       자연스럽게 이행되도록 유도 가능
   - pre-mixed insulin 2회 요법 : 중간형:(초)속효성이 대개 7:3 or 5:5 고정비율로 혼합된 제품
     - 아침식전:저녁식전 = 2:1 or 1:1로 나누어 투여
     - 유연성이 부족해 type 1 DM에는 권장 안되고, 규칙적인 생활을 잘 지키는 type 2 DM
       환자에서 유용 (특히 아침과 저녁을 많이 먹고, 점심은 적게 먹는 경우)
     - basal-plus or premixed insulin 2회 요법으로 혈당조절이 안되면 집중인슐린요법으로 전환
   - 혼합분할요법(mixed split method) : 기저 + 식사 인슐린 … 과거의 전통적 방법

	total daily dose (TDD)	NPH:속효성(초속효성)	
아침식전	2	2:1	중간형(NPH)에 속효성 或 초속효성을 혼합
저녁식전	1	1:1	- type 1 DM에서는 초속효성이 더 효과적 - type 2 DM에서는 효과 별 차이 없음

     - 유연성이 부족해 식사나 활동에 양상에 따라 저혈당 或 고혈당 발생 가능
     - <u>아침 식전 고혈당이 심하면 저녁 식전의 중간형/지속형 insulin을 취침 전에 투여</u>
       (∵ 저녁 식전 insulin을 증량하면 Somogyi phenomenon 유발 위험)
     - 일부 type 2 DM에서는 유용하지만, type 1 DM의 대부분은 이 방법으로 혈당조절 어려움

Insulin 용량 조절의 기준 (근거)

1. **아침 공복혈당**은 주로 전날 저녁에 투여한 중간형/지속형 insulin의 영향을 받음
2. **점심 전 혈당**은 아침에 투여한 속효성/초속효성 insulin의 영향을 받음
3. **저녁 전 혈당**은 아침에 투여한 중간형/지속형 insulin의 영향을 받음
4. **야간 취침시 혈당**은 저녁에 투여한 속효성/초속효성 insulin의 영향을 받음

B. intensive insulin therapy (집중인슐린요법)

- 정상인의 생리적 insulin 분비와 유사하게 insulin을 주입시키는 방법
- type 1 DM 환자는 우선적으로 권장 (type 2 DM 환자는 다른 방법으로 혈당조절이 안될 때)

1) <u>multiple daily injections (MDI, 다회인슐린요법)</u>
   - type 1 DM 환자의 하루 총 insulin 필요량(total daily dose^{TDD})은 0.3~1.0 U/kg/day
     - basal^{기저} insulin (중간형/지속형) 40~50% ; 하루 1~2회 투여
     - prandial^{식사} insulin (속효성/초속효성) 50~60%로 나누어 투여

예	아침식전	점심직전	저녁식전	취침전	
	RA, NPH	RA	RA	NPH	RA: rapid-acting insulin
	RA, G/D	RA	RA, G/D		
	RA	RA	RA	G/D/De	G: glargine
	RA, G/D/De	RA	RA		D: detemir
					De: degludec

- type 1 DM은 지속형 + 초속효성^{RA} insulin 사용이 권장됨 (∵ 혈당개선 향상, 저혈당 감소)
- 식사 RA insulin 용량은 식사의 양/질에 따라 스스로 조절할 수 있도록 교육
  - 보통 insulin-to-carbohydrate ratio (대개 탄수화물 10~15 g당 1 U insulin) +
    correction factor (혈당 20~50 mg/dL 낮추기 위해 1 U) 식사 10~15분전 or 직후에 주사
  - but, 환자의 특성, 식사/활동에 개별화되어야 됨

2) continuous subcutaneous insulin injection (CSII, 연속피하인슐린주사, 인슐린펌프)
- 주로 복부 피하지방층을 통해, 펌프가 자동으로 insulin 주입 (초속효성 insulin 사용)
- TDD의 약 50%는 basal rate로 지속적 주입, 나머지는 식전에 환자가 계산하여 bolus로 줌
- type 1 DM, GDM, 신장이식을 받은 DM 환자 등에서 매우 효과적
- 장점 ; 혈당 조절 더 잘 되고, 몸 상태가 좋아지는 느낌, 식사/운동의 변화에 쉽게 대처 가능
  - basal insulin rate를 일시적으로 조절 가능 (e.g., 운동시 insulin 주입량↓)
  - 고단백/고지방식(탄수화물보다 늦게 혈당↑) or gastroparesis시 extended or dual-wave bolus
- 단점 (비싸고, 환자의 이해 및 전문 의료진의 철저한 관리 필요)
  - infusion site의 염증, 감염
  - 장비가 막히거나 고장나면 hyperglycemia or DKA 발생 (∵ 초속효성 반감기 매우 짧음)
  - 장비 관리 및 잦은 SMBG 필요로 시각장애자나 advanced retinopathy 환자에서는 부적합
- 고령, 신경계/뇌혈관계 합병증, DM 합병증, 기타 전신질환으로 여명이 짧은 경우에는 부적합
- 인공췌장(artificial pancreas) : 센서(CGM)와 프로그램을 통해 insulin 주입이 조절되는 CSII

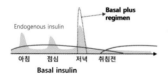

Basal insulin

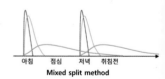

Mixed split method

초속효성, 속효성(RI), 중간형(NPH), 지속형

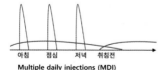

Multiple daily injections (MDI)

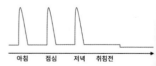

Continuous subcutaneous insulin injection (CS

(3) 부작용

1) Hypoglycemia (m/c) → 다음 장 저혈당 편 참조

2) Somogyi phenomenon (nocturnal hypoglycemia) ★
- 원인 : insulin 용량 과다 → 새벽 2~3시경 "hypoglycemia" 발생
  → counter-regulatory hormone↑ → 아침에 "rebound" hyperglycemia
- 증상이 없더라도 짧은 시간동안 혈당의 변화가 클 때 의심
- 드물, type 1 DM에서 더 흔히 발생 (성인에선 드물고, 소아에서 더 흔함)
- Tx : insulin 용량 **감량** (특히 저녁에 투여하는 insulin), 야식 섭취, 지속형 insulin 사용

3) 새벽현상(Dawn phenomenon) ★
- 원인 : nocturnal GH surge에 의한 insulin 길항효과 → <u>아침에 hyperglycemia</u> 발생
- 흔하다, type 1 DM의 75%에서 발생 (type 2 DM이나 정상인에서도 발생할 수 있음)
- Tx : insulin 용량 **증량** (or 저녁식전 투여했었다면 취침전으로 변경 또는 분할)

* D/Dx (Dawn ↔ Somogyi) : 새벽 3시의 혈당 측정
  - 감소 → Somogyi phenomenon
  - 증가 → Dawn phenomenon

	Blood glucose (mg/dL)			Free insulin (μU/mL)		
	pm 10:00	am 3:00	am 7:00	pm 10:00	am 3:00	am 7:00
Somogyi effect	90	40	200	high	slightly high	normal
Dawn phenomenon	110	110	150	normal	normal	normal
Insulin 용량부족 + Dawn phenomenon	110	190	220	normal	low	low
Insulin 용량부족 + Dawn phenomenon + Somogyi effect	110	40	380	high	normal	low

4) 체중증가 (저혈당과 함께 m/c 부작용)
- 기저 혈당이 높거나, 집중인슐린요법(철저한 혈당조절)시 호발
- type 2 DM에서는 insulin resistance를 증가시켜 더 많은 insulin 필요, DM Cx↑
- 에너지(열량) 섭취제한 및 운동으로 체중증가를 방지해야 됨

5) Insulin edema
- 혈당조절이 불량한 환자에서 severe hyperglycemia를 빨리 교정하면 edema 발생
- 특히 얼굴, 손발에서 현저 (심하면 전신부종, CHF도 발생 가능)
- 원인 : 장기간 삼투압성 이뇨 상태에서 투여한 insulin에 의해 fluid & Na retention 때문
- insulin을 감량하면 대부분 수일 이내에 호전됨 (심한 경우 이뇨제 사용)

6) Insulin allergy
- immediate-type hypersensitivity (type I), anti-insulin IgE Ab. 때문
- 최근에는 고순도 human insulin or insulin analog를 주로 사용하므로 매우 드뭄

(4) 기타 : GLP-1 agonists + basal insulin^{지속형} 병합요법 (상호보완적, insulin에 의한 체중증가↓)

4. 경구혈당강하제(oral hypoglycemic agents, OHA)

① 인슐린 작용증진제 (insulin sensitizer)

Biguanides **metformin** ⋯ **type 2 DM 경구혈당강하제의 1차 선택약!**

(1) 작용기전

① 간의 gluconeogenesis 억제 (∵ 간에서 glucagon의 작용을 억제) - 주작용

② 말초조직의 insulin sensitivity 약간 증가 (→ glucose uptake↑)

③ 위장관에서 glucose 흡수 감소

(2) 장점/효과

① 약간의 체중감소(1~3 kg) : 식욕감소 효과 때문 → 비만형 type 2 DM의 치료에 특히 좋다!

② 췌장에서 insulin 분비를 증가시키지는 않음 (→ 혈중 insulin level↓)

③ 혈당강하는 sulfonylurea 만큼 효과적 : 단독 투여시 공복혈당 60~70↓, HbA$_{1C}$ 1~2%↓

④ lipid profile 개선 효과 (HDL↑, LDL↓, TG↓)

⑤ 치료 용량에서는 hypoglycemia 안 일어남! (∵ insulin 분비를 자극×)

(3) 부작용

① GI Sx. (m/c) : 일시적 (→ 용량을 서서히 증가시키면 방지 가능)

　• anorexia, N/V, abdominal discomfort, diarrhea, metallic taste

　• 작용이 느리고 GI Cx 때문에 저용량으로 시작하고 1~3주마다 SMBG에 따라 서서히 증량

② vitamin B$_{12}$ 결핍 : 흡수 ~30% 감소, serum level 5~10% 감소 (MA는 거의 안 일으킴)

③ lactic acidosis : 매우 드물지만 치명적

　• metformin보다 phenformin에서 흔하다 (→ phenformin은 사용 중단)

　• 유발인자 ; 신기능저하, hypoperfusion, hypoxia, sepsis, alcoholism, 심한 간질환 ⇨ 사용 금기

(4) 금기　　　　　　　　　　　　　　　　　　　　　↗ sCr >1.5 (여자는 1.4) mg/dL 정도에 해당

① 신기능 저하 : eGFR <30 mL/min시 금기 (30~45은 주의하여 사용 가능, 새로 시작은 권장×)

　* 요오드 조영제 사용 : eGFR 30 이상이고 다른 신손상 없으면 비교적 안전하게 사용 가능

　　(GFR <60이면 검사시 metformin 중지, 검사 2일 뒤 신기능이 나빠지지 않았으면 다시 사용)

② 간질환(active or progressive), 알코올중독

③ 심폐질환(e.g., HF), 중증 감염, sepsis 등 (∵ hypoperfusion 가능 → lactic acidosis 위험)

④ acidosis, severe hypoxia

⑤ 과거 metformin에 의한 lactic acidosis 병력

Thiazolidinedione (TZD) (~glitazone) **rosiglitazone, pioglitazone, lobeglitazone**

• 작용기전 (PPAR-γ receptor agonist) : 지방조직, 근육, 간 등에서 insulin sensitivity를 증가시킴

　- PPAR-γ receptor : 지방세포에 가장 많이 존재하지만, 다른 여러 조직에도 소량 존재

　- 세포핵 내 PPAR-γ [peroxisome proliferator-activated receptor]와 결합한 후 transcriptional factor로 작용하여 insulin에 반응하는 여러 종류의 단백질을 합성하도록 자극 : insulin의 작용을 증가시킴

　　→ insulin resistance를 감소시키고(→ 혈중 insulin level↓), 혈당을 낮춤

　- 지방세포의 분화↑, 간의 지방 축적↓, fatty acid 저장↑, 중심에서 말초로 fat redistribution

- 장점 ; insulin resistance 개선, NAFLD 개선, hypoglycemia를 안 일으킴
  - 대변으로 배설되므로 CKD 환자에서도 용량조절 없이 사용 가능
- hyperinsulinemia를 동반한 비만한 type 2 DM 환자에서 효과적, 저혈당이 없어 노인에서 유용
- lipid profile에의 영향
  - rosiglitazone : LDL↑, HDL↑, TG 약간↑/↓ … CVD 발생↑(논란) → CVD 위험군은 주의
  - pioglitazone, lobeglitazone : HDL↑, <u>TG↓</u> (LDL 영향×) → CVD 예방효과 있음!

- 부작용 ; <u>체중증가</u>(2~3 kg), 혈장량↑(→ Hct↓), <u>CHF</u> & <u>edema</u> (insulin과 병용시 발생↑), ↗ 병용 권장×
  BMD↓, 폐경여성에서 골절↑, PCOS 있는 여성에서 배란 유도, diabetic macular edema 악화,
  간 손상 (드물지만, 정기적인 LFT F/U 권장), 방광암(pioglitazone)
- 금기 ; <u>심부전</u>(HF, 증상有 or class Ⅲ~Ⅳ), 활성 간질환, 임신, 골절/골절고위험군, type 1 DM

② 인슐린 분비촉진제 (insulin secretagogues)

Sulfonylureas   glipizide, gliclazide, glimepiride

(1) 작용기전
  ① 췌장 β-cell의 <u>ATP-sensitive K$^+$ channel</u>에 작용 insulin 분비를 증가시킴 (주작용) [acute]
  ② 췌장 외 작용 (별로 안 중요함) [chronic] ; 간의 gluconeogenesis 억제,
     말초조직의 insulin sensitivity 증가 (→ 당 이용 증가), insulin receptor 수 증가 등

(2) 적용
  ① insulin 분비 능력이 남아 있는 발병 5년 이내의 type 2 DM 환자에서 효과적
     ; metformin이 금기인 경우, hyperglycemia 심한 경우(공복혈당 >250, HbA$_{1C}$ >9.5% 등)
  ② MODY

  * 대부분의 type 2 DM 환자가 sulfonylurea에 반응하지만 10~20%는 1차 실패 (처음부터 반응×),
    매년 5~10%는 2차 실패를 보임 (∵ progressive β-cell failure)

(3) 금기
  ① type 1 DM, pancreatic DM, malnutrition-related DM
  ② sulfonylurea에 allergy 또는 부작용이 있는 경우
       c.f.) sulfonamide (항생제) allergy 환자에게는 대부분 안전하게 사용 가능
  ③ 임신 or 수유 중 (∵ 태반을 통과하고, 모유로 분비됨 → 태아에서 hypoglycemia 발생 가능)
  ④ 심한 간기능/신기능장애 (2세대 중 glipizide와 gliclazide CKD에서도 용량조절 없이 사용 가능!)
  ⑤ 당뇨병의 급성 합병증 ; DKA, HHS
  ⑥ 심한 감염, 수술, 외상, stress 등으로 insulin 치료가 필요한 경우

(4) 부작용
  ① <u>hypoglycemia</u>
     • 작용시간이 길거나 active metabolites 생성 약제일수록 흔함 ; 1세대와 glibenclamide
     • 발생 위험인자 ; CKD, 고령, 식사지연, 신체활동 증가, 음주, 위장관/간/신장/심장 질환
     • insulin 치료 때보다는 드물지만, 일단 발생하면 더욱 심각하고 오래 지속됨
  ② <u>체중증가</u> : hyperinsulinemia 등 때문 (현재 사용하는 2세대는 체중증가 매우 적음)

③ 약물상호작용

- aspirin, warfarin, ketoconazole, fluconazole, α-glucosidase inhibitors, phenylbutazone 등은 sulfonylurea의 농도를 증가시킴
- alcohol과 병용시 disulfiram-like reaction (e.g., 홍조, 열감, 어지러움, 빈맥) 발생 위험

(5) 약제종류

		Dose (mg/d)	Doses/Day	작용시간(hr)
1세대	Chlorpropamide	100~500	1	26~60
	Tolazamide	100~1000	1~2	12~24
	Tolbutamide	500~2000	2~3	6~12
2세대	Glyburide (Glibenclamide)	2.5~10	1	20~24
	Glipizide	2.5~40	1~2	14~16
	Gliclazide	40~320	1~2	16~24
	Glimepiride	1~8	1	24

- 1세대는 저혈당 발생 위험이 높고, 약물상호작용도 훨씬 더 흔하므로 현재는 사용 안됨
- 2세대 중 glipizide, gliclazide, glimepiride(우리나라 m/c) 등이 저혈당 발생 위험이 낮아 현재 주로 사용됨
- c.f.) chlorpropamide : antidiuretic effect (AVP의 분비와 작용↑) → DI의 치료에 사용됨

Non-Sulfonylureas (Meglitinide, ~glinide) repaglinide, nateglinide, mitiglinide

- 작용기전 ; sulfonylurea와 구조는 다르지만, 같은 기전으로 β-cell의 insulin 분비를 증가시킴
  (nateglinide는 sulfonylurea receptor에 결합, repa-/mitiglinide는 다른 receptor에 결합)
- 장점 ; 흡수가 매우 빨라 약효가 매우 빨리 나타나고, 반감기 짧음 → 식후 혈당 개선에 효과적
  - 매 식사 직전에 복용, 식사습관이 불규칙한 환자에서 유용
  - 대사물이 주로 대변으로 배설됨 → CKD 환자에서 안전 : eGFR 15 mL/min까지는 용량 조절×
    (eGFR <15 mL/min시 nateglinide는 금지, repa-/mitiglinide는 주의)
- 부작용 ; hypoglycemia (sulfonylurea보다는 덜 위험), 체중증가
- 금기/주의 ; type 1 DM, 임신/수유부, 간질환 (∵ 주로 간에서 대사됨), 약제 allergy

---

③ **α-glucosidase inhibitors** ; acarbose, miglitol, voglibose

- 작용기전 ; α-glucosidase를 억제하여 장에서 glucose의 소화 & 흡수 억제
  (∵ 소장 상부에서 다당류/이당류를 단당류로 분해하여 탄수화물의 흡수를 촉진)
  → 소장 상부에서 흡수되던 단당류가 소장 전체에 걸쳐서 천천히 흡수됨
  ┌ 식후 혈당 상승 억제 (type 1 DM에도!)
  └ 식후 insulin 분비 반응 감소 ⋯→ 단독 투여시 hypoglycemia는 거의 안 일으킴
- 장점 ; 공복혈당은 높지 않지만 식후 고혈당(postprandial hyperglycemia)이 심한 환자에서 유용
  - 매 식사시 식사와 함께 복용, 식사습관이 불규칙한 환자에서 유용
  - 탄수화물 섭취가 많은 경우 더 효과적(e.g., 우리나라)
  - 혈액으로는 거의 흡수되지 않으므로 전신적인 부작용은 드묾, CVD 감소 효과도 있음
- but, 다른 경구혈당강하제보다 HbA1c 감소 효과는 적음 (0.5~0.8%↓)
- 부작용 ; 흡수장애(→ flatulence^복부팽만감, borborygmi^복명, 설사, 방귀), 간기능 이상
- 금기 ; 만성 장질환(e.g., IBD, gastroparesis), 신장질환(sCr >2.0, GFR <30), LC, 임신/수유

- 약물상호작용
  - sulfonylurea의 농도를 증가시켜 hypoglycemia의 빈도를 증가시킴
  - bile acid resin, 제산제 등과는 함께 사용 금기

4 SGLT2 inhibitors (~gliflozin) ; canagliflozin, dapagliflozin, empagliflozin, ertu-, ipra-

- 작용기전 ; 근위신세뇨관의 SGLT2 (sodium-glucose co-transporter 2) 억제 → glucose 재흡수 ↓
  → 소변으로 glucose 배출 증가 (insulin과 관련 없이 혈당 감소 효과를 보임)
    ↳ glucose 배출로 인한 에너지 소실 → 체중감소 효과
  - 근위세뇨관에서 Na^+ 재흡수도 억제되므로 → diuretic effect → 수축기혈압 3~6 mmHg 감소
- CVD 예방효과 有 ; CVD 발생/사망률, HF 입원율, 전체 사망률 감소 → CVD 고위험군에 유용
- 적응 ; type 2 DM의 2차 약제로서 심혈관질환 동반/고위험 환자, 3차 약제로서 저혈당 위험이
  크거나 체중증가를 피해야 하는 환자에서 고려
- 금기 ; type 1 DM, insulin 결핍된 pancreatogenic DM (췌장 외분비 질환/손상, type 3c DM)
- 부작용 ; 요로/생식기 감염 ↑ (e.g., candidiasis 2~4배↑), 저혈압(노인, 이뇨제 병용시 주의)
  - euglycemic DKA : 혈당이 낮아 (보통 <250 mg/dL) DKA 진단이 지연될 수 있으므로 주의
    (∵ α-cell의 SGLT2 억제 → glucagon↑ → 간에서 glucose & ketone 생산↑)
  - leg & foot amputation, bone fracture (bone density↓) ; 특히 canagliflozin에서 위험
- 신독성이나 AKI를 유발하지는 않지만, 신기능이 저하될수록 혈당강하 (소변으로 glucose 배출)
  효과가 낮아짐 → eGFR <45 mL/min면 주의, <30 mL/min 사용 금지 권장
- 신장보호효과 有 ; CKD (albuminuria & eGFR 30~90 mL/min) 환자에서 nephropathy 진행 예방
  → albuminuria 악화 방지 및 투석, 신이식, 신질환으로 인한 사망 등의 감소 효과!

5 DPP-4 inhibitors (~gliptin) alogliptin, gemigliptin, lina-, saxa-, sita-, teneli-, vilda-

> GLP-1 (glucagon-like peptide-1) : 가장 강력한 incretin으로, 식사 후 glucose에 의한 insulin 분비 촉진
> (→ 혈당 농도에 비례하므로 저혈당 발생 적음) / 고혈당에서는 glucagon 분비 억제 (저혈당시에는 분비 촉진)
>   - type 2 DM 환자에서 분비가 감소되어 있음 (반응은 보존), 반감기가 1~2분으로 짧아 직접 약제로 개발 어려움
>   - DPP-4 (dipeptidyl peptidase-4) : GLP-1, GIP 등을 분해하는 효소
>   ↳ 내피세포와 일부 림프구 표면 등에 널리 분포함

- DPP-4 inhibitors (incretin 효과 증강제) ⇨ GLP-1 level↑ → 식사 후 insulin↑, glucagon↓ 등
  - 혈당에 비례해 작용하므로 단독으로는 hypoglycemia 거의 발생 안하고, 체중증가의 부작용 없음!
  - 식사와 무관하게 투여 가능, 하루 1회 복용 가능! (alogliptin과 vildagliptin은 1일 2회)
- HbA_{1C} 감소 효과는 적음 (0.5~0.8%↓)
- type 2 DM 환자에서 metformin 및 다른 경구혈당강하제를 사용 못하는 경우, 단독 or 병합요법
  으로 사용 (아직 장기적인 효과 및 안전성에 관한 연구는 부족한 편임)
- 부작용 (매우 적음) ; 면역기능에 영향(→ URI 위험 약간↑), 췌장염(불확실하지만, 주의 필요)
  - CVD 영향은 특별히 없지만, 일부 연구에서 HF에 의한 입원↑ 위험(e.g., saxagliptin, alogliptin)
  - high-risk HF 환자에서 DPP-4 inhibitors 사용에 주의
- gemigliptin, linagliptin, teneligliptin은 CKD (eGFR <15) 환자에서 용량 조절 없이 사용 가능
  (다른 DPP-4 inhibitors들도 용량 감량해서 사용 가능)

5. 주사제(parenteral agents)

[1] **Incretin mimetics (GLP-1 agonists)** exenatide, liraglutide, dulaglutide, semaglutide ...

- GLP-1 (glucagon-like peptide-1) receptor agonist (RA)의 작용 기전
  ① 식사 후 <u>glucose에 의한 insulin 분비 촉진</u> & glucagon 분비 억제 → 혈당 감소
    ; <u>혈당이 높을 때만 작용</u> → 단독으로는 hypoglycemia 거의 발생 안함!
  ② CNS에 작용해 공복감 감소 & 포만감 유도(→ 음식 섭취↓), <u>위 배출 지연</u> → **체중감소!**
  ③ β-cells 기능 보존/향상 효과, β-cells 재생 촉진 작용도 있음
- GLP-1의 구조를 변형하여 DPP-4에 저항성을 가짐 → 작용 시간↑, 1일 1~2회 주사
  ┌ short-acting ; exenatide, lixisenatide → 1일 2회 주사, 주로 식후 혈당 감소
  └ long-acting ; liraglutide, dulaglutide, semaglutide, albiglutide → <u>1일 1회</u>, 식후 & 공복 혈당↓
    ↳ <u>CVD 예방효과 有</u> (CVD 발생/사망률, 전체 사망률 감소 → CVD 고위험군에 권장)
    (c.f., 장기 지속형 exenatide OW도 있음 [1주 2회 주사] / albiglutide는 현재 시판×)
- 적응 ; type 2 DM에서 혈당조절 실패시 경구약제(e.g., metformin) or insulin과 병합요법 고려
  (특히 hypoglycemia 예방이 중요하거나 체중감소 필요시 and/or 주사제에 거부감이 없을 때)
- 부작용 ; <u>N/V/D</u> (m/c), 경구 약제의 흡수에 영향, 주사부위 반응, 췌장염(불확실하지만, 주의 필요)
- 금기 ; ESRD (∵ GI 부작용↑), GI motility를 크게 감소시키는 질환/약물
  – exenatide, lixisenatide : eGFR <30시 금기 (나머지 약제는 안전한 편)
  – liraglutide, semaglutide, exenatide OW : 동물실험에서 thyroid C-cell tumors 발생 증가
    (but, 사람에서는 아직 불확실함) → MTC 및 MEN 가족력/과거력시에는 권장×
- oral semaglutide (Rybelsus®) ; 1일 1회 경구 복용, FDA 허가[2019년] 첫 oral GLP-1 RA
- efpeglenatide ; 한미약품 개발 Sanofi에 수출, ultra long-acting (1회/주) 주사제, 임상시험 중

[2] **Amylin agonist/analogue** pramlintide (Symlin®)

- amylin ; β-cells에서 insulin과 함께 분비됨 (insulin이 결핍된 DM 환자에서 같이 결핍되어 있음)
- 식사 직전에 주사 (insulin과 같이 투여×) → 위 배출 지연, glucagon 분비 억제, 포만감 유도
- 식전 insulin 치료 중인 type 1 & 2 DM 환자에 사용 허가 (but, 아직 임상적 유용성은 불확실)
  → insulin과 병용시 식후 혈당강하 효과↑ → insulin 요구량↓
- 부작용 ; 경미한 N/V (위 배출 지연 작용이 있으므로 다른 위장관운동억제제와 병용하면 안 됨)
- glucagon 분비를 억제하므로 severe hypoglycemia or hypoglycemia unawareness 환자에는 금기

6. 기타 or 새로운 치료법

- whole pancreas transplantation (대개 신장과 함께 시행) : ESRD를 동반한 type 1 DM에서 유용
- pancreatic islet transplantation : 연구 중
- 비만수술(bariatric surgery, metabolic surgery) : DM을 상당히 많이 호전 가능
  – BMI ≥30 kg/m² (2단계 비만) 환자가 비수술적치료로 혈당조절 실패시 비만수술 고려
  – BMI ≥35 kg/m² (3단계 비만) 환자는 혈당조절과 체중감량을 위해 비만수술 가능

7. 당뇨병 치료의 decision making

(1) DM의 치료 목표

- 고혈당과 관련된 증상을 호전시킴 / 환자가 정상적인 사회생활을 할 수 있도록 함
- 미세혈관/심혈관 합병증을 예방하거나 최소한 그 진행을 늦춤
- 혈당, 혈압, 이상지질혈증, 심혈관계 위험인자, 동반 질환 등의 관리

(2) type 2 DM 치료의 알고리즘 ★

- **생활습관개선(MNT, 운동) + 1차약제(금기가 없으면 metformin)로 치료 시작**
  - metformin을 처음부터 사용하는 이유 ; 생활습관개선만으로는 혈당 목표 달성 및 유지 어려움,
    혈당강하 효과가 뛰어나면서 경도의 체중감소 및 lipid profile 개선 효과도 있음,
    대부분 비만 (서양), 금기/부작용 적고 저렴함, 약물치료를 빨리 시작하면 혈당조절 더 잘 됨
  - metformin의 금기인 경우 환자의 특성에 따라 다른 약제도 선택 가능
    e.g.) clinical ASCVD or high CV risk → GLP-1 agonist (RA) or SGLT2 inhibitor
    SGLT2i는 신장보호과도 있음 (mild~moderate [eGFR ≥30 mg/dL] CKD 환자에서 고려)
  - HbA1c ≥7.5%면 처음부터 2제 병합요법, ≥9%면 insulin or GLP-1 RA 고려

  ⬇ 3~6개월 뒤 혈당조절 평가

- HbA1c 목표치에 도달하면(<6.5%) 용량을 유지하거나, 경우에 따라 감량 가능
- 혈당조절 안되면 ⇨ **2차약제** (① or ② or ③) 추가
  (↳ 우리나라 보험기준 ; HbA1c ≥7.0%, 공복혈당 ≥130, 식후혈당 ≥180 중 하나에 해당)
  ; 대부분의 환자는 시간이 지날수록 혈당조절을 위해 병합요법 및 insulin이 필요하게 됨

  ① 다른 경구약제 추가 (2제 병합요법)
     - **metformin + SU**, GLN, α-Gi, TZD, DPP-4i, or SGLT2i

SU : sulfonylurea
GLN : glinide (meglitinide)
α-Gi : α-glucosidase inhibitor
TZD : thiazolidinedione
DPP-4i : DPP-4 inhibitor
SGLT2i : SGLT2 inhibitor

     - SU/(GLN) + α-Gi, TZD, DPP-4i, or SGLT2i
     - TZD + DPP-4i or SGLT2i
     - DPP-4i + SGLT2i 등

  ② basal insulin^(중간형/지속형) 추가 ⎤ HbA1c ≥9% or 지속적인 고혈당 증상이 있는 경우
  ③ GLP-1 agonist (RA) 추가   ⎦ (식후고혈당은 prandial insulin, CVD 有/고위험군은 GLP-1)

  ⬇ 3~6개월 뒤 혈당조절 평가

- 혈당조절 안되면 ⇨ basal insulin or GLP-1 RA or 3rd 경구약제 추가 (3제 병합요법)
  - insulin 추가시 insulin 분비촉진제(e.g., sulfonylurea)는 중단/대치 (∵ 서로 상승작용 없음)
  - GLP-1 RA 추가시 DPP-4i는 중단/대치 (∵ 서로 혈당강하 상승효과 없음)
  - basal insulin 사용 중이었으면 집중인슐린요법(intensive insulin therapy) or GLP-1 RA 추가

처음부터 insulin을 사용하는 경우
Type 1 DM
Type 2 DM에서 severe hyperglycemia (FPG >250 mg/dL, HbA1c >9~10%) or ketonuria (>2+)
성인의 지연형 자가면역 당뇨병(LADA)
매우 심한 증상, acute metabolic Cx. (DKA, HHS 등)으로 입원한 경우
경구혈당강하제 복용이 불가능한 기저 질환 (e.g., 간질환, 신부전, MI, CVA)
임신 및 GDM, 심한 스트레스 상황 (e.g., 감염, 수술), Steroid 복용중인 환자에서 FPG >200 mg/dL

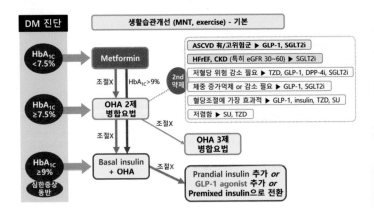

각 당뇨 약제의 특성 ★★

	HbA1c 감소 효과	Insulin 분비 촉진	식후 고혈당 조절에 유용	체중	저혈당 부작용	금기 간질환	금기 CKD	CVD 예방	신장보호 효과
Insulin*	1.5~2.5		○	↑	○			○	
Sulfonylurea	1.5~2.0	○	△	↑ (드물)	○	○	(△)		
Meglitinide (Glinide)	0.5~1.5[1]	○	○	↔	○		(△)		
Metformin (biguanide)	1.0~2.0			⇩		○	○	○	
TZD (Glitazone)	0.5~1.4			↑		○		○[2]	
α-glucosidase inhibitor	0.5~0.8		○	↔			△	○	
SGLT2 inhibitor	0.5~1.0			⇩			△	●[3]	●
DPP-4 inhibitor[4]	0.5~0.8	○	○	↔			(감량)[5]		○
GLP-1 agonist*	0.5~1.9	○	○	⇩				●	○
Amylin agonist*	0.4~0.6		△	⇩					

* 주사제
1) Repaglinide가 혈당조절 효과 우수하고(metformin 비슷) 다른 약제는 덜 효과적
2) Pioglitazone은 CVD 예방효과가 있지만, TZD는 전반적으로 심부전 악화 위험이 있음
3) 심부전에 의한 입원 감소 효과도 있음
4) Saxagliptin, alogliptin은 심부전에 의한 입원 증가 위험 / 고위험 심부전 환자는 DPP-4 inhibitors 주의
5) Gemigliptin, linagliptin, teneligliptin 등은 감량 없이 사용 가능

- α-Gi, SGLT2i, DPP-4i 등은 다른 계열 약제보다 혈당조절 효과가 적음
  (but, 같은 수준의 혈당 강하시 임상적인 이득은 모든 계열 약제가 비슷함)
- Metformin과 TZD의 혈당 강하 효과는 몇 주 뒤 시작되지만, 다른 약제들은 즉시 시작됨

■ 혈당조절 목표치 : 일반적으로 <u>HbA_{1C} <7% (우리나라: <u><6.5%, type 1 DM은 <7%)</u>

┌ 엄격한 혈당조절 권장 (HbA_{1C} <6.5%) ; DM 이환 기간이 짧고, 남은 수명이 길고,
│ 심각한 심혈관질환^{CVD}이 없는 환자 (→ CVD 예방에 도움), 임신부
└ 덜 엄격한 혈당조절 권장 (HbA_{1C} <7.0~8.5%) ; 환자에 따라 개별화
   - 심각한 저혈당 병력, 저혈당 위험 약제 사용(e.g., insulin, sulfonylurea, glinides)
   - DM 유병 기간이 긴 경우, 진행된 DM 합병증(micro & macrovascular)이 있는 경우
   - 동반된 다른 질환이 많거나 심한 경우, 75세 이상 고령, 기대 수명이 짧은 경우

* 빠른 혈당조절의 장점 ; islet cells에 대한 glucose toxicity 감소, endogenous insulin
  secretion 향상, 경구혈당강하제의 효과 증가

치료 목표(therapeutic targets) ★	
HbA_{1C} (primary goal)	<7.0% (우리나라는 <6.5%)
식전혈당*	80~130 mg/dL
식후혈당*	<180 mg/dL
취침시 혈당	110~150 mg/dL
새벽 3시 혈당	>65 mg/dL
LDL cholesterol	<100 mg/dL
HDL cholesterol	>40 mg/dL (남), >50 mg/dL (여)
TG	<150 mg/dL
non-HDL cholesterol	<130 mg/dL
apo-B	<100 mg/dL
혈압	<140/85 mmHg
(CVD 존재/고위험군, albuminuria/CKD <130/80 mmHg)	
체중	6개월 내에 5~10% 감량

* capillary plasma glucose, 식후혈당은 식사 시작 1~2시간 뒤 측정

8. DM의 지속적 관리 ★

① 자가 혈당 측정(SMBG)
② HbA_{1C} 측정 : 최소 3~6개월마다 (1년에 2~4회)
③ 당뇨병자가관리교육(diabetes self-management education, DSME) - 당뇨교실 : 매년 1회 이상
④ 안과 검사 : 매년 (정상 & 혈당조절 잘 되면 1~2년마다 / 이상이 있으면 더 자주)
   ┌ type 1 DM → 진단 후 5년 이내에 검사 시작
   │ type 2 DM → 진단과 동시에 검사 시작
   └ 임신을 원하거나 임신 중인 여성 → 임신하기 전 or 1st trimester (3개월) 이내에 검사
⑤ 발 검사 : 1년에 1~2회 (환자 자신은 매일)
   ; 혈류평가, 감각신경평가(10 g monofilament 검사), 발톱관리, 궤양 존재 여부 확인
      (간단한 문제라도 환자 자신이 치료하면 안 됨)

⑥ 단백뇨(albuminuria) 및 serum Cr (eGFR) 검사 : 1년에 1회 이상 (이상이 있으면 더 자주)

 ┌ type 1 DM → 진단 5년 이후에 검사 시작
 └ type 2 DM → 진단과 동시에 검사 시작

⑦ 혈압 측정 : 병원 방문시마다 (e.g., 1년에 4회)

⑧ 지질 검사 : 1년에 1회 이상

⑨ 예방접종 권장 ; influenza, pneumococcal

⑩ anitplatelet therapy (e.g., aspirin) : 금기가 없으면, 50세 이상 CVD 고위험군에서 투여 권장

* type 1 DM은 갑상선검사(e.g., TSH)도 : 진단시 & 1~2년 마다 or hypothyroidism 증상 발생시
 (∵ autoimmune thyroiditis 동반 흔함)

■ 급성 대사성 합병증

1. Diabetic ketoacidosis (DKA)당뇨병성케톤산증

(1) 개요

• type 1 DM 환자에서 주로 발생, 15~30%가 평생 1회 이상 경험
 – 과거 type 1 DM의 첫 증상으로 흔했으나, 의료의 발달로 인해 주로 치료중인 환자에서 발생
 – type 2 DM에서도 심한 stress (e.g., 감염, 외상) 상황시 발생 가능
• 유발인자 ; 감염(m/c: 폐렴, UTI 등), insulin 투여 불균형/중단, 급성중증질환(e.g., MI, CVA,
 sepsis, pancreatitis), 외상, 수술, 임신, 기아, stress, 약물(e.g., steroid, cocaine) …

(2) 병태생리

┌ relative/absolute <u>insulin deficiency</u>
└ counter-regulatory hormones 증가 (<u>glucagon</u>, catecholamines, cortisol, GH)

① 간에서 포도당신합성(<u>gluconeogenesis</u>)과 당원분해(glycogenolysis) <u>증가</u>
 • insulin deficiency & hyperglycemia → hepatic fructose-2,6-phosphate ↓
  → phosphofructokinase ↓, fructose-1,6-bisphosphatase ↑
 • glucagon ↑ → pyruvate kinase ↓   ┐→ pyruvate ▷ glucose ↑, glycolysis ↓
  insulin ↓ → phosphoenolpyruvate carboxykinase ↑ ┘
 • glucagon & catecholamines ↑ → glycogenolysis ↑
 • insulin ↓ → GLUT-4 ↓ → peripheral glucose uptake ↓

② 근육과 지방조직에서 FFA (free fatty acid) 유리 크게 증가 → 간으로의 이동 증가
 → 간에서 **ketone body**, VLDL or TG 합성 증가
 (glucagon↑에 의한 carnitine palmitoyltransferase I 활성화 때문에 ketone 합성도 촉진됨)

③ 합성된 ketone body는 ketoacids로 방출되고 bicarbonate에 의해 중화됨
 → bicarbonate가 고갈되면 metabolic acidosis 발생

c.f.) total pancreatectomy에 의한 DM 환자는 DKA 심하지 않음 (∵ glucagon 증가는 없기 때문)

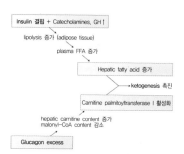

(3) 임상양상

- 위장관 증상 (∵ ketonemia) ; N/V, abdominal pain/tenderness
- 삼투성 이뇨 (→ 수분 및 전해질 소실) ; 다뇨, 구갈, 다음
- dehydration, hypotension, tachycardia, tachypnea, Kussmaul respiration (빠르고 깊은 호흡), respiratory distress, 호흡시 과일 or acetone 냄새 ...
- 의식저하 (기면 ~ 혼수), cerebral edema (소아에서 호발)
- fever → infection의 sign (DKA 자체는 정상 or hypothermia)

(4) 검사소견

- hyperglycemia (250~600 mg/dL) : HHS보다는 낮음
  - * euglycemic DKA (혈당이 거의 정상인 DKA) ; poor oral intake, 임신부, 알코올 남용, SGLT2 inhibitor 복용, 병원에 오기 전 insulin 투여시 등 → 주의 필요(e.g., ketone 검사)
- plasma osmolality↑ : 크게 높지는 않음 (대개 300~320 mOsm/kg)
- ABGA : *metabolic acidosis* (pH 6.8~7.3)
  - HCO₃⁻↓ (<15 mEq/L, anion gap↑ (ketone bodies↑로 인해, 보통 >20 mEq/L)
  - PaCO₂↓, PaO₂↑ (∵ hyperventilation)
- serum ketone (+) / urine : ketone (+), glucose (+), SG↑

> Ketone bodies : β-hydroxybutyrate (78%), acetoacetate (20%), acetone (2%) 등으로 구성
> - 지방의 불완전 대사로 인해 발생 (carbohydrate 부족 or 이용 못할 때)
> - 증가되는 경우 ; DKA, alcoholic ketoacidosis, starvation, low-carbohydrate diets 등
> - 소변 dipstick 검사법 (nitroprusside 법)
>   - acetoacetate와 가장 예민하게 반응, β-hydroxybutyrate와는 반응 안함
>   - DKA 때는 β-hydroxybutyrate가 acetoacetate보다 3배 더 생성됨
>   - DKA가 호전되면 β-hydroxybutyrate가 acetoacetate로 전환되면서 nitroprusside 법에서는 강양성으로 나와, 악화되는 것으로 오인될 수도 있음
> - (반)정량 검사법 ; EIA, gas chromatography 등
> - 혈액에서 β-hydroxybutyrate를 측정하는 것이 실제 ketone body level을 더 정확히 반영함! (c.f., 말초혈액으로 간단히 혈당과 β-hydroxybutyrate를 측정하는 POCT 장비도 나와 있음)

- hyponatremia
  - dilutional hyponatremia (∵ hyperglycemia로 ICF가 plasma로 나와서)
    : glucose 100 mg/dL 상승시 sodium 1.6 mmol/L 감소

- true hyponatremia (∵ vomiting↑, water drink↑)
- 아주 낮으면 pseudohyponatremia (∵ TG↑↑) 의심 → 신장내과 2장 참조
- potassium, phosphorus ; 다양
  - 대부분 total body Na⁺, Cl⁻, K⁺, phosphorus, Mg²⁺ 등은 결핍되어 있음
  - 탈수, 고혈당, acidosis 등으로 인하여 검사시에는 정상 or 증가로 나올 수도 있음
- plasma FFA↑, TG↑↑(∵ lipoprotein lipase activity↓, 간에서 VLDL 합성↑)
  ↳ acute pancreatitis를 유발할 정도로 심해질 수 있음
- BUN-Cr↑ (∵ volume depletion 때문)
- amylase (salivary type)↑ : 탈수 때문 → lipase 측정하여 pancreatitis R/O
- leukocytosis with neutrophilia ; ketosis와 비례함, 심하면 감염 R/O

(5) 치료

1) fluid IV (m/i) … 대개 4~8 L 정도의 수액이 부족함
   - 첫 8시간에 fluid deficit의 50% 보충, 이후 24시간까지 약 80%까지 보충
   - N/S 2~3 L를 1~3시간에 걸쳐 initial bolus (10~20 mL/kg/hr)
     (처음부터 Ringer's lactate solution도 사용 가능)
   - 혈역학적으로 안정되고, 소변배출이 적절하면 half (0.45%) saline으로 (250~500 mL/hr) 바꿈
     (∵ hyperchloremia 발생의 부작용 방지) / serum Na⁺ 낮으면 계속 N/S으로
   - 혈당이 200 mg/dL 이하로 떨어지면 5% dextrose + half saline (150~250 mL/hr)으로 바꿈
     → 혈당은 200~250 mg/dL로 유지 (∵ cerebral edema와 eventual hypoglycemia 방지 위해)

2) insulin
   - 속효성 insulin (e.g., RI) 0.1 U/kg IV or 0.3 U/kg IM으로 initial bolus
     → 이후 0.1 U/kg/hr로 continuous IV → 2~4시간 뒤에도 반응이 없으면 2~3배 증량!
   - initial serum K⁺ <3.3 mEq/L면 K⁺을 먼저 교정한 뒤에 insulin 투여
   - 혈당을 낮추는 게 아니라, acidosis 교정 및 ketogenesis 억제가 목적
   - 혈당이 정상화된 이후에도 계속 insulin + glucose 투여) (∵ acidosis와 대사이상 교정을 위해)
     (euglycemic DKA 환자의 경우는 처음부터 insulin + glucose 투여)
   - 경구 섭취가 가능해지면 중간형/지속형 insulin + 속효성 insulin 피하주사로 치료

3) potassium
   - 실제 total body K⁺은 결핍 (약 3~7 mEq/kg)
     (∵ acidosis에 의한 K⁺의 ECF로의 shift로 높아 보일 수 있음)
   - DKA 치료하면 K⁺ level이 빨리 감소하므로 조기에 K⁺ 보충 필요
     (∵ acidosis 교정 & insulin → K⁺를 ICF로 shift)
   ┌ K⁺ <3.3 mEq/L ⇨ K⁺ 먼저 교정하고 insulin 투여!
   │   ; serum K⁺ 정상이(4~5 mEq/L) 될 때까지 K⁺ (KCl) 20~40 mEq/hr 투여
   │ K⁺ 3.3~5.3 mEq/L ⇨ 수액 1 L당 K⁺ 20~30 mEq 섞어서 투여
   └ K⁺ >5.3 mEq/L ⇨ 보충 필요×, F/U 하다가 K⁺ 감소하면 K⁺ 투여
   - K⁺ level은 4~5 mEq/L로 유지, 반드시 EKG monitoring

4) bicarbonate (HCO₃⁻)
   - routine으로 주지는 않음 (∵ DKA 치료하면 acidosis는 저절로 교정)

- acidosis 매우 심하면 (pH <6.9) 고려 → pH 7.0 이상으로 될 때까지 반복
  : 시간당 NaHCO₃ 50 mEq/L + sterile water 200 mL + KCl 10 mEq/L (2시간 동안)
- bicarbonate를 투여하여 acidosis를 급격히 교정한 경우 생길 수 있는 부작용
  ; 심장기능 장애, tissue hypoxia, hypokalemia 악화, overshoot alkalosis, cerebral edema

5) phosphate
  - routine으로 투여×, 심한 hypophosphatemia (<1 mg/dL or 0.32 mmol/L) 때만 투여
    (특히 cardiac dysfunction, hemolytic anemia, respiratory depression 등 발생시)
    - 수액 1 L 당 phosphate (KPO₄ or NaPO₄) 20~30 mEq 섞어서 투여
    - 부작용으로 hypocalcemia 및 hypomagnesemia 발생 위험 → Ca & Mg monitoring 필요.
  - hypophosphatemia는 자주 발생하지는 않고, 발생하더라도 큰 지장은 없음
    - K⁺과 마찬가지로 DKA 때 ECF shift됨 (serum phosphate 높아 보일 수 있음)
      → DKA 치료시 ICF로 shift되어 asymptomatic hypophosphatemia 발생 가능
    - 대개 서서히 호전되지만, 드물게 심각한 문제를 일으킬 수도 있음
      ; muscular weakness or paralysis (1 mg/dL 이하로 되면 호흡부전 발생 가능)

6) DKA의 유발인자의 확인 및 교정

7) 항생제 : 감염의 증거(e.g., fever)가 있으면 지체 없이 투여

■ 치료효과 판정
  ① 정맥혈 pH, bicarbonate, anion gap 정상화 (AG <12 mEq/L)
    - monitoring 목적으로는 침습적인 ABGA 대신 정맥혈 pH (동맥혈보다 0.03 낮음) 권장
  ② serum or capillary β-hydroxybutyrate level (c.f., 혈당이 ketone보다 먼저 감소함)
    - nitroprusside 법 ketone 측정은 진단에는 쓰일 수 있지만 monitoring 목적으로는 안됨!

(6) 합병증
  ① cerebral edema
    - 원인 : high osmolality로 평형을 이룬 상태에서, fluid를 너무 빨리 투여한 경우 ECF의
      osmolality가 급격히 낮아져서, brain cells 내로 fluid가 이동하여 cerebral edema 초래
    - 소아 or 청소년에서 주요 사망 원인 (성인에선 드물다)
    - DKA 치료도중 acidosis 교정 뒤에도 coma가 계속되거나, secondary coma 발생시 의심
    - Dx : CT
    - Tx : mannitol, dexamethasone, hyperventilation
    - 예방 : 첫 24시간 동안은 혈당을 200~300 mg/dL로 유지
      (혈당이 250 mg/dL 이하로 감소하면 5% DW 투여)
  ② 기타 ; venous thrombosis, UGI bleeding, ARDS ...

(7) 예후
  - 적절한 치료시 사망률은 낮음 (<1%)
  - 예후가 나쁜 경우 ; 고령, hypotension, azotemia (BUN↑), pH↓↓, deep coma,
    심한 동반 질환 (MI, CVA, infection 등)

2. Hyperglycemic hyperosmolar state/syndrome (HHS)^{고혈당성고삼투압상태}

(1) 개요

- 조절되지 않은 type 2 DM 환자에서 주로 발생 (대부분 **고령**에서)
- 병태생리
  - 수분섭취 부족, 체내 수분량 감소 (← 고령)
  - relative insulin deficiency → hyperglycemia → osmotic diuresis → 심한 dehydration
- ketoacidosis는 발생 안함 - 추정 원인
  ① DKA보다 insulin deficiency가 경미함
  ② DKA보다 counter-regulatory hormones 및 FFA level 낮음
  ③ 간의 ketone body 합성 능력 부족 or insulin/glucagon ratio↑
- 유발인자 ; <u>감염</u> (m/c, 특히 폐렴), AMI, stroke, 수술, 설사, GI bleeding, 화상, 투석, 고단백 섭취, high glucose IV, osmotic agent (mannitol), phenytoin, diazoxide, steroid, 면역억제제, K⁺-wasting diuretics (hypokalemia는 insulin 분비를 억제함) ...
- 가장 중요한 유발 원인은 조절되지 않은 DM

(2) 임상양상

- insidious onset (수일~수주에 걸쳐 서서히 증상 발생)
- 심한 dehydration (구강점막 건조, 피부탄력↓, 안구함몰 등), <u>hypotension</u>, <u>tachycardia</u>
- 의식장애(lethargy, confusion, coma), seizure, weakness, polyuria, polydipsia ...
- 증상과 의식장애의 정도는 hyperosmolality의 정도 및 기간과 비례함
  - 의식장애 등의 신경증상은 DKA보다 흔하고/심하고 빨리 발생함 (∵ hyperosmolality 심함)
  - 일부에서는 hemichorea-hemiballism (HCHB)^{편무도증} 발생 가능 ; 편측 불수의적/불규칙 운동
- DKA의 특징인 GI Sx. (N/V, 복통), 과호흡 (Kussmaul respiration)은 드묾!

(3) 검사소견

- <u>심한 hyperglycemia</u> (>600 mg/dL, 1000 mg/dL 이상도 흔함)
- <u>심한 hyperosmolality</u> (>320 mOsm/kg, 보통 >350 mOsm/kg)
- 심한 dehydration ⇨ Hct↑, <u>prerenal azotemia</u> (BUN↑↑, Cr↑, Na⁺↑, Cl⁻↑, K⁺↑)
- pseudohyponatremia : 심한 hyperglycemia 때문 (corrected Na⁺는 대개↑)

  → corrected Na⁺ 이용 (= Na⁺ 측정치 + $\dfrac{혈당 - 100}{62}$)

- 혈액 & 소변 ketone body (-) (기아에 의한 경미한 ketonuria는 발생 가능)
- acidosis는 없거나 경미(pH >7.3), bicarbonate >15 mEq/L, AG 정상(<12 mEq/L)

(4) 치료

  * 치료방침 ; 탈수와 저혈압의 개선, 고혈당의 교정, 전해질 이상의 교정

  ① fluid Tx. (m/i) - 빨리 해야
  - 평균 9~10 L의 free water 결핍 (DKA보다 결핍량 많음)
  - <u>N/S</u> (0.9% NaCl : 초기엔 상대적으로 hypotonic함) 1~3 L/2~3 hr
    - serum Na⁺ >150 mEq/L면 반드시 half saline (0.45% NaCl)으로 투여
    - 0.9% NaCl은 초기에만 사용 (∵ 더 위험한 hypernatremia 유발가능)

→ 혈역학적으로 안정되면 half saline 사용 → 혈당이 250~300 mg/dL가 되면 5% DW 추가
- fluid 만으로도 hyperglycemia를 상당히 감소시킬 수 있음
- 부족한 free water는 1~2일에 걸쳐 보충 (hypotonic solution 200~300 mL/hr)
- 급격하게 삼투압을 감소시키면 뇌부종 같은 부작용 발생 위험

② 속효성 insulin (e.g., RI)
- 0.1 U/kg initial dose IV → 0.1 U/kg/hr constant infusion, 반응이 없으면 2배로 증량
- 혈당이 250 mg/dL 이하로 떨어지면 0.05~0.1 U/kg/hr로 감량하고, glucose도 첨가
- 경구섭취가 가능해지면 SC insulindm로 전환

③ electrolytes 교정
- DKA 보다 early K⁺ supply 필요 (∵ acidosis가 없어서 initial K⁺ level이 높지 않고, insulin 치료시 K⁺의 ICF로의 shift가 빨리 일어나므로)
- DKA보다 total potassium depletion은 적다
- 이뇨제 복용중이면 potassium 결핍양이 매우 많을 수 있으며, magnesium 결핍도 동반될 수

④ 항생제 : 감염의 증거가 있으면

■ 치료효과 판정 ; 의식 회복, effective plasma osmolality <315 mOsmol/L

(5) 예후
- DKA보다 훨씬 나쁘다 (사망률 약 15%)
- DKA와 함께 DM 환자의 주요 사망원인임 ("hyperglycemic emergencies")

	DKA	HHS
역학	주로 type 1 DM <65세에서 흔함	주로 type 2 DM ≥65세에서 호발
주요 증상	-갑자기 발생- 구갈, N/V, 복통, 의식장애, 빠른호흡(Kussmaul resp.)	-서서히 발생- 심한 탈수증상, 체중감소, 심한 의식장애(~coma)
체온	정상~감소	약간 상승
수분결핍	4~8 L	8~12 L
혈당(mg/dL)	250~600	600~1200
삼투압(mOsm/kg)	300~320	320~380
Na⁺ (mEq/L)	↓(125~135)	135~145
pH	6.8~7.3	>7.3
Anion gap (mEq/L)	↑(>12, 보통 >20)	<12 (참고치: 3~10)
Bicarbonate (mEq/L)	<15	>15~20
Ketones	++++	±
Pco₂ (mmHg)	↓(20~30)	정상
Phosphate	↓	정상
Creatinine	↑	↑↑
Mortality	1~2%	10~20% (주로 기저질환 때문에)

만성 합병증

1. 개요

(1) 분류

① microvascular : retinopathy, nephropathy, neuropathy (→ triopathy)

② macrovascular : accelerated atherosclerosis[AS] (관상동맥, 뇌혈관, 말초혈관 질환)

③ 기타 : GI/GU dysfunction, infection, skin lesion

(2) microangiopathy의 pathogenesis

① 세포내 glucose 증가 (chronic intracellular hyperglycemia)

   ⓐ AGE (advanced glycation end products)최종당화산물 ↑ (AGE serum level은 glycemia와 비례)

      – protein glycation↑로 생성됨(e.g., pentosidine, glucosepane, carboxymethyllysine)

      – 조직에 침착 → 세포기능 변화/이상, 조직손상(비가역적, hyperglycemic memory)

      – AS 가속화, glomerular dysfunction, endothelial dysfunction, 세포외기질 변화 ...

   ⓑ polyol pathway 유입↑(활성화) ; 과잉의 glucose가 aldose reductase에 의해

      sorbitol로 전환↑ (→ sorbitol dehydrogenase에 의해 fructose과당로 전환 : 느림)

         ↳ 세포내 축적되어 toxin으로 작용 ; 세포 팽창, reactive oxygen species↑ 등

      (c.f., 정상적으로 glucose는 hexokinase에 의해 glycolysis pathway로 들어감)

   ⓒ DAG (diacylglycerol)↑ → PKC (protein kinase C) 활성화

      → fibronectin, type IV collagen, 수축단백, 세포외기질단백 등의 gene transcription 변화,

      여러 enzymes의 기능 변화, growth factor 및 cytokines↑ (DM Cx 발생에 중요) 등

      예) VEGF↑ → 혈관투과성↑, angiogenesis↑ … retinopathy (photocoagulation 뒤 감소)

      TGF-β↑, PAI-1↑ → 혈관 폐쇄↑ … nephropathy

   ⓓ hexosamine pathway 유입↑(활성화) → fructose-6-phosphate (F6P)↑

      → glucosamine-6-phosphate → 유전자 발현 및 단백질 기능 변화로 Cx 발생기전에 관여

   * reactive oxygen species 및 superoxide 생성↑ → 위의 4가지 경로를 모두 활성화 가능

② 혈역학적 변화 : 미세혈관의 압력과 혈류 증가 → 모세혈관 기저막 비후

   → 동맥경화 (혈관 자동조절의 상실) (↔ ACEi : 모세혈관압력↓, 혈관확장)

③ 개인의 유전적 감수성

④ growth factors (일부 합병증에서 중요한 역할)

    ; VEGF-A (proliferative retinopathy), TGF-β (nephropathy), PDGF, EGF, IGF-1, GH ...

■ macrovascular Cx의 병인 ; 고혈당 이외에 전통적 심혈관위험인자(dyslipidemia, HTN) 및
   insulin resistance (e.g., obesity)도 관여 → fatty acids의 간, 근육, 심장, 내피세포 등으로
   전달 증가 → TG, diacylglycerol, ceramides 등의 조직 침착↑

■ pathology

   ⓐ 혈장단백이 유출되어 혈관내벽에 침착 → 동맥혈관벽의 내면 수축

   ⓑ extracellular matrix의 확장 → 기저막의 비후, mesangium의 확장, plaque 형성↑

   ⓒ endothelial cell, mesangial cell, 동맥 평활근의 비후와 증식

(3) 철저한 혈당 조절과 합병증 예방과의 관계 : 연구 결과
- hyperglycemia의 지속 기간과 정도는 합병증 발생과 비례함
- 철저한 혈당조절은 모든 type의 DM에서 유익함, 혈압조절도 매우 중요함 (특히 type 2 DM에서)
- type 1 DM 환자의 생존율이 향상되고, DM 합병증도 감소하고 있음
- 모든 DM 환자에서 합병증이 발생하는 것은 아님

2. 당뇨병성 망막병증(diabetic retinopathy, DR)

(1) 개요
- 성인에서 실명의 m/c 원인 (비당뇨 환자보다 실명 위험 25배)
- type 1 DM 진단 후 3년에 8%, 5년에 25%, 10년에 30~60%, 15년에 80%에서 발생함
- <u>type 2 DM</u> 진단 당시에 20%에서 이미 retinopathy 발견되고, 20년 후에는 50~80%에서 발생
  ↳ 진단 전 선행 고혈당 기간에 retinopathy 발생 가능 (→ 첫 진단시 반드시 안저검사 시행)
- retinopathy가 있으면 대부분 nephropathy도 있음 (vice versa)
- 결국엔 DM 환자의 85% 이상에서 발생함
- 유병률(우리나라) ; DM 환자 중 약 16% (남 15.1%, 여 17.4%), 증식성 망막병증은 약 1.15%
- retinopathy 발생위험/악화인자 ; <u>DM 유병기간 및 혈당조절 정도</u> (m/i), diabetic nephropathy, HTN, dyslipidemia, 흡연, 임신, 사춘기, 백내장수술 (유전적 영향도 있지만 덜 중요함)

(2) 분류/경과
- <u>neovascularization</u> 유무에 따라 크게 proliferative와 nonproliferative retinopathy로 분류

	Severity에 따른 diabetic retinopathy (DR)의 분류	
NPDR (nonproliferative DR)	Mild	Microaneurysm (미세동맥류)만 한 개 이상 존재
	Moderate	Microaneurysms/hemorrhages (dot-blot hemorrhage, DBH) 증가 [≥SP #2A]* or Soft exudates (cotton wool spots, 면화반), hard exudates (경성삼출물), 정맥확장(venous beading), intraretinal microvascular abnormalities (IRMA) 모세혈관이 구불거리며 확장(abnormal branching, shunt 등) ↵
	Severe	4-2-1 rule (ETDRS) : 다음 중 1개 이상 존재시 (1) 4사분면 4개 모두에서 hemorrhages 20개 이상 [≥SP #2A]* or (2) 4사분면 2개 이상에서 severe venous beading or (3) 4사분면 1개 이상에서 severe IRMA [≥SP #8A]*
	Very severe	Severe NPDR의 소견 2개 이상 존재시
PDR (proliferative DR)	Early	<u>Neovascularization (신생혈관)</u>
	High-risk	시신경유두(disk area) 1/3 이상의 NVD (neovascularization of the disk) or NVD + 유리체 or 망막앞 출혈(vitreous or preretinal hemorrhage) or 시신경유두(disk area) 1/2 이상의 NVE (neovascularization elsewhere) + 유리체 or 망막앞 출혈(vitreous or preretinal hemorrhage)
	Severe	유리체/망막앞 출혈로 인해 안저 후극부(posterior fundus) 확인 불가능 or 황반중심(macular center)을 포함하는 망막박리(retinal detachment)
CSME (clinically significant macular edema)		황반중심(macular center)으로부터 500 μ 이내의 망막이 두꺼워짐(retinal thickening) or 황반중심으로부터 500 μ 이내에 hard exudates 그 바깥에 망막이 두꺼워짐 or 황반중심으로부터 1500 μ (1 disc area) 이내에 1 disc area 이상의 망막이 두꺼워짐

- Dx : 안저검사(ophthalmoscopy, fundoscopy), 형광안저혈관조영술(fluorescein angiography)
- 노인에서는 더 일찍 발생하나, proliferative retinopathy는 덜 흔하다
- nonproliferative retinopathy의 약 10~18%가 10년 뒤 proliferative retinopathy로 진행
  (severe NPDR의 약 50%는 1년 이내에 proliferative retinopathy로 진행)
- proliferative retinopathy 환자의 1/2은 5년 이내에 <u>실명</u> (∵ 유리체 출혈, 망막 박리, 녹내장)

(3) diabetic retinopathy의 치료/예방

- 예방이 가장 효과적임 ; 철저한 혈당조절(intensive insulin therapy) 및 혈압조절
  - 철저한 혈당조절은 상대적으로 망막에 저혈당을 유발하여 일시적으로(6~12개월) retinopathy를
    악화시킬 수도 있지만 이후에는 대부분 호전을 보임
  - advanced retinopathy 발생 이후엔 혈당조절의 효과는 제한적이므로 안과 치료가 중요함!
    c.f.) aspirin : retinopathy의 자연경과에 영향 없음, 출혈 발생 위험도 증가하지 않음
- nonproliferative retinopathy (NPDR) ; 대개 안과 치료 필요 없음 → F/U
  - 빠른 진행을 보이는 severe ~ very severe NPDR은 PRP 치료 권장
  - 황반부종(CSME) 동반시에는 치료 필요
- proliferative retinopathy (PDR) ; 즉시 안과 치료 필요 (PRP + anti-VEGF)
  - 범망막광응고술(panretinal photocoagulation, PRP) ; 신생혈관 감소, 시력소실 진행 지연
  - anti-VEGF (e.g., bevacizumab, ranibizumab, pegaptanib, aflibercept) intravitreal injection
    ; 신생혈관 감소, 시력소실 진행 지연, 일부 시력 향상도 가능 (PRP보다 효과 우수)
  - 유리체절제술(vitrectomy) ; 위 치료에 반응 없을 때, 유리체 출혈이나 황반 박리 위험시
  - 기타 ; dyslipidemia 치료(<u>fenofibrate</u>), 고혈압 조절, 금연 등
    └→ anti-inflammatory, antiangiogenic, antioxidant 효과 → retinopathy 지연

(4) diabetic macular edema (DME, 황반부종)

- 망막 모세혈관 내피세포 손상으로 혈장 단백, RBC 등이 빠져나와 발생 → 망막 두께↑, 시력↓
- retinopathy의 stage/severity와 관계없이 발생 가능, 3년 뒤 약 25%가 <u>심각한 시력소실</u>
- 임상적으로 유의한 황반부종(CSME) ; retinopathy 존재시에만 발생, 시력소실 위험↑
- Dx : fluorescein angiography, optical coherence tomography (OCT)
- Tx : anti-VEGF + focal photocoagulation가 주
  (기타 ; intravitreal steroid - 부작용 위험으로 권장×, vitrectomy - 위 치료에 반응 없을 때)

■ 기타 안과적 합병증

① 녹내장(glaucoma), 백내장(cataract)의 발생률 증가
② acute monocular visual loss ; hemorrhage, retinal detachment, embolic retinal infarction
   (central or branch retinal artery occlusion)
③ bilateral visual loss : stroke (cortical blindness)
④ blurring of vision
⑤ mononeuropathy - cranial nerve palsy (III, IV, VI)
   * oculomotor nerve (cranial nerve <u>III</u>) palsy가 m/c
     ; diplopia, unilateral ptosis, ophthalmoplegia (빛에 대한 <u>동공 수축반응은 정상임</u>!)
⑥ 각막손상 ; 각막 지각도 저하, 마비성 각막염, 각막 erosion (ulcer)

3. 당뇨병성 신증/콩팥병증(diabetic nephropathy^{DN}, diabetic kidney dz.^{DKD})

(1) 개요
- CKD, ESRD, RRT의 m/c 원인 (국내 CKD 환자의 44% 차지, 비당뇨인의 약 3배)
- DM 환자의 20~30%에서 발생 ; type 1 DM의 30~40%, type 2 DM의 15~20%에서 발생하지만, type 2 DM의 유병률이 훨씬 높으므로, CKD/ESRD 환자의 대부분은 type 2 DM임
  (c.f., type 2 DM은 대부분 고령으로 심혈관질환에 의한 사망이 많으므로 적은 %만 ESRD까지 생존해있음)
- 유병률(우리나라) ; 전체 DM 환자 중 약 12.4% (남 12.9%, 여 11.8%)
- DM 환자에서 장애 및 사망의 주요 원인, 5YSR도 non-diabetic nephropathy보다 짧음
- 위험인자 ; 고령, hyperglycemia 기간/정도, HTN, albuminuria, 신장질환(e.g., AKI), 흡연, 비만, 낮은 사회경제적수준, 유전적소인(e.g., 당뇨/비당뇨 신장질환의 가족력, 흑인/히스패닉/인디언, *ACE*, angiotensinogen (*AGT*), angiotensin II receptor type 1 (*AGTR1*) 등의 genes)

(2) 병인(pathogenesis)
① glomerular hyperfiltration/hyperperfusion, glomerular capillary pr.↑ (intraglomerular HTN)
  → matrix 생산↑, GBM 변화, filtration barrier의 분열 (→ proteinuria), glomerulosclerosis
② mesangial cells에 대한 hyperglycemia의 직접 영향
③ soluble factors ; growth factors (e.g., TGF-β), angiotensin II, endothelin, AGEs

(3) 병리소견
: type 1과 type 2의 병리 소견은 거의 구별 안 됨 (but, type 2 DM은 훨씬 다양한 양상을 보임)
① 사구체 병변
  - GBM thickening : 가장 초기 소견 (type 1 DM은 진단 2년 후부터도 발생 가능)
  - mesangial expansion (∵ extracellular matrix 축적) ; 일부에서 glomerulosclerosis도 병발
    ┌ diffuse (intercapillary) glomerulosclerosis (m/c) → 진행하면 사구체 전체를 침범
    └ nodular glomerulosclerosis (Kimmelstiel-Wilson nodule) ; 사구체 주변부의 무세포 결절,
        light chain deposition dz., MPGN type II, amyloidosis 등에서도 보임
② 혈관 병변 (전신적인 atherosclerosis 소견 동반)
  ; arteriolar hyalinosis & arteriosclerosis … chronic GN 및 TID와 관련
③ 세뇨관간질성 병변 ; 세뇨관 위축 및 기저막 비후, tubulointerstitial fibrosis
  (사구체 병변 이후에 발생하여, 일반적으로 CKD/ESRD로 진행하는 중간 단계의 변화)

(4) 임상양상

		Type 1 DM	Type 2 DM
발생시기 (DM 진단 후)		13~23년 (평균 16.5년) 뚜렷하다	평균 9.5년 뚜렷하지 않다
자연경과		비교적 일정한 전형적인 경과	다양
CKD로 진행하는 비율		20~40%	10~20%
고혈압 유병률	단백뇨 발생 이전	19%	48%
	미세 단백뇨 시기	30%	68%
	현성 단백뇨 시기	56%	85%
Retinopathy 동반		90~100%	50~70%

■ DN의 classic natural history (type 1 DM)

: type 2 DM도 비슷한 경과를 보이기도 하지만, 훨씬 더 복잡/다양한 양상으로 나타남

① 제1기 (hyperfiltration)
- 신장 크기 20% 증가, 신혈류량 증가, <u>GFR 증가</u> /type 2 DM에서는 안 나타나는 경우가 많음
- Bx ; 사구체 용적, 사구체내 모세혈관 표면적 증가(→ GFR↑)

② 제2기 (silent DN)
- DM 진단 후 2~3년 뒤 발생, 임상소견은 제1기와 비슷, GFR은 정상으로 돌아옴
- Bx ; 사구체 모세혈관 기저막(GBM) 비후, mesangial cells 증식

③ 제3기 (incipient DN) … 미세알부민뇨(microalbuminuria) : ACR ≥30 mg/g Cr
- DM 진단 후 5~15년 뒤 발생 (25~40%에서), glomerular filtration barrier 손상을 의미
- GFR 대개 정상, 혈압 대개 정상(→ 수년 후부터 상승하기 시작)
- HTN의 유무에 관계없이 ACEi (or ARB)로 치료 시작!
- HTN 환자에서 심혈관계 위험 증가와 관련, type 1 DM에서는 overt DN으로의 진행을 시사
- 이 stage 까지는 혈당조절로 정상화 가능(reversible), 치료로 albuminuria 호전/관해 흔함!
- 최근 연구결과 severe albuminuria (과거 macroalbuminuria)도 호전 가능 → <u>GFR↓가 더 중요!</u>

④ 제4기 (overt DN) … 단백뇨(overt proteinuria, macroalbuminuria, dipstick+) : ACR ≥300
- microalbuminuria 환자의 ~40% 정도가 약 10년 뒤에 overt proteinuria로 진행
- <u>GFR 서서히 감소됨</u> (약 10~14 mL/min/yr) → 약 50%가 7~10년 뒤 ESRD로 진행
- 부종(NS) 발생 증가, 조직학적 변화는 비가역적(irreversible)
- 혈당조절 만으로는 신기능의 저하를 지연시키지 못함!
- 혈압조절이 신기능의 악화를 지연시킬 수 있음 (ACEi/ARB가 m/g)

⑤ 제5기 (ESRD)
- overt proteinuria $\xrightarrow{\text{평균 2.5년}}$ azotemia $\xrightarrow{\text{평균 2.5년}}$ ESRD (투석 필요)
- 부종과 HTN 악화, 다량의 proteinuria 지속 (→ 이후 감소)
- CKD가 발생해도 신장의 크기는 감소 안됨, 75% 이상의 환자가 10년 이내에 ESRD로 진행
- 대부분의 환자에서 retinopathy 동반, 동맥경화성 질환의 동반 흔함, 심혈관질환[CVD]으로 사망↑
- 신장에서의 insulin 대사 감소로 인해 저혈당이 발행하기 쉽다!

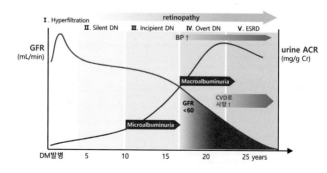

> ■ Albuminuria의 정의
> – spot urine ACR (Albumin/Creatinine Ratio) ≥30 mg/g Cr (mg/day, 24hr 소변은 번거로워 권장×)
> – 6개월 동안 3회의 검사에서 적어도 2회 이상 증가되어 있어야 확진
> – Moderately increased albuminuria (과거 microalbuminuria) : 30~299 mg/g Cr
> – Severely increased albuminuria (과거 macroalbuminuria) : ≥300 mg/g Cr … dipstick(+)
> – 신장손상과 무관하게 ACR↑ 경우 ; 염증, 발열, 운동, 심부전, 급성 심한 고혈당 or 고혈압, 심부전 등

- type 2 DM이 type 1 DM과 다른 점 ★
  - DM 진단시 이미 albuminuria 동반이 흔함 (∵ 장기간의 무증상 시기)
  - HTN 더 일찍/흔하게 동반 (∵ 고령)
  - albuminuria가 overt nephropathy로의 진행을 예측하는 능력이 부족함!
  - 다른 원인에 의한 albuminuria도 흔함(약 ~30%) ; GN, HTN, CHF, 감염, 전립선질환 등
- nonalbuminuric DKD (NADKD) ; albuminuria는 없이 GFR이 감소된 경우(eGFR <60)
  - type 1 DM 환자의 7~24%, type 2 DM 환자의 39~52%는 nonalbuminuric
  - 고령, 여성, RAS 억제상태, HTN, dyslipidemia, 비만, 흡연자 등에서 흔함
  - albuminuric 환자보다 retinopathy 동반 적음, 병리소견과 macrovascular dz. 유병률은 비슷함
  - albuminuric 환자 대비 ESRD로의 진행 속도는 약간 느리지만, 결국에는 진행함
- 다른 신장질환도 동반될 수 있음
  ① type Ⅳ RTA (hyporeninemic hypoaldosteronism) : K⁺↑, Cl⁻↑, normal AG acidosis
  ② radiocontrast-induced nephrotoxicity : Cr >2.4 mg/dL시 발생 위험↑

(5) 진단

- **임상적 진단** (아래 사항 만족시) … 대개는 biopsy 필요 없다
  ① 지속적인 albuminuria (ACR ≥30 mg/g) and/or GFR↓(eGFR <60 mL/min/1.73m²)
  (c.f., albuminuria가 없는 diabetic nephropathy도 흔함 → 윗부분 참조)
  ② diabetic retinopathy 진단 or 긴 DM 유병기간(type 1은 5년 이상, type 2는 진단시도 가능)
  ③ 다른 원인에 의한 신장질환 R/O
- 선별검사(albuminuria test)는 type 1 DM은 진단 5년째부터, type 2 DM은 진단 시부터 시행!
- **diabetic nephropathy가 아닐 가능성이 높은 경우** ⇨ renal biopsy의 적응 ★
  ① type 1 DM 진단 5년 이내에 (또는 type 2 DM 진단 수년 이전에) or 신기능 정상인데 or
  diabetic retinopathy는 없는데 severe albuminuria (≥300 mg/g Cr) 발생
  ② U/A에서 hematuria, RBC casts, dysmorphic RBCs, WBC casts …
  ③ 급격히 albuminuria↑(1~2년에 5~10배 증가) or GFR↓(1년에 5 mL/min 이상 감소)
  ④ 다른 전신질환을 시사하는 소견의 존재(e.g., SLE)
- US ; 신장 크기 증가, RRI (renal resistive index)↑ 등 … NADKD 환자에서 유용

(6) 예방/치료

★ albuminuria에서 overt nephropathy로의 진행을 억제하거나 늦추기 위한 방법
; 혈당조절, 혈압조절, ACEi/ARB, 고지혈증의 치료

① 엄격한 혈당조절 (HbA₁c <6.5%[type 2], 7%[type 1])
- albuminuria 발생 및 GFR 감소를 지연시킴 (일부는 albuminuria 호전도 가능)
- 신기능 저하시 insulin (∵ 신장에서 분해) 및 상당수 경구혈당강하제 감량 → 신장내과 5장 참조
- 고도 신부전시에는 일부 경구혈당강하제(e.g., sulfonylurea, metformin) 금기

- 신장 보호효과가 있는 혈당강하제 (→ albuminuria 및 신장질환 진행 지연)
  - <u>SGLT2i</u> (e.g., canagliflozin, empagliflozin) ; CVD 사망률 감소 효과, GFR <30에선 금기
  - GLP-1 agonists (e.g., liraglutide, dulaglutide), DPP4i (e.g., gemigliptin) 일부 등
② 엄격한 혈압조절 (m/i)
- 목표 : <u><140/90 mmHg</u> (CVD, CKD 등의 고위험군은 <130/80 mmHg)
- albuminuria or GFR↓ 환자에서 신장질환의 진행을 늦출 수 있음, albuminuria는 호전도 가능
- <u>ACEi or ARB</u> : 신기능의 악화 지연에 가장 효과적!
  - angiotensin Ⅱ의 작용 억제 ; intraglomerular pr.↓ (∵ efferent vasodilation),
    사구체 세포의 증식과 matrix 생산↓, systemic BP↓
  - 독립적 신장질환(GFR↓) 지연 효과, 혈압 정상이라도 지속적인 albuminuria 있으면 투여!
  - 치료시작 및 용량조절 1~2주 이내에 serum Cr, K⁺ 검사! (고령 환자는 정기적으로)
    - ┌ K⁺ ≤5.5 mEq/L면 ACEi/ARB 치료 계속
    - └ hyperkalemia (>5.5) ⇨ K⁺ 제한, 이뇨제, bicarbonate 등 (심하면 ACEi/ARB 중단)
  - 투여 초기 sCr의 일시적 약간 상승(30%↑ or ~3 mg/dL)은 괜찮음 → 투약 계속
- albuminuria 없고 신기능 정상인 DM 환자에서는 신장질환 예방 효과 없음 (권장×)
- ACEi + ARB 병용, direct renin inhibitor (e.g., aliskiren)의 병용은 권장× (∵ 부작용↑)
- ACEi/ARB 사용이 불가능하거나 혈압조절이 안 되면 non-dihydropyridine CCB, β-blocker,
  이뇨제 등을 사용 (but, GFR 감소 지연 효과는 불확실)
③ dyslipidemia의 적극적인 치료 (∵ 동맥경화가 DM의 주요 사인)
④ 유발인자 (감염, 폐쇄성 요로병 등)의 조절, 금연
⑤ <u>단백 섭취 제한</u> : 소아/임산부를 제외한 모든 DKD 환자에서 **0.8 g/kg/day**로 유지
- albuminuria 진행, GFR 감소, ESRD 발생 등의 지연에 도움
- 0.8 g/kg/day 미만의 단백 제한은 GFR↓ 및 CVD 예방에 도움이 되지 않으므로 권장×
⑥ 신장내과 의뢰 : albuminuria 발생 or GFR <30 mL/min/1.73m²시
- ESRD로 되면 장기 투석이 어렵고, non-DM ESRD보다 수명 짧다 (→ 신장이식이 TOC)
- GFR <20 mL/min/1.73m²시 신장이식 평가 시작
- 혈액투석시 합병증↑ ; hypotension (∵ autonomic neuropathy, reflex tachycardia loss),
  vascular access 어려움, retinopathy 진행 가속 등

4. 당뇨병 신경병증(diabetic neuropathy)

┌ DM 초기에는 약 8%, 25년 이후에는 ~50%에서 발생 (neuropathy 중 m/c)
│ 발생 위험인자 ; DM 유병기간↑, 혈당↑, BMI↑, 흡연, 심혈관질환, HTN, TG↑, retinopathy
└ 유병률(우리나라) ; DM 환자 중 약 21%(남 19.5%, 여 22.4%), 감소 추세

- ■ **진단/선별검사** … type 1 DM은 진단 5년 후, type 2 DM은 진단 시부터 시행, 이후 모두 매년
  - <u>감각신경 검사</u> ; 압력감각(<u>10 g monofilament</u>), 진동감각(128 Hz 진동자), 발목반사(DTR↓),
    촉각(솜 등), 음차(tuning fork소리굽쇠), 통증유발(pinprick), 온도감각, 전류감각 등
  - 자율신경 검사 ; 심박수변이(HR variability), 호흡패턴(E:I ratio), Valsalva 반응, 기립반응 등
  - 발 검사 ; 근골격계 변형, 피부 변화, 맥박 등에 대해 검사
  - 임상증상이 비전형적인 경우를 제외하고는 전기생리학적 검사는 대개 필요 없음

1 Diffuse neuropathy

(1) <u>distal symmetric polyneuropathy (DSPN)</u>원위부대칭형다발성신경병증 늑 **당뇨병성말초신경병증**

- diabetic neuropathy중 가장 전형적이고 m/c, axonal loss, ~50%는 무증상
- 감각신경, 운동신경, 자율신경을 모두 침범 (sensory가 주로 손상)
- "stocking-glove" sensory loss ; 주로 하지에서 (발가락부터) 발생 (∵ long nerve)
  → 점차 위로 진행 / 상지의 증상도 하지보다 드물지만 손끝에서 시작함
  - numbness무감각, tingling저림, sharpness/burning, paresthesia감각이상, hyperesthesia감각과민
  - <u>pain</u>도 발생 가능 (15~20%) ; deep-seated, severe, 휴식시에도 발생, 밤에 악화됨
    ↳ ~1/2은 self-limited, 1년 이내에 소실 (but, 감각장애는 지속되고, 운동장애 발생 가능)
- 진단 ; 전형적인 증상 + 감각신경검사(e.g., 10 g monofilament) + 다른 원인 R/O

  > * **10 g monofilament 검사** ; m/c 감각신경 검사
  > - 발바닥, 발가락, 발등 등 10군데에서 피부에 monofilament가 굽어질 정도로 압력을 가함
  > - 판정 ; 감각을 느끼지 못하는 곳이 ≤1곳 [정상], ≥2곳 [감각저하] ≥4곳 [족부궤양 위험]

- 치료 ; 엄격한 <u>혈당조절</u>로 예방이 최우선 (신경전도속도는 향상되지만, 통증 등의 증상은 호전되지 않을 수도 있음)
  - 증상이 발생하면 대개 비가역적임 ⇨ 증상 조절, 악화 지연, 합병증(e.g., foot ulcer) 방지
  - 혈당 및 위험인자 관리 ; 운동, diet, HTN/dyslipidemia 조절, 금연, 절주, 영양소 보충 등
  - 통증 지속시(painful diabetic neuropathy) 약물치료
    ① 1차약제 ; TCA (e.g., amitriptyline), SSRI (e.g, <u>duloxetine</u>, venlafaxine), gabapentinoid antiepileptics (e.g., <u>pregabalin</u>, gabapentin) 등 → 효과 없으면 서로 변경 或 병합
    ② 2차약제(opioids) ; tapentadol, tramadol 등 … 부작용으로 가능하면 권장×
    ③ 기타 ; antioxidant (α-lipoic acid^ALA), γ-linolenic acid^GLA, benfotiamine (vitamin B₁), aldose reductase inhibitor^ARI (e.g., sorbinil, tolrestat ; polyol pathway 억제) 등

(2) **자율신경병증(diabetic autonomic neuropathy, DAN)**

┌ DM 환자의 ~40%에서 발생하나 일부에서만 증상이 나타남, 말초신경병증의 ~50%에서 동반
└ Hx & P/Ex이 중요 / 특별히 효과적인 치료법은 없고, 혈당조절이 1차 치료 목표
  * counterregulatory H. (특히 catecholamines) 저하로 hypoglycemia 인지가 감소될 수 있음
   (hypoglycemia unawareness, 저혈당 무감지증) → 너무 엄격한 혈당조절은 피함

1) **심혈관계 (m/c & m/i)**

- 초기에는 부교감신경 손상(→ 교감신경↑)으로 HR↑ ⇨ 이후 교감신경 손상으로 HR↓, BP↓
- <u>resting tachycardia</u> (>100 bpm) : 가장 초기 증상
- heart rate variability↓ : HR variability를 정상적으로 증가시키는 활동(e.g., deep breath심호흡, Valsalva maneuver)시에도 variability가 저하됨
- orthostatic hypotension : 기립시 SBP 20 (DBP 10) mmHg 이상 감소, 증상도 잘 못느낌
  (기전 : 중심 및 말초 심혈관 교감신경 손상 → 정상적인 반사성 혈관수축×, 혈압상승×)
- CVD 및 SCD 위험 증가 … 사망률↑ (∵ 심근허혈 인지↓, 자극에 대한 심혈관계 반응↓, QT interval↑ 및 교감/부교감신경 불균형에 의한 부정맥↑, 신경재분포 부위의 부정맥↑)
- 심혈관계 자율신경검사
  - 부교감신경 검사 ; 심호흡에 대한 HR variability 반응, 기립/Valsalva에 대한 HR 반응
  - adrenergic 교감신경 검사 ; 기립/Valsalva에 대한 BP 반응, head-up tilt table test 등

- cholinergic 교감신경 검사 ; quantitative sudomotor axon reflex testing (QSART), thermoregulatory sweat testing (TST), sympathetic skin response (SSR) 등
- 치료 ; 동반된 위험인자 관리도 매우 중요(e.g., 흡연, HTN, dyslipidemia)
  - orthostatic hypotension을 악화시킬 수 있는 약물 주의(e.g., 이뇨제, 항우울제)
  - 수분 섭취↑, 적절한 염분 섭취, 자세 변화는 천천히, 탄력붕대/스타킹, head elevation 등
  - 약물치료
    ① mineralocorticoid (e.g., fludrocortisone) + 염분 섭취 ; plasma volume↑
    ② midodrine (α-agonist) ; 기립성저혈압 증상↓ (but, supine HTN 발생 위험 → 취침시 금기)
    ③ droxidopa (NE prodrug) ; 기립성저혈압 증상↓
    ④ octreotide (somatostatin analogue) ; postural/postprandial hypotension에 효과적
  * resting tachycardia → β-blocker (hypoglycemia unawareness에 주의)

2) 위장관계

- esophageal dysmotility (GERD), gastroparesis, diarrhea, constipation, fecal incontinence 등
- diabetic gastroparesis위마비
  - hyperglycemia 자체 & 이로 인한 parasympathetic dysfunction, 위의 migrating motor complex 소실 → 위 배출 지연(delayed gastric emptying)
  - Sx : anorexia, N/V, early satiety, abdominal bloating (bezoar도 생길 수 있음)
  - 대개 microvascular Cx (retinopathy, nephropathy)도 존재함
  - Dx ; gastric emptying scintigraphy, radioisotope (^{13}C) breath test, manometry 등
  - Tx (→ 소화기내과 I-1장도 참조)
    ① 혈당조절, 식사조절(소량으로 자주, 저지방/저섬유 식이, 유동식↑)
    ② 위장운동억제 약물 피함 ; opioids, TCA, GLP-1 agonist 등
    ③ 위장운동촉진제 ; metoclopramide, domperidone, erythromycin 등
- diabetic diarrhea (대개 watery, 흔히 nocturnal) : 소장의 연동운동 증가로 발생
  - Tx ┌ bacterial overgrowth 있으면 → 광범위 항생제
       └ 없으면 → loperamide, codeine, diphenoxylate 등
- 변비 or 대변실금 → biofeedback 등

3) 비뇨기계

- cystopathy (bladder dysfunction)
  - 방광 감각↓ & 방광의 수축력 저하 → 방광 용량 및 잔뇨 증가
    → 배뇨 지연, 배뇨 횟수 감소, 요실금, UTI 호발 ...
  - Dx ; cystometry, urodynamic study
  - Tx ; timed voiding (Crede maneuver 등), self-catheterization, bethanechol, doxazocin
- 발기부전(impotence) : 지속적인 것이 특징, 혈관(e.g., 동맥경화) 및 신경병증이 모두 관여
  - 매우 흔하며 (DM 남성의 35~75%), DM의 초기 증상으로 나타날 수도 있음
  - Tx ; PDE5 inhibitor (sildenafil [Viagra®]) (but, non-DM 환자보다는 효과 약간 낮음)
- 역행성 사정 (retrograde ejaculation)
- 여성의 생식기 장애 ; 성욕저하, 성교통, vaginal lubrication↓
  - Tx ; vaginal lubricant, vaginal infection 치료, systemic/local estrogen

4) 기타

- 발한기능장애 ; 상체의 다한증(hyperhidrosis) & 하지의 무한증(anhidrosis)이 특징
  - 다한증 ; 매운 음식이나 치즈 같은 유발 음식 피함, 심하면 glycopyrrolate
  - 발의 무한증 → 피부 건조 및 균열↑ → 궤양 발생↑ (∵ 감각 저하도 기여)
- 동공(pupil) 기능장애
- counter-regulatory hormones (e.g., epiN., glucagon) 분비 감소, 부신 자율신경 손상
  - → hypoglycemia의 증상을 인지 못할 수 있음 (hypoglycemia unawareness[저혈당무감지증])
  - → 심한 hypoglycemia에 빠질 위험

② Mononeuropathy

; diffuse neuropathy보다는 드물, 대개 고령, 예후는 양호한 편! (보통 6~12개월 뒤 자연 호전)

(1) cranial mononeuropathy

- Ⅲ (oculomotor) 뇌신경마비가 m/c ; diplopia, 일측성 ptosis, ophthalmoplegia (pupil은 정상)
- 기타 ; Ⅳ (trochlear), Ⅵ (abducens), Ⅶ (facial, Bell's palsy)

(2) peripheral mononeuropathy

- 갑자기 발생, 단일 신경 분포 부위의 pain or motor weakness
- median nerve 침범이 m/c (→ wrist drop), ulnar (→ elbow), peroneal (→ foot drop) 등

(3) mononeuropathy multiplex ; multiple mononeuropathies

③ Radiculopathy/polyradiculopathy

(1) diabetic amyotrophy (lumbar polyradiculopathy)

- acute, asymmetric, focal pain → progressive muscle weakness
  ; 주로 대퇴부(드물게 견갑부)에서 발생, 양측성인 경우도 있음, 체중감소 동반
- 예후는 양호한 편, DM 조절되면 6~24개월 내에 호전됨

(2) thoracic polyradiculopathy

- dermatome을 따라 severe asymmetric/abdominal pain or paresthesia 발생
- 대개 self-limited, 6~12개월 뒤 자연 호전됨
- herps zoster, acute abdomen, cardiac dz.와 감별해야 (EMG)

5. 심혈관질환(CVD, ASCVD, atherosclerosis) ··· macrovascular Cx.

(1) 개요

- 심혈관질환[CVD]은 DM 환자의 m/c 사망원인 (CVD 발생률 및 사망률은 일반인의 2[남자]~4[여자]배)
  ① 관상동맥질환(CAD) ; angina pectoris, AMI, SCD
  ② CHF (diabetic cardiomyopathy) ; AS로 인한 myocardial ischemia, HTN,
     만성 고혈당으로 인한 myocardial cell dysfunction 등 때문
  ③ 뇌혈관질환(CVA) ; ischemic stroke 증가 (hemorrhage는 오히려 감소)
  ④ 말초혈관질환(PVD) ; 하지의 atherosclerosis 등
    - 주 침범 동맥: tibial, peroneal artery와 그 분지 등의 소동맥
    - Sx ; intermittent claudication (m/c), cold feet, nocturnal or resting pain, pulse 감소/소실
    - 궤양 및 감염이 잘 생김, 외상 이외의 amputation의 m/c 원인

- DM 환자가 정상인보다 CAD 위험 2~4배 높고, 발생시 예후도 나쁨
  (DM 환자의 CAD 발생 위험은 MI 병력이 있는 non-DM 환자와 비슷함!)
- DM 환자의 AS 특징 ; 조기에 multiple vessels 침범, diffuse, 빠르게 진행
- 병인 ① PAI-1 및 fibrinogen 증가 → → thrombosis 발생↑
       ② platelet, endothelial, 혈관평활근 등의 기능 이상

> **DM 환자에서 macroangiopathy (심혈관질환)의 위험인자**
> - Hyperlipidemia, HTN, obesity, 운동 부족, 흡연
> - Microalbuminuria, macroalbuminuria, serum Cr↑, 혈소판기능장애
> - Insulin resistance (serum insulin↑)

(2) 치료

- 심혈관계 위험인자의 조절이 중요함 (e.g., dyslipidemia & HTN 치료, 체중감량, 운동)
- **항혈소판제(antiplatelet therapy)**   ⌐ 망막출혈 위험을 높이지는 않음
  - 2차예방 ; <u>CVD 병력</u>이 있는 DM 환자는 <u>aspirin 100 (75~162) mg/day</u> 투여 권장
    (↳ MI, vascular bypass, stroke, TIA, PVD, claudication, angina 등)
    → 심각한 CVD 발생률 유의하게 감소 (but, 출혈 위험에는 주의 필요)
  - 1차예방 ; 50세 이상 <u>CVD 고위험군</u> DM 환자는 "출혈 위험이 높지 않은 경우" aspirin 고려
    (↳ CVD 가족력, 흡연, HTN, 비만, albuminuria, dyslipidemia 등)
    (∵ CVD 예방 효과가 2차예방 만큼 크지 않고, GI 출혈 및 출혈성 stroke 위험은 증가됨)
  - aspirin allergy 등으로 복용 못하면 P2Y$_{12}$ inhibitor (clopidogrel 75 mg/day) 사용
  - ACS 발생 DM 환자는 이후 1년 동안 aspirin + P2Y$_{12}$ inhibitor 병합투여 권장
- 엄격한 혈당조절 : CVD 발생/사망률 예방효과 적거나 불확실하지만 권장됨 (∵ microvascular Cx↓)
  (CVD 병력/고위험군에서 너무 엄격한 혈당조절은 도움 안되고 오히려 해로울 수 있음)

■ 심혈관계 위험인자의 조절

(1) DM에서의 Lipid 대사 이상

- **TG↑** & **HDL↓** (m/c), LDL은 대개 정상임 (DM 자체는 LDL level을 안 높임!)
- VLDL↑, <u>small dense LDL particles↑</u>, apo-B↑
  (↳ glycation & oxidation 잘 됨 → more atherogenic)
- type 2 DM과 poorly controlled type 1 DM에서 흔하다
- 조절 목표치 (중요도 순)
  ① <u>LDL <100 mg/dL</u> (m/i)
     <u><70 mg/dL</u> : CVD 동반 or albuminuria, CKD (eGFR <60) 등의 표적장기 손상,
                      CVD 위험인자(e.g., HTN, 흡연, 조기 발병 CAD 가족력) 있는 경우
  ② HDL >40 mg/dL (남), >50 mg/dL (여)
  ③ TG <150 mg/dL
  * non-HDL (= total cholesterol - HDL) <130 mg/dL, apo-B <100 mg/dL도 목표로 사용 가능

> **c.f.) 미국 ADA** : LDL에 관계없이 CVD 위험도에 따라 statin 치료 강도 권장 (우리나라에 적용은 무리)
> - moderate-intensity statin therapy ; 40세 이상 모든 DM 환자, 40세 미만 CVD 위험 DM 환자
> - high-intensity statin therapy ; 모든 CVD 동반 DM 환자, 40세 이상 CVD 위험 DM 환자

- 치료

① 생활습관개선 및 혈당조절

- 식사조절, 운동, 금연, 체중감량, 혈압조절 등 (특히 hyperTG는 금주, 체중감량이 효과적!)
  ↳ 포화지방산, 콜레스테롤, 트랜스지방 섭취↓ / omega-3 fatty acid, 섬유소 섭취↑
- 엄격한 혈당조절 → TG 감소, HDL은 약간 증가

② 약물치료 : HMG-CoA reductase inhibitor (statin) 우선!

- LDL ≥100 mg/dL이면 바로 statin 치료 시작 (CVD 등 고위험군은 ≥70 mg/dL도 고려)
- CVD 환자에서 최대내약용량의 statin에도 LDL 목표치에 도달하지 않으면 (≥70 mg/dL)
  ezetimibe or PCSK9 (proprotein convertase subtilisin/kexin type 9) 추가
  ↳ 비용을 고려하여 ezetimibe가 우선 선호됨
- 고위험군이 아닌 환자에서 최대내약용량의 statin이 효과 없으면 ezetimibe 추가
- statin은 type 2 DM 발생을 약간 증가시키지만, CVD 예방효과가 훨씬 더 크고 중요함
- hyperTG ; 생활습관개선 후에도 TG ≥200 mg/dL이면 fibric acid derivatives (fibrates)
  or omega-3 FA 치료 고려 (≥1000 ⇨ 급성 췌장염 예방위해 즉시 fibrates 등 치료)

(2) DM with HTN

- HTN은 DM의 합병증 발생을 증가시킴 (특히 심혈관질환과 nephropathy)
- 혈압 조절의 효과 및 목표 연구
  - 미국/유럽 심장학회에서는 SPRINT 연구 등을 기반으로 목표혈압 <130/80 mmHg 제시
  - 미국당뇨학회(ADA[2020]) ; CVD 저위험군 <140/90 mmHg (CKD 등 HTN 치료 부작용 위험군 포함),
    CVD 고위험군 <130/80 mmHg, 이미 DM & HTN이 있던 임산부 ≤135/85 mmHg
- 목표혈압(우리나라) : ≤140/85 mmHg [CVD 동반/고위험군 및 CKD 환자는 <130/80 mmHg]
  - 이완기혈압의 연구는 부족하지만, non-DM 대비 이완기혈압이 낮을수록 CVD 예방 효과↑
  - 집중치료군에서 CVA 감소 효과는 확실하므로 CVA 고위험군은 이완기혈압 <80 mmHg 고려
- 치료 시작 혈압
  ┌ ≥120/80 mmHg ⇨ 생활습관개선 ; 운동, 식사조절, 절주, Na 섭취↓, K 섭취↑, stress↓
  └ ≥140/90 mmHg ⇨ 항고혈압제 / ≥160/100 mmHg ⇨ 처음부터 2제 이상 병용요법 고려
- 항고혈압제의 선택 (모든 약제가 1차 치료제로 가능, CVD 예방효과는 비슷함)

① ACEi/ARB (m/g) … 특히 albuminuria 동반시에는 choice!
  - insuline resistance 호전, cardiovascular risk 감소, LDL을 약간 낮추고, HDL은 약간 높임
  - 임산부 또는 임신을 원하는 여성은 금기, ACEi + ARB 병합은 권장×

② β-blockers, thiazide diuretics
  - insulin resistance 증가 (→ 혈당↑), lipid profile에 나쁜 영향
  - β-blocker : type 2 DM 발생 위험 약간↑, 저혈당 증상을 masking 가능, 발기부전 가능
    (but, 대부분 DM 환자에서 안전하고, 이미 CVD 진단된 환자에서는 예방효과 m/g)
  - 이뇨제는 기립성저혈압을 유발할 수 있으므로 autonomic neuropathy가 있는 경우 주의

③ CCB : nondihydropyridine 계열(e.g., verapamil, diltiazem)을 선호, 혈당과 lipid에 영향 無

- 대개 목표 혈압에 도달하기 위해서는 병용요법 필요 ; ACEi/ARB + [이뇨제 or CCB] 등
  (∵ 단일 약제 용량↑ 보다는 다른 기전의 약물을 저용량으로 병용하는 것이 순응도↑, 부작용↓)
- 혈압 조절이 안 되면 renovascular HTN도 R/O (∵ DM 환자는 동맥경화성질환 흔함)

6. 당뇨병성 족부병변 (당뇨발, diabetic foot)

(1) 개요
- 정의 : DM 환자에서 신경병증과 말초혈관질환과 연관되어 궤양, 감염, 심부조직손상이 있는 발
- DM 환자의 15~25%에서 족부병변 발생 → 14~24%는 결국엔 절단(amputation) 필요
- 유병률은 약 1%, 우리나라는 0.4% (궤양 0.3%, 절단 0.1%)
- ulcer or amputation의 위험인자 ; 말초신경병증, 말초동맥질환, nephropathy (특히 투석 환자),
  DM 유병기간 10년 이상, 혈당조절 불량, 흡연, 남성, 이전의 ulcer or amputation 병력,
  발의 구조적 이상 (e.g., 뼈 이상, 굳은살callus, 두꺼워진 발톱)

(2) 원인/임상양상
① neuropathy
- peripheral ┌ 보호감각↓ → 정상 방어기전↓ → 외상↑
              └ 고유감각 이상 → 보행시 체중지지 이상 → 굳은 살 or 궤양↑
- autonomic → anhidrosis, 표재 혈류 이상 → 피부 건조 및 균열↑
② abnormal foot muscle biomechanics (∵ motor & sensory neuropathy)
→ 구조적 변화 ; hammer toe, claw toe deformity, prominent metatarsal bones, Charcot joint
③ peripheral arterial dz. (PAD) ; ischemia
④ 상처치유 지연 → 상처의 악화 및 이차 감염↑ (e.g., cellulitis, osteomyelitis)

(3) 진단
- 대개 일측성, ulcer는 엄지발가락 or MTP area의 발바닥 쪽에 호발
- 감각신경 검사 ; 10-g monofilament (m/g), 진동감각(128 Hz 진동자), 핀찌르기(pinprick) 등
- PAD 선별검사 ; ABI (ankle-brachial index) → 50세 이상 or 고위험군에서 시행
- osteomyelitis 여부 확인 ; foot X-ray, bone scan, MRI (가장 specific)
- blood flow study, angiography

(4) 치료
- 당뇨병성 족부병변에 치료 효과가 증명된 6가지 방법 (ADA)
① 감압술(off-loading) ; bed rest, 맞춤 신발/안창 등
② 죽은조직제거술/변연절제술(sharp debridement) : 손상된 조직, 굳은살 제거 → 상처 치유↑
③ wound dressing (e.g., hydrocolloid dressing) : 습도 유지 & 보호 효과로 상처 치유 촉진
- dressing시 소독제(antiseptics)는 금기(∵ 상처치유 지연), 국소항생제 효과는 제한적임
- wound cleaning (e.g., enzyme, soaking, whirlpools)은 효과 불확실
④ 감염 (대개 임상적으로 판단) ⇨ 항생제 치료 (+ debridement, local wound care)
- 배양 : debrided ulcer base or pus (drainage)에서 권장 (ulcer 표면의 배양은 도움 안 됨)
  ↳ 배양 결과가 나오기 전까지는 경험적 항생제 사용
- 심한 ulcer는 즉시 광범위 항생제 IV로 투여
- IV 항생제 치료로도 ulcer 주위 감염이 호전 안 되면 → 배양/항생제감수성 재검
  + surgical debridement or revascularization 고려
⑤ revascularization ; ischemia 심한 경우, nonhealing ulcer 등 때 고려
⑥ limited amputation

- 기타 or 새로운 치료법
  - negative pressure wound therapy (NPWT, 음압창상치료법, vacuum-assisted closure^{VAC})
    ; wound perfusion↑, edema↓, 국소 세균↓, 육아조직 형성↓ 등으로 상처 치유 촉진
    → debridement or partial foot amputation 이후의 광범위한 open wounds에 고려
  - 피부/피부대체재 이식, growth factors : 효과적일 수 있음 (특히 neuropathic ulcer에서)
  - hyperbaric oxygen therapy (HBOT) : 효과적일 수 있으나 근거 부족
  - shock wave therapy, low-level light (laser or LED) therapy ...
- osteomyelitis → 장기간의 항생제 ± 감염된 뼈의 debridement

(5) 예방
- 철저한 혈당조절 및 다른 위험인자의 조절 (금연, 혈압조절, 고지혈증 치료 등)
- 매일 발을 비눗물로 씻어 청결히 유지하고, 발가락 사이는 잘 건조시킴
- 피부는 습하거나 건조하지 않도록 함 (크림 바름)
- 발을 닦을 때는 발가락 끝에서 위로 문지름, 발톱은 일직선으로 깎음 (가장자리는 깍지 않음)
- 신발, 양말은 꼭 끼지 않고 통풍이 잘 되는 것으로 착용
- 밤에는 조금 큰 신발 사용 (∵ edema로 발 커져)
- 상처나 화상을 받지 않도록 주의 ; 맨발/슬리퍼로 다니지 않음, 특히 더운물 사용시 주의!
- 작은 상처가 있나 매일 주의 깊게 발 관찰 (but, 자가 치료는 금함)

7. DM의 피부 병변
① 상처치유의 지연 및 피부 궤양 (m/c)
② diabetic dermopathy ("shin spots", pigmented pretibial papules)
③ bullosis diabeticorum
④ necrobiosis lipoidica diabeticorum : 젊은 type 1 DM 환자에서, 드묾
⑤ acanthosis nigricans : severe insulin resistance
⑥ granuloma annulare
⑦ scleredema
⑧ xerosis, pruritus : 보습제로 호전됨

8. 감염
- 많은 감염이 더 흔히 발생하고(e.g., 폐렴, UTI, 피부/연조직 감염), 더 심함
- 폐 감염의 원인균은 non-DM 환자와 비슷하지만, G(-)균, *S. aureus*, *M. tuberculosis* 등이 non-DM 환자보다 더 호발
- UTI도 *E. coli*가 m/c 원인균이지만, 일부 진균 감염도 흔함 (e.g., *Candida*, *Torulopsis glabrata*)
- DM 환자에서 특징적으로 호발하는 드문 감염 (특히 HHS 환자)
  - malignant/invasive external otitis (*P. aeruginosa*) → osteomyelitis 및 meningitis로 진행 위험
  - rhinocerebral mucormycosis
  - emphysematous cholecystitis, pyelonephritis or cystitis

- 감염의 호발 원인
  ① cell-mediated immunity 및 phagocytic function 이상
  ② vascularization 감소
  ③ hyperglycemia → 다양한 미생물의 colonization 증가
    (e.g., *Candida* 등의 진균, 피부의 *S. aureus* ↑)

※ DM 환자의 사망원인 (우리나라, 2015년)
  ; 암(30.3%) 심장질환(10.5%), DM (10.5%), 뇌혈관질환(8.9%), 폐렴(1.5%), 고혈압성질환(1.5%)

수술 환자의 혈당 관리

1. 개요

- 수술 및 마취가 DM에 미치는 영향
  - 수술 → stress → counter-regulatory H. ↑
  - 마취제 → 혈당↑, insulin resistance 유발, lactate or ketone↑
- DM이 수술에 미치는 영향
  - 이화작용↑ → 단백 분해↑ → 상처치유 지연
  - 면역기능저하 → 감염↑
  - AS에 의한 심혈관계 위험 → 수술후 사망률 및 이환율↑

2. 치료

- 수술중 혈당 조절 목표 : 120~180 mg/dL (∵ 마취된 상태에서 저혈당 위험)
- 경구혈당강하제 복용중이던 환자는 수술당일 아침부터 중단, insulin으로 교체
- insulin therapy
  ① glucose와 insulin을 함께 또는 분리하여 IV (대부분) : RI continuous infusion (0.5~2 U/hr)
  ② glucose IV & insulin 피하주사 … 거의 이용 안됨
- 수술은 가능하면 오전에 시행, 수술 중에는 1~2시간마다 혈당 측정
  - 혈당이 200 mg/dL 이상으로 상승되면 insulin 증량
  - 혈당이 100 mg/dL 이하로 떨어지면 insulin 중단
- 수액제제는 glucose (100~150 g/day 정도)가 첨가된 N/S (normal saline)이 좋음

3. 실제 임상지침

- 보통 insulin IV 방법을 이용함
- K⁺ 보충도 병용 (∵ insulin → serum K⁺↓)

(1) GIK (glucose-insulin-potassium) 혼합수액 주입법

- 장점 : 간단하고, 안전하고, 재현성이 높음 (→ 가장 흔히 이용됨)

ⓐ protocol : RI 30U + KCl 20 mmol + 10% 포도당액 1L … 권장

ⓑ protocol : RI 15U + KCl 20 mmol + 5% 포도당액 1L

- 50~100 mL/hr씩 주입, 매시간 마다 혈당을 측정하여 insulin 용량 조절
- 단점 : insulin 용량 변화시 전체 주입액을 교체해야 됨, insulin이 주입용기나 주입선에 흡착됨

(2) insulin, glucose 분리 주입법

- 장점 : insulin 공급을 보다 정확하게 유지하고, 필요에 따라 insulin 주입량과 속도를 신속하게 변경 가능 (특히 소아 및 청소년에서 매우 효율적인 방법)
- 필요한 기기를 갖추고 숙련된 전문의가 있다면 더 바람직함

* 수술 후 식사시작 전까지도 계속 GIK 혼합수액 주입법 (또는 RI, glucose 분리 주입법) 시행

GIK 혼합수액 주입 protocol		
	Insulin 용량 (U/L)	
혈장 glucose (mg/dL)	Protocol ⓐ	Protocol ⓑ
<80	10 감량	5 감량
<120	5 감량	3 감량
120~180	변경하지 않음	
>180	5 증량	3 증량
>270	10 증량	5 증량

수술 중 insulin 요구량	
조건	Insulin(U)/glucose(g)
정상 체중	0.25~0.35
비만	0.4
간질환	0.4~0.6
스테로이트 투여	0.4~0.5
패혈증	0.5~0.7
심폐우회술	0.9~1.2

■ 입원 환자의 혈당 관리

- 입원 환자에서의 정의 : 고혈당 ≥140 mg/dL, 저혈당 ≤70 mg/dL
  → 공복 혈당 <140 mg/dL, 비공복 혈당 <180 mg/dL로 유지
- 지속적인 ≥180 mg/dL 고혈당을 보이면 insulin 치료 시작
  → 혈당조절 목표 : 140~180 mg/dL

당뇨와 임신

: 임신 중 DM의 약 90%는 GDM, 약 10%는 임신 전 DM (pregestational diabetes)

1. 임신의 영향

① insulin resistance 증가 (→ type 2 DM 발병률 높다)

② nephropathy 환자는 신기능이 악화될 수 있음 (때로는 비가역적으로)

③ retinopathy도 임신 중 악화되나, 분만 후에는 어느 정도 회복됨
  (고위험 환자는 prophylactic photocoagulation 시행)

④ uncontrolled DM (hyperglycemia)의 태아에의 영향

┌ 초기(특히 8주 이내) → 선천성 기형 및 자연 유산의 위험 3~4배 증가

└ 중후기 (∵ 태아의 hyperinsulinism → anabolic & growth effects)

  → 거대아(macrosomia), 분만손상, 견갑난산, 자궁내 태아사망 위험↑

  (c.f. glucose는 태반을 통과하나 insulin은 통과하지 못함)

2. 임신중 DM의 치료원칙

① oral hypoglycemic agents와 ACEi/ARB는 금기!
② 체중 감량은 하지 않는다 (∵ 태아의 영양에 나쁜 영향을 줄 수 있으므로)
③ intensive insulin therapy & frequent blood glucose self-monitoring
* 혈당조절 목표 ; GDM과 동일함 (→ 뒷부분 참조)

3. 분만시기와 방법

① 혈당 조절이 잘 되고 있는 경우
  • 32주부터 일주일에 2회씩 NST (non-stress test, 비수축검사, 태동검사) 시행
  • 이상 소견 없을 경우 보통 38~40주에 분만
② 혈당 조절이 잘 안되고 있는 경우 (e.g., HbA$_{1c}$ >10%)
  → 조기 분만 (37~38주에) (∵ large baby, hydramnios 동반되어 있을 수 있으므로)

4. 임신성당뇨병(Gestational DM, GDM)

(1) 개요

• 정의 : 임신중 처음 진단된 당뇨병
• 유병률(우리나라) ; 8~10%, 꾸준한 증가 추세 (∵ 가임기 여성의 비만↑)

GDM 발생의 위험인자
임신 전 비만 : BMI >30 kg/m²
DM의 가족력(특히 1차친족의)
GDM, 공복혈당장애(IFG), 내당능장애(IGT), HbA$_{1c}$ ≥5.7% 등의 과거력
기형아 및 거대아(≥4 kg) 출산의 과거력
Glycosuria, HDL >35 mg/dL, TG >250 mg/dL, 고령임신(>30세)
DM 발생 위험군 ; metabolic syndrome, PCOS, steroid 사용, HTN, 심혈관질환, acanthosis nigricans

(2) 진단

• 임신 24~28주의 모든 임산부에서 50 g OGTT (or 75 g OGTT) 시행
  (∵ 임산부의 90% 이상이 위험인자 한개 이상은 가짐)
• 50 g OGTT ; 식사와 관계없이 50 g의 glucose 투여
  ⇨ 1시간 후 plasma glucose ≥140 mg/dL면 (고위험군은 ≥130) ⇨ 100 g OGTT 시행
• 100 g OGTT ; overnight (8~14시간) fasting뒤 plasma glucose 측정

(3) 치료

• 혈당조절 목표 ; 공복혈당 <95 mg/dL, 식후 1시간 <140 mg/dL, 식후 2시간 <120 mg/dL
  – 임신 전 DM 환자도 동일함 / 공복보다 식후 혈당 조절이 더 중요함
  – HbA$_{1c}$: 임신 초기 <6.0~6.5%, 임신 중후기 <6.0% (but, 임신 중에는 원래 조금 낮아짐)
  – 저혈당이 발생하지 않도록 주의

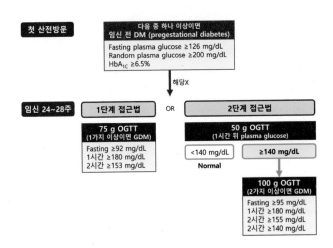

- 임상영양요법(MNT) ; GDM 치료의 기본, 30~35 kcal/kg/day (IBW 기준)
  - 지나친 열량 제한은 ketonuria 발생 위험 → 1700~1800 kcal/day 이하로는 제한하지 않음
  - 식후 혈당 조절을 위해 탄수화물 제한 권장 (탄수화물 40%, 단백질 20%, 지방 40%)
- 운동 ; 적절한 강도의 운동 권장 (∵ insulin 치료 필요↓, 과도한 태아 성장 예방)
- 약물치료 ; MNT와 운동으로 혈당조절이 안되면 시행 (태아의 성장속도가 빠를 때도 고려 가능)
  - insulin (TOC) ; 초속효성(lispro, aspart), human insulin (RI, NPH), detemir^지속형 등이 안전
  - 경구혈당강하제 ; insulin을 사용할 수 없으면 glyburide or metformin은 고려 가능

(4) 출산후 관리/예후

- 혈당조절이 잘 되면, GDM 산모와 태아의 morbidity 및 mortality는 정상인과 차이 없음
- 모유 수유 ; 산모와 신생아 모두에게 도움이 되므로 권장함
- 출산 1~2주 뒤 대부분 insulin resistance는 회복되므로, 치료 중인 경우는 저혈당 발생에 주의
- GDM의 50~70%는 15~25년 뒤 type 2 DM 위험 → 분만 후 정기적인 검진과 관리 필요
  ; 출산 6~12주 뒤 75 g OGTT를 시행하여 (pre)DM 여부 확인 → 정상이면 매년 screening
- GDM 병력 여성에서 DM이 발생한 경우 GDM 없던 DM 환자에 비해 만성합병증의 발생 빈도
  높음 (특히 심혈관계 합병증에 의한 사망률 매우 높음)
- GDM 산모에서 태어난 자녀들은 비만, glucose intolerance, DM 등의 발생 위험이 높음

11
저혈당(hypoglycemia)

개요

1. 정의

- hypoglycemia : 대개 fasting plasma glucose의 lower normal limit (70 mg/dL) 이하를 의미
- 임상상황에 따라 증상이 발생하는 최저 혈당치 및 생리학적 반응은 매우 다양하므로, hypoglycemia의 진단에는 대개 Whipple's triad를 이용함
- Whipple's triad
  - hypoglycemia에 의한 증상 ⇨ insulin, C-peptide 측정 등 hypoglycemia evaluation 시작
  - plasma glucose level↓ (공복 **<55 mg/dL**, 식후 **<60 mg/dL**)
  - 당 섭취/투여로 plasma glucose level이 올라가면 증상이 사라짐

2. 저혈당에 대한 방어기전

호르몬	반응 혈당역치	반응 시작	작용
Insulin ↓	80~85 mg/dL	Rapid	간에서 gluconeogenesis 촉진 간에서 glycogenolysis 촉진 근육에서 glucose 이용 억제 지방 및 단백 분해 증가
Glucagon ↑	65~70 mg/dL	Rapid	간에서 glycogenolysis 촉진 간에서 gluconeogenesis 촉진
Epinephrine ↑	65~70 mg/dL	Rapid	근육에서 glucose의 이용 억제 간에서 glycogenolysis 촉진 Gluconeogenesis (glucagon 분비 촉진) Insulin 분비 억제
Growth H. ↑	65 mg/dL	Delayed	간에서 gluconeogenesis 촉진
Cortisol ↑	55~60 mg/dL	Delayed	근육에서 glucose의 이용 억제

* 반응 순서대로 / 증상 발생 혈당역치는 대개 <55 mg/dL

3. 저혈당의 임상증상

(1) autonomic Sx. (혈당 <60 mg/dL)

- adrenergic Sx. ; 손/발떨림(저림), 심계항진, 불안, 심박증가, 혈압상승
- cholinergic Sx. ; 발한, 공복감, 이상감각
- 혈당이 급격히 떨어지는 경우에 주로 발생 (e.g., reactive hypoglycemia)

(2) neuroglycopenic Sx. (혈당 <50 mg/dL)
- 두통, 어지러움, 졸림, 악몽, 집중력 저하, 운동실조, 구음장애, 시각장애 (시야혼탁, 복시), 행동이상, 경련, 의식장애(착란, 기면, 혼수) ...
- 저혈당이 오래 지속되거나, 혈당이 천천히 떨어지는 경우에 주로 발생 (e.g., insulinoma)
- 뇌세포가 정상 기능을 유지하기 위한 혈당치는 개인마다 차이가 있으나, 나이가 들수록 증가

* 심한 저혈당이 오래 지속되면 치명적이므로, 모든 의식저하 환자에서는 hypoglycemia의 가능성을 고려해야 됨

분류/원인

: 전통적으로 postabsorptive (fasting) ↔ postprandial (reactive)로 분류했었지만
  두 가지 양상을 모두 보이거나, 분류 어려운 경우가 많으므로 참고로만 ...

1. Fasting (postabsorptive) hypoglycemia

- 대개 질환 상태를 의미 ; DM, 약물, 심한질환 등이 흔한 원인
- 주간, 특히 운동 이후 특징적으로 나타남 / 탄수화물 섭취에 의해서만 증상이 소실됨

Glucose의 생산 장애	
1. 호르몬 결핍 　Hypopituitarism 　Adrenal insufficiency (cortisol 결핍) 　Glucagon 결핍 　GH 결핍 (소아에서) 2. 효소 결함 　Glucose-6-phosphatase 　Liver phosphorylase 　Pyruvate carboxylase 　Phosphoenolpyruvate carboxykinase 　Fructose-1,6-bisphosphatase 　Glycogen synthetase	3. Substrate 결핍 　Ketotic hypoglycemia of infancy 　Maple syrup urine disease 　Severe malnutrition, muscle wasting 　Late pregnancy 4. 심한 질환 　간질환 (hepatic congestion, severe hepatitis, LC) 　심부전 (→ hepatic congestion) 　Sepsis (cytokines이 glucose 생산 억제, 간/신부전) 　Uremia, Hypothermia, Starvation ... 5. 약물 　<u>Alcohol</u>, Propranolol, Salicylates (aspirin)

* hypoglycemia를 일으키는 hormone deficiency중 가장 흔한 것은 hypopituitarism & adrenal insufficiency

Glucose의 이용 증가	
Insulin level 정상	**Insulin level 증가**
Non-β-cell tumors (대개 IGF-II 때문) Systemic carnitine deficiency Fat oxidation의 enzyme deficiency 3-Hydroxy-3-methylglutaryl-CoA lyase 　deficiency Fat depletion을 동반한 cachexia 운동	<u>약물(m/c) ; Insulin or insulin secretagogues</u> (대부분), 　Aspirin (고용량), Disopyramide, Gatifloxacin, Indomethacin, 　Pentamidine (β-cell toxicity → 나중에는 DM 유발), 　Quinine, Quinidine, Sulfonamides ... Insulinoma, β-cell hypertrophy/hyperplasia Insulin autoimmune syndrome (IAS) Ectopic insulin secretion (매우 드묾) 신부전 (→ insulin clearance ↓)

2. Postprandial (reactive) hypoglycemia

- 어떤 인지할 만한 질환이 없는 경우에 종종 발견 (과식 → insulin ↑ → hypoglycemia)
- 주로 autonomic Sx 발생, 저절로 증상이 소실됨
- 원인

Hyperalimentation (m/c)
: Alimentary hyperinsulinism (e.g., gastrectomy)
Ethanol-induced
Noninsulinoma pancreatogenous hypoglycemia syndrome (NIPHS)
Impaired glucose tolerance
Hereditary fructose intolerance
Galactosemia
Leucine sensitivity
Idiopathic reactive

진단

1. Blood assay

- plasma glucose, insulin, C-peptide, cortisol 등을 동시에 측정
- insulin/glucose ratio ; 정상 <0.4   (insulinoma >0.4)
- proinsulin ┌ insulinoma : proinsulin의 분비가 증가
            └ 정상 : 전체 insulin의 20% 미만

2. Prolonged (72hr) fasting test ⋯ "gold standard"

- fasting hypoglycemia (insulinoma) 진단에 매우 유용
- 증상이 발현될 때까지 혹은 72시간 동안 fasting
- 6시간 마다 plasma glucose, insulin, C-peptide, cortisol 측정
- 어느 때라도 plasma glucose <45 mg/dL면 hypoglycemia로 진단
  (insulinoma : plasma insulin ≥6 μU/mL, C-peptide ≥0.2 nmol/L)

3. Mixed meal test

- 식후 저혈당 (식후 5시간 이내에 neuroglycopenic Sx 발생) 환자에서 시행
- mixed meal 섭취후 neuroglycopenic Sx 발생시 혈당이 50 mg/dL 이하면 (+)

4. C-peptide suppression test

- exogenous insulin을 투여하여 hypoglycemia를 유발함
  ┌ insulinoma : endogenous insulin과 C-peptide의 분비가 억제되지 않음
  └ 정상 : 기저치의 50% 이하로 억제됨

공복 저혈당(Fasting hypoglycemia)

1. Insulinoma

(1) 개요/임상양상
- 드물다, 40~60세에 호발, 남≤여
- pancreatic β-cell의 종양으로 90%가 solitary, 99%가 췌장내에 존재
- 크기 작다(대부분 2 cm 이하), 췌장 전체에 균등히 분포
- 대부분 benign, 약 5~15%만 malignant (→ 대부분 간 전이 존재)
- 약 8%는 MEN-1 (Wermer's syndrome)과 관련 (→ 수술뒤 재발률도 높음)
  : + pituitary adenoma + parathyroid adenoma
- 경험적으로 저혈당을 피하기 위해 과식 → 보통 체중증가를 동반 (30%는 obesity)
- hypoglycemia unawareness

(2) 진단
① Whipple's triad
② hypoglycemia (<55 mg/dL)일 때 insulin 농도가 정상~증가 (≥3 μU/mL [18 pmol/L])
  - insulin/glucose >0.4
  - C-peptide↑ (≥0.6 ng/mL [0.2 nmol/L])
  - proinsulin↑ (≥5.0 pmol/L)
  - insulin에 대한 autoantibody는 음성
③ 불확실한 경우엔 48~72hr fasting test

(3) localization
- CT (70~80%), MRI (85%)에서 대개 발견되지만, 놓치는 경우도 많음 (∵ small tumor)
- somatostatin receptor scintigraphy : 50~80%에서 발견 가능
- 고해상도 EUS (endoscopic ultrasonography) : 최대 90%에서 발견 가능
- 침습적 진단법 (비침습적 검사로 대부분 발견 가능하므로, 거의 시행 안됨)
  (a) selective pancreatic arterial calcium injection (stimulation) test
  (b) transhepatic portal venous sampling
- 수술 전 검사들로도 발견 못하면 → intraoperative ultrasonography (거의 대부분 발견 가능)

(4) 치료
- 수술 (TOC) : 75~95%가 완치됨 (약 15%에서는 저혈당 지속)
- 내과적 치료 : 수술전 및 수술실패시
  ① diazoxide (m/g) → insulin 분비 억제 : 50~60%가 반응
  ② somatostatin analogue (e.g., octreotide) : 약 40%에서 효과적
  ③ 기타 ; verapamil, diphenylhydantoin, phenytoin, clorpromazine ...
  ④ metastatic carcinoma
    - 간 전이 → 수술적 절제 or hepatic arterial embolization, chemoembolization,
    - CTx. ; streptozocin ± 5-FU, doxorubicin, dacarbazine, IFN-β ...

(5) 심한 hypoglycemia 시의 initial Tx.

: 50% glucose solution IV (→ 입으로 식사할 수 있을 때까지)

2. Factitious hypoglycemia (인위적 저혈당)

- insulin or sulfonylurea의 인위적 투여에 의해 발생한 hypoglycemia
- insulinoma와의 감별

	Insulinoma	Exogenous insulin	Sulfonylurea	Insulin Autoimmune
Plasma insulin	↑	↑↑	↑	↑↑
Insulin/glucose ratio	↑	↑↑	↑	↑↑
Proinsulin	↑	↓	↑~N	↑↑
C-peptide	↑	↓	↑	↑↑
Insulin antibodies	−	−	−	+
Plasma or urine sulfonylurea	−	−	+	−

* 정상치 ┌ insulin (fasting) : 2~20 μU/mL
　　　　 └ C-peptide (fasting) : 0.5~2.0 ng/mL [0.2~0.7 nmol/L]

3. Alcohol-related hypoglycemia

- 기전 ┌ alcohol에 의한 <u>hepatic gluconeogenesis 억제</u>
　　　 └ hepatic glycogen depletion (∵ starvation)
- 주로 영양실조인 알코올중독자에서 발생하지만, 과음 이후 vomiting 또는 gastritis로 굶은 경우 누구에서나 며칠 뒤 발생 가능

4. Insulin autoimmune syndrome (IAS)

- 자연적으로 자신의 insulin에 대한 자가항체를 생성하는 것 (주로 IgG)
- 원인 ; 약물, 자가면역질환(e.g., Graves' dz., RA, SLE), plasma cell d/o 등 (but, 대부분 모름)
- 기전 ; 분비된 insulin이 anti-insulin Ab와 결합하고 있다가 (→ 초기에는 insulin 작용 부족으로 hyperglycemia 발생 → insulin 분비↑), 부적절한 시간에 분리되어 hypoglycemia 유발
- insulin, proinsulin, C-peptide level이 매우 높음
- 주로 아시아(특히 일본)에서 발생, 남=여, 대개 고령
- 치료는 어렵지만, 자연 관해가 흔함 (self-limited), 대부분 몇 달 이내에 호전됨

* Type B insulin resistance (드묾)
  - insulin receptor Ab : 대개 insulin resistance를 일으키나, 일부에서 때때로 insulin receptor를 활성화하는 insulin과 같은 작용을 나타내어 hypoglycemia 발생
  - insulin resistance & acanthosis nigricans를 가진 흑인 중년 여성에서 흔함

■ 식후/반응성 저혈당 (Postprandial/reactive hypoglycemia)

1. Alimentary hyperinsulinism (m/c)

- upper GI 수술 (e.g., <u>gastrectomy</u>) 받은 환자에서 발생
- 병인 ; rapid gastric emptying → rapid glucose absorption (→ 혈당 빨리 상승)
  → insulin 분비 크게 증가 → hypoglycemia 발생
  - 장에서 GLP-1 분비 증가 → insulin 분비 촉진, glucagon 분비 억제
- 진단
  ① <u>mixed meal test</u> 후 Whipple's triad 증명
  ② nuclear gastric emptying study
  - 5hr oral glucose tolerance test는 도움 안됨
    (∵ 정상인의 상당수에서도 증상 없이 hypoglycemia (≤50 mg/dL)가 나타남)
- 치료 : 식이습관의 변화 (소량씩 자주 나누어 먹어)
  - 단순 또는 정제된 당질의 섭취 피함, 비만 환자는 체중감량
  - α-glucosidase inhibitor (e.g., acarbose, miglitol) : glucose의 장내 흡수를 지연시키므로 이론상
    좋은 치료일 것 같으나, 실제 효과는 별로임

2. Noninsulinoma pancreatogenous hypoglycemia syndrome (NIPHS)

- islet (β-cells) hypertrophy ± hyperplasia가 원인, insulinoma보다 훨씬 드묾
- 식후 insulin 과다분비에 의한 hypoglycemia 발생이 특징적
- mixed meal test (+) & 72hr fasting test (-)
- 영상검사들에서는 발견 안됨
- Dx : selective pancreatic arterial calcium injection (stimulation) test
- Tx : partial pancreatectomy

3. Impaired glucose tolerance

* 식사 or 경구당부하검사 후 혈중 glucose 및 insulin 농도
  ┌ 정상 : 1~2시간에 최고
  └ 내당능장애 : 2시간 이후에 최고 → 음식 섭취가 없는 식후 3~5시간에
     저혈당(late hypoglycemia) 발생

4. Idiopathic reactive hypoglycemia

(1) true idiopathic reactive hypoglycemia : 드물다, 논란
(2) pseudohypoglycemia (idiopathic postprandial syndrome)
  - 검사상 hypoglycemia 없는데도, 식후 2~5시간에 hypoglycemia의 증상 발생
  - D/Dx : Sx. 발생시에 low plasma glucose 증명해야

DM 환자의 hypoglycemia

1. 개요

- 실제 임상에서 hypoglycemia는 DM 치료 중 가장 흔히 발생
- serious hypoglycemia를 막는 것이 hyperglycemia를 막는 것보다 중요
  (∵ hypoglycemia는 생명을 위협할 수 있는 즉각적인 결과를 초래 가능)
- type 1 DM에서 더 흔히 발생 (2~4%는 hypoglycemia로 사망)
- type 2 DM에서는 덜 흔하지만 insulin or sulfonylurea 치료 중에 발생 가능
- hypoglycemia에 대한 정상적인 방어기전
  ① insulin 용량 감소/중단
  ② counterregulatory hormones 분비 (특히 glucagon)
  (→ hepatic glucose 생산↑, nonhepatic tissue에서 glucose 이용↓)

2. 일반적인 위험인자

: relative/absolute insulin excess의 원인

① insulin or oral hypoglycemic agents의 잘못된 선택, 용량 과다, 투여시간 부적절 등
② glucose 섭취 감소 (e.g., 식사를 거르거나 밤새 금식시)
③ insulin-dependent glucose utilization 증가 (e.g., 운동)
④ insulin sensitivity 증가 (e.g., 강력한 혈당조절, 한밤중, 운동, 체중감소 등)
⑤ endogenous glucose production 감소 (e.g., 음주)
⑥ insulin clearance 감소 (e.g., 신기능 저하)

* but, 이러한 원인들은 severe hypoglycemia의 일부에만 관여 → 대부분은 다른 기전이 원인

3. Hypoglycemia-associated autonomic failure (HAAF)

(1) defective glucose counterregulation

: type 1 DM 및 insulin이 결핍된 type 2 DM에서 나타남

① glucose level이 떨어져도 insulin level이 같이 떨어지지 않음 (∵ 외부에서 insulin 투여)
② glucagon deficiency
   - β-cell에서 insulin 합성 소실시 α-cell의 glucagon 합성도 감소
   - glucagon의 absolute deficiency가 아니라 functional abnormality
     (hypoglycemia 이외의 자극에 대해서는 반응함)
③ epinephrine deficiency (m/i)
   - threshold abnormality : epinephrine이 분비되기 위한 glucose level↓
   - hypoglycemia의 기간이 선행된 뒤 나중에 발생
   - glucagon만 결핍되었을 때보다 severe hypoglycemia 발생

(2) hypoglycemia unawareness (저혈당 불감증/무감지증)

- chronic hypoglycemia에 적응 → BBB를 통한 glucose 투과도 증가
  → 혈당이 매우 낮아져도 모르게 됨
- warning Sx (conterregulatory hormonal response와 neurologic Sx) 결여
  → 저혈당 교정을 위해 식사하려는 인식을 방해 → 악순환 반복
  → severe hypoglycemic coma에 빠질 위험
- hypoglycemia의 첫증상이 neuroglycopenia로 나타나지만, 그때는 환자 스스로 해결하기에는
  이미 늦은 경우가 흔함 (severe hypoglycemia 발생 위험 6배)
- 원인 ① chronic iatrogenic hypoglycemia (∵ insulin/glucagon ↑)
  ② autonomic neuropathy
  ③ β-blocker (glycogenolysis도 방해)
- counterregulatory hormone failure는 특히 intensive insulin Tx.시 위험
- counterregulatory hormone failure를 의심할 수 있는 임상소견
  → 식사 및 운동의 변화로는 설명되지 않는 frequent hypoglycemia
- 치료 [가역적] : (insulin 용량을 줄여서) 2~3주 정도 hypoglycemia 발생을 엄격히 예방하면
  counterregulatory glucose threshold가 다시 회복됨

* 다른 원인에 의한 hypoglycemia도 발생할 수 있음
  ① honeymoon period
  ② autoimmune adrenal insufficiency
  ③ high levels of circulatory insulin Ab.
  ④ insulinoma

4. Hypolycemia의 치료

┌ 의식이 있으면 → 설탕, 사탕, 당함유 음료
└ 의식이 없으면 → IV glucose (50% DW), glucagon 1 mg IM

* glucose IV 후에도 의식이 회복 안되면 혈당을 200 mg/dL로 유지하면서 steroid를 투여 가능

12

고지혈증(Hyperlipidemia)/이상지질혈증(Dyslipidemia)

생리학

1. 2 main lipids

, 지질(lipid)은 수수용성으로 혈중에서는 지단백(lipoprotein) 형태로 운반됨

(1) cholesterol

- 세포막의 구성 성분, steroid 호르몬과 담즙산의 전구체, 주로 LDL의 형태로 운반됨
- 보통 lipoprotein 형태로 존재하기 때문에 체위나 정맥울혈의 영향을 받음
  (누우면 감소 → 앉은 자세에서 채혈하는 것이 원칙)
- 식사에 의한 cholesterol 농도의 변화는 거의 없다 (10% 이내)

(2) triglyceride (TG)

- 세포 내로의 energy transfer에 중요 (에너지원)
- 주로 VLDL or chylomicron (CM)의 형태로 운반됨
- 식후에 크게 증가하므로, 9시간 (원칙적으론 12시간) 이상 금식 후 검사

* FFA (free fatty acid)

- 혈중 지질의 2% 이하, albumin에 의해 운반, 심근 에너지의 60% 담당
- FFA의 20~40%는 간으로 섭취되어 TG, phospholipid 등의 합성 재료가 되고,
  일부는 산화되어 에너지원으로 쓰인다
- 지방조직으로부터의 FFA 동원 (lipolysis)

  ┌ 촉진 : catecholamine, GH, glucocorticoid, thyroid hormone
  └ 억제 : insulin, adenosine, PGE

- FFA level

  ┌ ↑ : IHD, obesity, DM, Cushing's syndrome, acromegaly,
  │   hyperthyroidism, pheochromocytoma, hepatitis, LC, α_1-blocker
  └ ↓ : NS (∵ albumin 감소로 FFA ↓), hypothyroidism, Addison's dz,
         panhypopituitarism, insulin (insulinoma), glucose, β-blocker,
         PGE, nicotinic acid, reserpine, clofibrate

* 트랜스지방(trans fat) : 불포화 지방산의 하나로 튀김, 피자, 치킨, 치즈, 도넛, 팝콘 등에 많음

  - 간세포에 작용하여 LDL을 증가시키고, HDL을 감소시킴 → 심혈관질환(CVD) 위험↑
  - 포화지방산보다 더 LDL을 많이 증가시킴, 하루 총열량의 1% (2.2~2.5g) 이하로 섭취 제한

2. 지단백(lipoprotein, Lp)의 구조와 종류

Lipoprotein class	Major lipids	Apolipoproteins		EP상 이동
		Major	Minor	
CM & CM remnants	Dietary TG	B48	A I , AIV, C I , C II , C III, E	Origin slow Pre−β
VLDL	Endogenous TG	B100	A I , A II , AV, C I , C II , C III, E	Pre−β
IDL	TG, Cholesteryl esters	B100	C I , C II , C III, E	slow pre−β
LDL	Cholesteryl esters	B100		β
HDL	Cholesteryl esters	A I	A II , AIV, C III, E	α
Lp(a)	Cholesteryl esters	B100	apo(a)	pre−β

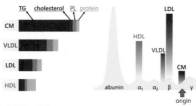

- density를 결정하는 인자
  - TG↑ → density↓ (VLDL, CM)
  - apoprotein↑ → density↑ (HDL)
- 혈장의 관찰
  ① CM ↑ → 원심분리 or standing 후 우유빛 상층액(creamy layer)
    * 아래층이 투명 → type I (CM만↑), 혼탁 → type V (VLDL도 ↑)
  ② TG (VLDL) ↑ → 탁한 혈장(turbid plasma) : type IV
  ③ cholesterol (LDL) ↑ → 투명! : type IIa

3. 아포지단백(apolipoprotein)

(1) 기능
- lipoprotein 구조의 골격, lipoprotein 대사의 조절, lipoprotein immunogenicity의 표현
- lipophilic compounds와 결합/운반 (지용성 → 수용성), tissue receptor의 인식

(2) 종류
- Apo A− I : HDL의 m/c 구조 아포지단백, 간과 장에서 생성, LCAT의 activator
- Apo A− II : HDL의 2nd m/c 구조 아포지단백, hepatic lipase의 activator
- Apo B−100 : LDL, IDL, VLDL, Lp(a)의 주요 구조 아포지단백, 매우 큼, 간에서 생성
  - LDL receptor에 대한 ligand로 LDL의 조립과 분비에 필요, 한 개의 지단백 당 하나만 존재
  - 85%가 LDL에 존재 → Apo B−100으로 심혈관질환[CVD]을 예측 가능
- Apo B−48 : CM의 주요 구조 아포지단백, 장에서 생성, LDL receptor에 결합 안함

• Apo C-Ⅱ, apo C-Ⅲ, apo A-Ⅴ : TG-rich lipoproteins의 대사에 관여
• Apo E : TG-rich particles의 대사 및 제거에 중요

* 3개의 대립유전자(ε2, ε3, ε4)에 의해 3개의 isoforms (E2, E3, E4) 존재

   ┌ E3 : 정상 (m/c)
   ├ E4 homozygote (E4/E4) : Alzheimer's disease
   └ E2 homozygote (E2/E2) : familial dysbetalipoproteinemia (type Ⅲ hyperlipoproteinemia)

4. 지질단백(lipoprotein)의 대사

(1) chylomicron (CM)

• 소장에서 흡수된 dietary (exogenous) TG를 체내 조직 (지방조직)으로 운반
  (이때 apo B-48이 관여)
• 식후 1시간에 가장 높고, 4~5시간 후면 거의 소실
• 공복시엔 거의 없다 (10시간 이상 금식후에도 존재하면 → type I or V)
• CM ↑↑시 흔히 pancreatitis를 합병

(2) VLDL (very low density Lp)

• 간에서 합성되는 (endogenous) TG는 VLDL의 형태로 말초조직으로 운반됨
  ┌ 간에서 분비될 때는 apo B-100이 관여
  └ 혈중에서는 여러개의 apo E와 apo C 들도 관여
    – 식사후 carbohydrate에서 얻어진 glucose로 부터 TG 합성
• 공복상태 or 과량의 지방섭취 후에는 말초에서 유리되는 FFA가 간으로 이동하여 TG로 전환됨

(3) LDL (low density Lp)

• cholesterol의 운반에 관여 (total plasma cholesterol의 70%를 수용) → AS의 risk 증가
• 크기/밀도에 따라 phenotype A (큼), B (작고 치밀), I (중간)로 구분
• LDL의 70~80%는 말초와 간세포(主)의 LDL receptor에 의해 세포내로 uptake됨,
  나머지 20~30%는 receptor와 관계없이 RES (macrophage)에 의해 제거
• hepatic LDL receptor pathway가 plasma LDL 농도를 조절하는 주 기전
• small dense LDL (LDL phenotype B) … more atherogenic (but, 전체 LDL이 더 중요)
  ; plasma FFA↑ (→ TG↑), HDL↓와 관련

(4) HDL (high density Lp)

• cholesterol을 청소하는 역할 : 말초 조직의 excess cholesterol을 흡수한 뒤, 간으로 운반
  (운반된 cholesterol은 bile acid로 배설)
• 동맥벽의 cholesterol 침착 방지에 매우 중요 : HDL↑ → AS↓ (AS의 "anti-risk factor")
• HDL 증가 ; 여자 (여자가 남자보다 25% 높다), estrogen, 체중감소, 운동, alcohol,
  chronic hepatitis, phenobarbital, phenytoin, clofibrate, nicotinic acid, genfibrozil …
• HDL 감소 (대개 insulin resistance와 관련)
  ① 체중증가/비만, 고탄수화물(>60%) 저지방 식이, 흡연, DM, androgen, progesterone,
    β-blocker, coffee, 중증 간장애

② severe hypertriglyceridemia → very-low HDL (<20 mg/dL)

③ very-low HDL (<20 mg/dL) & TG <400 mg/dL은 대개 유전질환이 원인

; apo A-Ⅰ mutation, LCAT deficiency, Tangier dz.

(5) lipoprotein (a), Lp(a)

- LDL에 apo(a)가 결합된 complex (정상: <30 mg/dL)
- Lp(a) level은 대개 유전적으로 결정되며, 생활습관과는 관련 없음
- thrombogenic, atherogenic → 심혈관질환 환자에서 높음 (but, 독립적인 위험인자인지는 논란)
- AS의 다른 risk factors보다 more severe risk factor

  예) familial hypercholesterolemia의 IHD군과 non-IHD군 사이에 LDL은 별 차이 없으나,

  Lp(a)는 IHD군에서 크게 증가
- Lp(a) level 상승이 심혈관질환 발생 위험을 특히 높이는 경우 ; 남성, 심혈관질환의 가족력,

  high LDL 등 → 중~고강도 statin 치료 [Lp(a) 낮추는 niacin은 예후 개선 없고, 부작용↑]

(6) LPL (lipoprotein lipase)

- Apo C-Ⅱ에 의해 활성화, Apo C-Ⅲ에 의해 억제
- CM, VLDL 중의 TG를 가수분해하여 CM remnant, IDL 형성
- LPL에 의해 유리된 FFA는 ┌ 지방세포에서 TG로 저장
                      └ 골격근·심근의 에너지원으로 이용

(7) LCAT (lecithin cholesterol acyltransferase)

- HDL 중의 free cholesterol (수용성)을 cholesterol ester (지용성)와 lysolecithin으로 변환
- 말초에서 간으로의 reverse cholesterol transport에 중요 (조직의 과잉 cholesterol을 간에 전달)
- 간 장애시 LCAT 합성 감소 (→ 간질환의 severity, Px. 알 수 있음)

(8) Lipoprotein X (Lp-X)

- 비정상적인 LDL
- obstructive jaundice, LCAT deficiency 때 나타남

■임상양상/진단

1. Screening

- 모든 21세 이상 성인은 매 4~6년마다 lipid profile 검사가 권장됨

  (premature CVD or severe dyslipidemia 가족력 등 다른 위험인자가 있으면 더 젊은 연령에서)
- 처음부터 total cholesterol, LDL, HDL, TG 모두 측정할 것을 권장 (12시간 overnight fasting 뒤)
- lipoprotein EP는 screening이나 management에는 별 도움이 안된다 (권장×)
- LDL ≥190 mg/dL이면, 모든 primary & secondary dyslipidemia의 원인을 R/O하기 위해

  자세히 evaluation하는 것이 좋다
- severe dyslipidemia (cholesterol >300 mg/dL or TG >500 mg/dL)는 대개

  genetic dyslipidemia를 시사함 (xanthoma → 모두 genetic dyslipidemia)

Friedewald equation ★

$$LDL = Total\ cholesterol - HDL - \frac{TG}{5}$$

┌ Total cholesterol = VLDL + LDL + HDL
└ VLDL = TG/5

- 단, TG가 400 mg/dL 이하여야 됨!
  (TG가 400 이상이면 VLDL 내의 TG:cholesterol 비가 5:1을 초과하여 오차가 생기게 됨 → LDL 직접측정법 권장
  or non-HDL을 치료 목표로)
- Friedewald 공식으로 계산한 LDL 값은 직접측정법에 비해 낮게 나옴 (평균 약 10 mg/dL) → CVD 위험 과소평가 가능

$$Non-HDL = VLDL + LDL = total\ cholesterol - HDL$$

Dyslipidemia 진단 기준 (참고치, mg/dL)		
LDL cholesterol	<100 100~129 130~159 160~189 ≥190	Optimal Normal Borderline High Very high
Total cholesterol (TC)	<200 200~239 ≥240	Optimal Boderline High
HDL cholesterol	<40 ≥60	Low High
TG	<150 150~199 200~499 ≥500	Optimal Borderline High Very high

*4가지 중 한가지만 이상이 있어도 dyslipidemia로 정의함

2. 이차원인의 R/O 및 동맥경화성심혈관질환(ASCVD) 위험도 평가

  ↳ 뒷부분 참조

* 이상지질혈증 (LDL↑) → atherosclerotic cardiovascular disease (ASCVD)의 주요 위험인자
  - cholesterol 1 mg/dL 상승할수록 CVD 위험도 2~3% 증가
  - TG↑도 CVD의 독립적인 위험인자이나, LDL↑ or HDL↓보다는 덜 중요함
  - apo B-100 (LDL에 풍부)↑도 ASCVD의 중요한 위험인자임 (apo A의 관련성은 덜 명확함)

c.f.) 우리나라 역학 (2016년)
  - ASCVD ; 뇌혈관질환은 감소, 관상동맥질환은 증가 추세 … dyslipidemia 증가와 관련
  - 유병률 ; 전체 dyslipidemia (TC, LDL, HDL, TG 중 하나 이상 증가 or 치료중) 40.5%,
    남자 47.9%, 여자 34.3% … 모두 증가 추세 (with 고령화↑)
  - TC, LDL, TG ; 남자가 더 높다가 60~65세 이후로는 여자가 더 높아짐
  - HDL ; 전 연령에서 여자가 더 높지만, 노인에서는 차이가 줄어듦

3. 실용적 분류

(1) hypercholesterolemia : LDL↑ → type IIa

(2) hypertriglyceridemia : CM↑ or VLDL↑ → type I, IV, V

(3) combined dyslipidemia

┌─ CM↑↑ or VLDL↑↑ → TG : cholesterol > 5 : 1
│   (심한 TG 증가는 cholesterol 증가도 동반 가능)
└─ VLDL↑ & LDL↑ → TG : cholesterol < 5 : 1 (type IIb)

c.f) 전기영동에 의한 WHO phenotypic classification (Frederickson)

Type	Lipoprotein↑	Cholesterol	TG	Primary Cause	Secondary Cause	CAD	PAD
I	CM	↑	↑↑↑	Familial LPL deficiency (Apo C-II defect)	pancreatitis, SLE, multiple myeloma	–	–
IIa	LDL	↑↑↑	N	<u>Familial hypercholesterolemia</u> (LDL receptor defect) Familial defective apoB100	NS, hypothyroidism, obstructive liver dz	+++	+
IIb	LDL & VLDL	↑↑	↑↑	?	DM, NS, renal failure, hypothyroidism	+++	+
III	IDL (β–VLDL)	↑↑	↑↑	Familial dysbetalipoprotein –emia (Apo E defect)	DM, renal failure, hypothyroidism, Ig이상	+++	++
IV (m/c)	VLDL	N	↑↑	<u>Familial hypertriglyceridemia</u>	DM, 비만, 음주, NS (severe), CKD hypothyroidism, Cushing	±	±
V	VLDL & CM	↑↑	↑↑↑	?	DM, NS, Cushing multiple myeloma 알코올중독, pancreatitis, 이뇨제, 경구 피임약	±	±

* specific dz.를 의미하는 것이 아니라 abnormal lipoproteinemia의 pattern만을 기술한 것임

4. 임상양상

(1) CM or VLDL level이 매우 높은 경우

① TG >1000 mg/dL
  • eruptive xanthomas (small orange-red papules) ; 체간과 사지에 발생
  • pancreatitis

② TG >2000 mg/dL ; lipemia retinalis (cream-colored blood vessels in the fundus)

(2) LDL level이 매우 높은 경우

  • tendon xanthomas ; Achilles, patella, 손등 → 대개 genetic dyslipidemia를 시사
  • corneal arcus, xanthelasmata

이상지질혈증의 치료

1. 일반적 원칙 (우리나라, 2018)

■ 치료 목표치 (약물치료 시작점) ★

위험군		LDL (mg/dL)	Non-HDL
초고위험군	관상동맥질환 죽상경화성 허혈뇌졸중 및 일과성 뇌허혈발작 말초동맥질환	<70 or 기저치보다 50% 이상 감소	<100
고위험군	경동맥질환[1] 복부동맥류 당뇨병[2]	<100 or 기저치보다 30~40% 이상 감소	<130
중등도위험군	주요위험인자* ≥2개	<130	<160
저위험군	주요위험인자* ≤1개	<160	<190

[1]유의한 경동맥 협착이 확인된 경우
[2]표적장기손상(TOD) 혹은 심혈관질환(CVD) 주요위험인자를 가지고 있는 경우 목표치 하향 가능

*CVD 주요위험인자 (LDL을 제외한)
1. 연령(남≥45세, 여≥55세)
2. 관상동맥질환 조기발병 가족력
   ; 부모/형제/자매 중 남자 55세,
   여자 65세 미만에서 CAD 발병
3. 고혈압
   ; ≥140/90 or 항고혈압제 복용중
4. 흡연
5. Low HDL (<40 mg/dL)

High HDL (≥60 mg/dL)은 negative
위험인자로 위험인자 수에서 하나 뺌

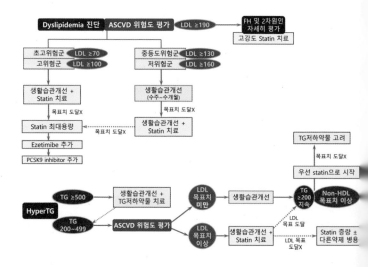

c.f.) 극초고위험군(extreme risk) ⇨ LDL 목표치 <55 mg/dL 권장 (우리나라는 아직 반영×)

AACE/ACE미국 (2018)	ESC/EAS유럽 (2019)
LDL 70 mg/dL 미만 달성 후에도 UA를 포함한 ASCVD가 진행하는 경우 DM CKD stage 3~4 이형접합 가족성 고콜레스테롤혈증(HeFH) ASCVD 조기 발병력 (남자 <55세, 여자 <65세)	Documented ASCVD (clinical/imaging) 10yr fatal CVD risk score ≥10% FH with ASCVD with another major risk factor Severe CKD (eGFR <30 mL/min) DM with target organ damage, ≥3 major risk factors, 20년 이상 된 T1DM

• LDL level이 1차 치료목표임 (LDL 조절 이후 2차 목표로 non-HDL을 조절할 수 있음)
• 초고~고위험군은 LDL 목표치 이상이면 바로 statin 치료 시작
  – AMI가 발생한 경우 LDL level에 관계없이 바로 statin 치료 시작
    (c.f., 심부전증, 투석 환자는 statin의 예방 효과가 없으므로 새롭게 추가하는 것은 추천×)
  – 최대 용량의 statin으로 목표지 도달에 실패하면 ezetimibe, PCSK9 inhibitor 추가
• 중등도~저위험군은 수주~수개월의 생활습관교정 이후에도 목표치에 도달 못하면 statin 치료 시작
• statin 치료 후 lipid F/U은 4~12주 뒤 (만약 LDL <40 mg/dL이면 statin 감량 고려)
• LDL ≥190 mg/dL ⇨ dyslipidemia의 2차 및 유전적 원인 확인 및 교정
    e.g.) 담도폐쇄, NS, hypothyroidism, 임신, steroid, cyclosporin, familial hypercholesterolemia 등
  ⇨ 교정가능한 2차 원인이 없으면 위험정도와 관계없이 치료 시작

• hypertriglyceridemia … CVD의 독립적인 위험인자임 (TG-rich lipoprotein → atherogenic)
  ① very high (≥500 mg/dL) ⇨ hypertriglyceridemia 먼저 치료!
    – hyperTG의 2차원인(e.g., 과체중, 음주, 탄수화물 섭취, CKD, DM, hypothyroidism, 임신,
      estrogen, tamoxifen, steroid) 및 유전질환 확인 필요
    – TG를 낮춰 acute pancreatitis를 예방하는 것이 일차 목표
    – TG-lowering drugs (fibric acid, omega-3 FAs) → 500 이하로 되면 다시 LDL을 치료목표로
  ② high (200~499 mg/dL)
    ┌ LDL도 높은 경우 (위험도에 따른 목표치보다) ⇨ 먼저 LDL을 치료목표로 statin 투여
    └ LDL이 목표치보다 낮은 경우 ⇨ 우선 생활습관개선 시행
       ⇨ 이후에도 TG ≥200 mg/dL 지속되면 위험도를 고려하여 우선 statin으로 치료!
          (∵ CVD 예방 효과가 statin은 확실하지만, fibrate 등은 불확실하고 연구 부족)
       – non-HDL을 치료목표로 함 (→ LDL 목표치 + 30 mg/dL)
          ↳ = total cholesterol – HDL (TG가 풍부한 VLDL, IDL이 포함됨)
       – 이후에도 TG ≥200 mg/dL or non-HDL이 목표치 이상이면 TG-lowering drugs
          (fibric acid, omega-3 FAs) 추가 고려

• low HDL (<40 mg/dL) … CVD의 강력한 독립적인 예측 인자임 (e.g., CAD 60%↑)
  – HDL의 특별한 치료목표/방법은 없음 → LDL이 주 치료목표
  – LDL이 목표치에 도달한 뒤에는 생활습관개선(e.g., 체중감량, 금연, 운동) → HDL 약 10%↑
  – 약물로(nicotinic acid [m/g], fibric acid)로 HDL level을 높여도 ASCVD 위험이 감소된다는
    연구/근거는 없음 (CVD가 있는 초고~고위험군 환자에서는 고려해볼 수도 /but, nicotinic acid
    or fibric acid를 statin과 병용해도 추가적인 효과는 없음 → 권장×)

c.f.) 10년간 심혈관질환(CVD) 위험도/확률 모형
- Framingham risk score (1998년)
  - 10년 이내에 CHD가 발생할 위험도를 평가 (10-year CHD risk)
  - <u>평가항목(risk factor)</u> ; 연령, 성별, total cholesterol, HDL, systolic BP (치료여부), DM, 흡연
- 2013 ACC/AHA ⋯ Pooled Cohort Equation ; 뇌혈관질환까지 포함하여 risk 계산
- 우리나라 ; 서구의 평가도구를 아시아인에 적용하면 위험도가 과대평가되므로 그대로 사용 못함,
  여러 자체적인 평가도구도 연구되었지만 사용× (∵ 효용성, 근거 부족) → 4 위험군 분류만 사용

2. 생활습관개선(TLC, therapeutic lifestyle changes)

⇨ 모든 dyslipidemia 환자에서 시행!

(1) 운동 및 체중감량

- 비만인 경우 반드시 체중감량 ⇨ TG↓, LDL↓, HDL↑
- 유산소 운동 (많은 근육을 이용하는 빈복 운동) ⋯ 중등도 강도 30분 이상 4~6회/주 권장
  ↳ 예 ; 빨리 걷기, 달리기, 계단오르기, 자전거, 줄넘기, 수영 ...
  ⇨ TG↓ / LDL↓ & HDL↑ 효과는 미미하지만, 독립적인 CVD 위험 감소 효과가 큼
- 저항성 운동도 2회/주 이상 권장됨
- BMI를 정상으로 유지하면 좋지만, 어려운 경우에는 현재보다 체중 3~5% 이상은 감량 권장

(2) 식이요법

- 적정 체중을 유지할 수 있도록 총에너지(칼로리) 제한
- 총 **지방** 섭취량 ⇨ 총에너지의 15~30%로 유지 권장
  ┌ 고지방식(특히 포화지방산) → LDL↑ (포화지방 비율 1% 증가시 LDL 0.8~1.6 mg/dL↑)
  └ 지나친 지방 제한으로 인한 탄수화물의 섭취 증가는 오히려 TG↑, HDL↓
  - 포화지방산(saturated FA)은 총에너지의 7% 이내로 제한
    (e.g., 육류의 지방, 가금류의 껍질, 버터, 치즈, 마요네즈, 야자유, 가공식품 등에 많음)
  - 대신 <u>불포화지방산(unsaturated FA)</u>으로 대체 권장
    ┌ monounsaturated FA (MUFA) ───┐
    └ polyunsaturated FA (PUFA) ; omega-6 (n-6) ┘ → LDL 감소 효과
  - omega-6 PUFA는 10% 이내로 (e.g., 해바라기씨유, 옥수수기름, 콩기름 등)
    c.f.) omega-3 (n-3) PUFA : LDL에는 영향×, TG 감소 효과 (→ 뒷부분 참조)
    (e.g., 연어, 꽁치, 정어리, 고등어 등의 생선, 들기름, 카놀라유)
  - cholesterol 섭취를 줄이면 LDL이 낮아지는 지는 불확실함, 일괄적으로 제한할 필요는 없음
    ⇨ hypercholesterolemia인 경우에는 cholesterol 섭취량 300 mg/day 이내로 제한
    (e.g., 계란 노른자, 버터, 치즈, 초콜릿, 오징어, 장어, 조개, 생선알 등 [땅콩은 아님])
  - 트랜스지방산(trans fatty acid)은 최대한 피함 (∵ 포화지방산과 비슷한 수준으로 LDL↑)
    (e.g., 마가린, 쇼트닝 등의 경화유(가공유지식품) → 과자, 빵, 튀김 등)
- 총 **탄수화물** 섭취량 ⇨ 총에너지의 55~65%로 유지 권장
  - 전곡(whole grains), 채소, 과일, 콩류 등 권장
  - 수용성 식이섬유(→ LDL↓, TG↓) 풍부한 식품 권장 : 남자 >25 g (여자 >20 g)
  - 당류 섭취는 10~20% 이내로 제한 (∵ 단순당[포도당, 과당, 설탕 등] → TG↑)

- alcohol ⇨ 1~2잔/day 이내로 제한 (특히 TG↑↑면 췌장염 위험도 → 더 제한, 금주 권장)
  - alcohol → LPL activity↓ → CM 분해↓ → TG↑
  - light~moderate alcohol intake → HDL↑ (but, 심혈관 위험↓와는 관련×)
    ↳ 심혈관 위험 감소는 insulin sensitivity↑, 항혈전, 항염증, 항산화 기전 때문

3. 약물치료

(1) HMG-CoA reductase inhibitors (statins) ⋯ 1st line therapy

- 약제 : atorvastatin, fluvastatin, lovastatin, pitavastatin, pravastatin, rosuvastatin, simvastatin
- 기전 : hepatic HMG-CoA reductase 억제 (cholesterol 생합성의 rate-limiting step)
  → 간세포내 cholesterol↓ → 간세포 표면의 LDL receptor expression↑ → plasma LDL↓↓
  * 간세포 내 VLDL 합성↓, LDL receptor를 통해 VLDL도 제거 → plasma TG↓
- 효과 : LDL↓↓(30~63%, main target), TG↓(22~45%), HDL 약간↑(5~10%)
  - LDL 감소 효과는 대개 용량에 비례함! (용량 2배 증가시 LDL level 추가로 6% 감소)
  - rosuvastatin이 용량 대배 LDL 감소 효과 가장 크고, 반감기도 가장 깁
  - TG 감소 효과는 atorvastatin과 rosuvastatin이 높음 (용량에 비례함)
  - HDL 증가 효과는 다양함 (e.g., simvastatin과 rosuvastatin는 용량에 비례해 증가,
    atorvastatin은 용량에 반비례, 일부 환자에서는 HDL 감소할 수도 있음)

■ LDL level 감소 효과 (평균)	
Moderate-intensity statin	~30%
High-intensity statin	~50%
High-intensity statin + ezetimibe	~65%
PCSK9 inhibitor	~60%
High-intensity statin + PCSK9 inhibitor	~75%
High-intensity statin + ezetimibe + PCSK9 inhibitor	~85%

⇩ CVD 예방효과도 증가됨

- 다른 약제에 비해 부작용이 매우 적고 LDL 감소 효과가 우수해 1st line drug로 사용됨
- LDL 39 mg/dL 감소할 때마다 심혈관 사건 발생 23%, 심혈관 사망률 20%, 뇌졸중 17% 감소
- CKD → 용량조절 필요 없는 atorvastatin, fluvastatin 권장 (만성간질환 → 저용량 pravastatin)
- 경미한 부작용 ; 소화불량/속쓰림/복통, 두통, 피곤, 관절통, 근육통(5~7%) ...
- 심각한 부작용 ⋯ 드물다
  ① myopathy/rhabdomyolysis (0.1~0.01%) : 근육통, 근무력감, 갈색뇨, CK >1,000 U/L
    - 증상이 없는 경우 CK로 myopathy 발생 예측은 불가능 → routine monitoring은 불필요함

위험인자 (발생↑)	Lovastatin, simvastatin, atorvastatin이 더 위험 갑상선기능저하증(→ statin 시작 전 TSH 검사) 신부전, 폐쇄성 간질환, 간부전, 신경근육질환, Vitamin D 결핍, 고령(특히 여성), 저체중 등	Statin 대사 방해 약물과 병용 ; fibric acid (특히 Gemfibrozil), nicotinic acid, macrolides (EM), 일부 항진균제, cyclosporin, cytochrome P-450 (CYP3A4) 억제제 등

  ② hepatitis (0.5~2%) : 용량에 비례, 간독성 약제 병용시↑, statin 중단하면 회복됨 (가역적)
    - 치료 시작 전, 2~3개월 뒤, 이후에는 매년 AST & ALT 측정
    - ULN의 3배 이상 상승하거나, 간손상 증상이 발생하면 statin 중단
  ③ DM : statin 복용 전 preDM이었던 경우 발생↑ (용량에 비례), CVD 예방효과가 더 중요함
    → DM 발생해도 statin 중단보다는 DM에 대한 생활습관개선을 시행하면서 계속 복용
- 절대금기 ; 활동성/만성 간질환, 임신, 수유 / 상대금기 ; statin의 대사 방해 약물과 병용

(2) cholesterol absorption inhibitor [ezetimibe]
- 기전/효과 : 소장 융모막의 NPC1L1 (Niemann-Pick cell 1 like 1) 단백에 결합 & 억제
  - → 소장에서 cholesterol (dietary 1/3, biliary 2/3) 흡수 억제 (cholesterol 흡수 ~60% 감소됨)
  - → dietary sterols 운반 감소 → hepatic LDL receptor 발현↑
  - → LDL↓(18~20%), TG↓(10%), HDL↑(3%)
- statin과 병용시 LDL 감소 효과가 증대되어 주로 병용요법으로 사용됨 → statin 용량 감소 가능
  (c.f., ezetimibe 단독 사용 ; statin 복용×, sitosterolemia [phytosterolemia]의 경우)
- 약물상호작용 거의 없고, 대부분 대변으로 배설되어 신장애시에도 안전하고, 부작용 거의 없음
- 금기 ; 임신, 수유, 약물과민반응, 심한 간질환

(3) PCSK9 inhibitors (monoclonal Ab)
- 약제 : alirocumab, evolocumab
- 기전 : plasma PCSK9 (proprotein convertase subilisin/kexin type 9) 효소에 결합 & 억제
  (└ LDL receptor를 분해함 → LDL receptor의 재활용↓ → 세포막의 LDL receptor↓)
  - → PCSK9와 LDL receptor의 결합 차단 → 세포막 LDL receptor↑ → plasma LDL↓↓
- 효과 : LDL↓↓(45~70%), ApoB↓(40~50%), Lp(a)↓(30~35%), TG↓(8~10%), HDL↑(8~10%)
- 최대가용량(maximal tolerable dose) statin ± ezetimibe에도 LDL 목표치 도달에 실패한 FH or
  초고위험군(CVD) 환자에서 2nd or 3rd line therapy로 추가 (→ 추가적인 CVD 예방/감소 효과)
- 2~4주마다 피하주사, 부작용 드묾 (주사부위 이상반응 정도), 약물과민반응 경우에만 금기

(4) bile acid sequestrants (binding resins)
- 약제 : cholestyramine, colestipol, colesevelam
- 기전 : 장내에서 bile acids와 결합하여 bile acids의 재흡수 억제 & 대변으로 배설↑
  - → bile acid pools↓ → hepatocyte에서 cholesterol의 bile acid로의 합성 증가
  - → hepatocyte 내 cholesterol↓ → hepatic LDL receptor↑ → plasma LDL↓
- 효과 : LDL↓(15~30%), HDL↑(3~5%), TG 약간↑/- (→ hypertriglyceridemia에는 투여×!)
- statin으로 LDL 목표 도달 실패한 (or statin 사용 못하는) severe hypercholesterolemia 환자에서
  statin and/or ezetimibe에 병합으로 유용하지만, GI 부작용과 낮은 LDL↓ 효과로 사용에 제한!
- 체내 흡수× → 전신 부작용 거의 없고 매우 안전 → 소아, 가임기 여성 등에서 DOC
- 부작용 ; GI (복부팽만, 복통, 변비 등 심함), 다른 약물(e.g., digoxin, warfarin)의 흡수 방해
- 금기 ; TG↑(절대 금기 >400, 상대 금기 >200), biliary obstruction, gastric outlet obstruction

(5) fibric acid derivatives (fibrates)
- 약제 : gemfibrozil, fenofibrate, bezafibrate, ciprofibrate (1세대 clofibrate는 부작용으로 사용×)
- 기전 : liver transcription factor (PPARα) agonist
  - → LPL activity↑, apo A-Ⅰ 합성↑, apo C-Ⅲ 합성↓, 지방산 β-oxidation↑, VLDL 합성↓
  - └ TG (VLDL) 분해↑   └ lipoprotein remnant 제거↑
- 효과 : TG↓↓(25~50%, main target), HDL↑(10~15%), LDL↓(5~20%, LDL만 높은 경우)
  - TG만 높은 경우 오히려 LDL↑, TG & LDL 높은 경우 LDL 변화 없음 ⇨ statin과 병용
  - hypertriglyceridemia에 의한 급성 췌장염의 확실한 예방 효과
  - but, 전체 사망률은 약간↑ ; 심혈관 이외의 사망↑, 심혈관 사망률에는 영향 없음

- TG↑ and/or HDL↓ 환자에서는 CVD 감소 효과를 보임!
• severe hypertriglyceridemia (>500~1000 mg/dL) 환자에서 DOC (first-line Tx)
• 부작용 ; dyspepsia (m/c), gallstone (∵ 담도로 cholesterol 배설↑)
  - statin과 병용시 severe myopathy & rhabdomyolysis 발생↑ (특히 gemfibrozil은 30배↑)
    → statin과의 병용은 fenofibrate가 추천됨
  - serum Cr↑ → CKD 환자에서 주의, GFR <60 mL/min이면 용량 조절 필요
  - warfarin과 일부 혈당강하제의 효과를 증대시키므로 주의
• 금기 ; 심한 간질환 및 담낭질환, 약물과민반응 (신기능 저하시에는 주의 필요)

(6) fish oils : omega-3 fatty acids or n-3 PUFA (polyunsaturated fatty acids)
  • n-3 PUFA : 생선 유래의 EPA (eicosapentaenoic acid)와 DHA (decohexanoic acid)가 대표적
  • 기전/효과 : 지방산 증가↑, CM 및 VLDL 합성↓ → TG↓↓(25~50%), HDL↑/-, LDL-/↑
    - 중요 심혈관 사건↓ (용량에 비례), 심부전 예후 개선 (∵ TG↓ 때문)
    - but, 최근에 AMI가 발생한 환자에서는 statin에 추가 투여해도 유의한 예후 개선은 없음
  • hypertriglyceridemia 환자에서 단독 or fibrate, statin 등과 병합으로 사용 가능
    (TG↑ & LDL↑ 환자에서 statin과 병합요법시 추가적인 CVD 감소 효과는 불확실함)
  • TG 감소 효과를 보이려면 2~4 g/day 용량부터 / 특별한 금기는 없음
  • 부작용 ; 다량 섭취시 LDL↑, dyspepsia, 구역시 생선비린내, BT↑(실제 출혈 증가는×)

(7) nicotinic acid (niacin, vitamin B₃)

  • 기전 : nonesterified fatty acids (NEFAs)의 간으로의 유입 억제 (→ 간에서 TG 합성 및 VLDL
    분비 감소), 지방조직에서 (지방세포에 GPR109A [niacin receptor] 존재) NEFAs의 분비 억제
    (→ 혈청 FA↑ → 간의 VLDL 합성↓ → TG↓), cholesterol의 HDL→VLDL로 이동 억제 등
  • 효과 : HDL↑(15~35%), TG↓↓(20~50%), LDL↓(5~25%) … 모든 지질 지표를 호전시킴
    - Lp(a)도 낮춤 : 고용량에서 약 30%까지, 이상지질혈증 치료제중 유일
    - but, statin에 niacin을 추가해도 CVD 예방효과 향상은 없고, 부작용이 심해 거의 안 쓰임!!
    → statin과의 병합요법은 권장× (우리나라에는 약제도 없음)
  • 부작용 ; flushing (m/c, 서방정 or 복용 전 aspirin 투여로 예방 가능), 간독성 (가장 위험),
    glucose↑, uric acid↑, GI distress, tachycardia, atrial arrhythmia, 드물게 검은색 피부 변색
    - short-acting or 저용량 niacin 사용시는 혈당에 별 영향 없으므로 DM 환자에도 사용 가능
    - warfarin의 효과를 증대시킴 (→ 두 약제 병용시 주의 필요)
  • 금기 ; 간질환, severe gout (∵ uric acid↑), peptic ulcer dz., arrhythmias

---

LDL**↓** ; PCSK9 inhibitor > statin ≒ ezetimibe > bile acid sequestrant > nicotinic acid > fibric acid
TG**↓** ; fibric acid ≒ nicotinic acid > statin, omega-3 FA (bile acid sequestrant는 TG↑ 가능)
HDL⇧ ; nicotinic acid (high-dose) > fibric acid > statin > bile acid sequestrant

---

c.f.) cholesteryl ester transfer protein (CETP) inhibitors ; HDL을 매우 많이 높이는 약제
  - torcetrapib, evacetrapib, dalcetrapib → CVD 감소 효과가 없거나 부작용으로 연구 중단
  - anacetrapib, TA-8995 → LDL도 감소시킴, CVD 감소 효과, 아직 연구중 (허가×)

■ 기타

- 운동 : VLDL↓, HDL↑, 일부 LDL↓
  (기타 BP↓, insulin resistance↓, cardiovascular function↑)
- 고지방식 : LDL↑, HDL↑
- 고탄수화물식 : VLDL↑, HDL↓
- 적당한 alcohol : VLDL↑, HDL↑ (다른 기전으로 CVD risk↓)
- estrogen (premarin, estradiol) : HDL↑, LDL↓ (폐경 여성에서 치료 보조요법으로 사용 가능)

4. Severe/resistant hypercholesterolemia의 치료

- LDL apheresis : 최대한의 약물 병합요법에도 효과 없는 hypercholesterolemia에서 사용 가능
  (CVD 없으면 LDL >300 mg/dL, CVD 존재시 LDL >200, 초고위험군은 LDL >160)
- lomitapide : small molecule MTP (microsomal TG transfer protein) inhibitor
  (MTP : 간에서 VLDL 생성의 일환으로 TG를 apo B로 전달하는 효소)
  → VLDL 생산↓, 혈중 apo B 함유 단백질↓, LDL↓
  - 부작용 ; GI Sx (심한 설사 등), 간독성(AST-ALT↑), 간의 지방 축적, 태아 독성
- mipomersen : antisense oligonucleotide (ASO), 주로 간의 apo B mRNA에 결합
  → apo B 합성↓, apo B 함유 단백질(e.g., LDL, VLDL, IDL) level↓
  - 부작용 ; 주사부위 이상반응, flu-like Sx., ALT↑
- lomitapide와 mipomersen의 적용 ; homozygous familial hypercholesterolemia (hoFH)에만
  - 최대한의 약물치료 후에도 CVD 없으면 LDL >200, CVD 존재시 LDL >160일 때 추가
  - LDL apheresis의 대상이 아니거나 거부할 때
- 간이식 : hoFH에서 효과적, 약물치료가 효과 없거나 지속적인 LDL apheresis가 불가능할 때 고려
- 수술(partial ileal bypass, portocaval shunt) : 다른 치료가 불가능할 때 마지막으로 고려

일차성(primary) 이상지질혈증

		Plasma lipids (mg/dL)		Clinical findings	Lipoproteins	
		Total chol.	TG		증가	EP
Chol. 만 증가	FH ┌ Heterozygous (heFH)	275~500	–	Tendon xanthoma, Premature ASCVD (hoFH는 더 심하고 빠름)	LDL	IIa
	└ Homozygous (hoFH)	>500	–			
	Familial defective apo B100	275~500	–			
TG만 증가	Familial hypertriglyceridemia	–	250~500	대개 무증상	VLDL	IV
	Familial lipoprotein lipase (LPL) deficiency	–	>1000	Pancreatitis Eruptive xanthoma, Hepatosplenomagaly, lipemia retinalis ...	CM, VLDL	I, V
	Familial apo C-II deficiency		>750			
Chol. & TG 모두 증가	Combined dyslipidemia	250~500	250~750	Premature ASVCD	VLDL, LDL	IIb
	Dysbetalipoproteinemia	250~500	250~500	Palmar & tuberoeruptive xanthoma, premature AS	CM, VLDL remnants	III

1. Familial hypercholesterolemia (FH)^{가족성 고콜레스테롤증}

(1) 병인

- AD 유전, 표현율 매우 높음, 흔함(1/200~250명)
- LDL receptor (LDLR) activity의 감소 → LDL 제거↓ → plasma LDL↑↑

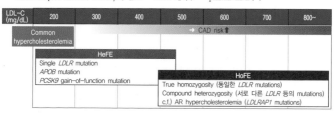

- LDL (apo B/E) receptor genetic defects (m/c, 60~80%) ; 1600개 이상의 mutations 존재
  - class Ⅰ : LDL receptor 합성 장애 (null)
  - class Ⅱ : 세포 내의 (endoplasmic reticulum → Golgi) 운반 장애
  - class Ⅲ : LDL과의 결합 장애
  - class Ⅳ : LDL internalization 장애
    - LDLR activity에 따라 receptor-negative (<2%), receptor-defective (2~25%)로도 분류
- APOB mutations (1~5%) : apo B-100은 LDL의 핵심 단단백으로 LDLR와의 결합에 필수임
  - apoB-100의 LDLR-binding domain mutations → LDL과 LDLR의 결합↓
  - familial defective apolipoprotein B-100 (FDB, FH type 2)로도 불림
- PCSK9 "gain-of-function" mutations (1~3%) : FH type3로도 불림
  - ↳ PCSK9 activity↑ (PCSK9은 LDLR를 분해함) → LDLR↓

(2) 임상양상

① heterozygous FH (heFH) : 1/200~250명 (훨씬 흔함), LDL은 보통 200~400 mg/dL
  - premature & accelerated ASCVD (m/i)
    - 남자 : 20대에 CVD 발생 시작, 30~40대에 peak (60세 이전에 약 50%에서 MI 발생)
    - 여자 : 남자보다 평균 10년 늦게 CVD 발생
  - 건황색종(tendon xanthoma) ; Achilles (특징적!), 무릎, 팔꿈치, 손등 … FH 진단에 필수적
  - 결절황색종(tuberous xanthoma) ; 팔꿈치, 엉덩이의 soft painless nodules
  - 황색판종(xanthelasma), 각막륜(arcus corneae) (… 정상인에서도 발생 가능)

② homozygous FH (hoFH) : 1/20~40만명, 출생시부터 LDL level 매우 높음 (>400 mg/dL)
  - 편평 피부황색종(cutaneous xanthoma) ; 무릎, 팔꿈치, 엉덩이, 손가락 사이(특히 엄지·검지 사이)
  - 현저한 tendon xanthoma, arcus corneae, large xanthelasma
  - 치료 안하면 10세 이전에 CAD 및 aortic stenosis 발생, 20세 이전에 CVD의 합병증으로 사망

* obesity나 DM 동반은 드물고, 오히려 마른 편임!

(3) 진단

- 대개 임상적으로 진단함, cholesterol만 단독으로 증가 (TG는 정상) ⇨ LDL만 증가
  - <50세 남자 혹은 <60세 여자에서 조기 ASCVD or FH <u>가족력</u>이 있으면 의심
  - 2ndary dyslipidemia R/O ; hypothyroidism, NS, obstructive liver dz. 등
- heFH의 진단기준 ; 몇 가지가 있음 (우리나라는 LDL >225 mg/dL면 유전자검사 권장)

Dutch Lipid Clinic Network diagnostic criteria (주로 미국)	Point
가족력	1차친족이 premature CVD (남<55세, 여<60세) or LDL level이 95th % 이상	①
	1차친족이 tendon xanthoma and/or arcus cornea or 18미만 자녀의 LDL level이 95th % 이상	②
과거력	Premature CAD (남<55세, 여<60세)	②
	Premature cerebral or peripheral vascular dz.	①
P/Ex	건의 황색종(tendon xanthoma)	⑥
	각막륜(arcus corneae)	④
LDL level (mg/dL)	155~190 191~250 251~325 ≥325	① ③ ⑤ ⑧
DNA 검사	LDLR, APOB, PCSK9 gene의 functional mutation	⑧

Definite heFH : >8점
Probable heFH : 6~8점
Possible heFH : 3~5점

참고: Inclusion criteria for Korean Society of Lipid and Atherosclerosis FH registry (2015)

1   1) Definite FH (콜레스테롤 기준*을 만족하면서, 아래 중 최소 한 가지를 만족할 때)
       ① 본인이나 1~2차친족에게 건황색종(tendon xanthoma)이 있는 경우
       ② LDLR, APOB, PCSK9 등의 유전자 mutation
    2) Possible FH (콜레스테롤 기준*을 만족하면서, 아래 중 최소 한 가지를 만족할 때)
       ① CAD 가족력 : 1차친족 <60세, 2차친족 <50세
       ② 고콜레스테롤혈증 가족력 : ≥16세 TC ≥290, <16세 TC ≥260 mg/dL

2   1에 해당하는 환자 중 CAD의 가족력은 있으나 진단시 나이가 불분명하거나, 콜레스테롤 수치 자료가 없는 경우라도 본인의 LDL >190 mg/dL인 경우

3   가족력 확인이 불가능한 경우, 본인의 LDL >225 mg/dL

4   1, 2, 3에 해당하는 환자의 부모, 형제, 자녀, 조부모, 부모의 형제

Simon Broome criteria
*콜레스테롤 기준
<16세 : TC >260 or LDL >155
≥16세 : TC ≥290 or LDL >190

- hoFH의 진단기준 ··· European Atherosclerosis Society[EAS] (2014) criteria를 주로 사용함
  ① LDLR, APOB, PCSK9 or LDLRAP1 gene locus의 2 mutant alleles 존재 or
  ② untreated LDL >500 mg/dL or treated LDL >300 + 10세 이전의 피부/건 황색종 or
  ③ 위의 LDL 수치 + 부모 모두 유전적으로 heFH 진단
- 유전자검사는 mutations이 다양하기 때문에 DNA sequencing (e.g., targeted NGS)으로 시행

(4) 치료

- FH 환자는 비슷한 수준의 LDL level을 가진 사람보다 더 CVD 고위험군임 → 강력한 치료 필요
- TLC (diet와 금연이 중요), 지질강하제, ASCVD에 대한 evaluation 등
- 치료목표 : LDL 50% 이상↓ → 이후 ASCVD 및 고위험군은 LDL <70, 아니면 <100 mg/dL
- <u>고강도 statin</u> → 목표 도달 실패시 ezetimibe, PCSK9 inhibitor, bile acid sequestrant 등 추가

- hoFH : 조기에 강력하게 치료 안하면 대부분 ASCVD로 사망
  - 고강도 statin + ezetimibe, PCSK9 inhibitor로 치료 시작 (but, 상당수가 목표 도달 실패함)
  - new drugs (lomitapide or mipomersen) 추가 고려
  - LDL apheresis (5세 전에 시작 권장), 간이식, 수술 등 → 앞부분 참조
  - LDL receptor gene에 대한 유전자치료도 연구중

2. Familial chylomicronemia syndrome (FCS)

- 대개 AR 유전, 대부분 <u>유아</u> 때 발병, 드묾(1~10/100만명)
- LPL (lipoprotein lipase) activity ↓↓ → CM 분해 장애 → CM level↑↑ (VLDL은 정상 or ↑)
- 원인 ; *LPL* gene homozygous mutations (m/c), *APOC2* homozygous mutations, *APOC5* ...
  ↳ LPL deficiency (LPLD)　　　　　↳ apo C-II (LPL의 cofactor) deficiency
- 임상양상 ; TG >1000 mg/dL (대개 >2000 mg/dL)
  - <u>pancreatitis</u> (→ 심한 복통), eruptive xanthoma, lipemia retinalis (망막 혈관이 흰색),
    hepatosplenomegaly, dyspnea ...　/ premature ASCVD는 일반적이지 않음!
  - plasma 상층의 creamy layer (CM)
- 진단 ; TG↑↑, pancreatitis 병력, DNA sequencing (e.g., *LPL, APOC* mutations)
- 치료
  - 식이요법(지방 섭취 크게 제한 <15 g/day), 일부에서는 fish oils or fibrates도 효과적
  - apo C-II deficiency에 의한 응급 상황 → FFP (apo C-II 함유)
  - plasmapheresis : diet 치료에 효과 없거나, 췌장염 발생시
  - antisense oligonucleotide^ASO (volanesorsen) : apoC-III mRNA translation 억제 → TG↓

3. Familial hypertriglyceridemia (FHTG)

- 대개 AD 유전, *LPL* gene 등의 heterozygous mutations, 2~3/1000명
  - 말초에서 VLDL 분해↓, 간에서 VLDL 생산↑ → TG만 중등도로 상승(200~500 mg/dL)
  - LDL은 정상 or ↓, HDL↓, CVD 위험이 크게 증가하지는 않음
  - apo B level은 증가 안됨
- eruptive xanthoma 등의 증상은 대개 없음
- obesity, insulin resistance (DM), HTN, hyperuricemia 동반 흔함
- 심한 TG 상승은 다른 유발원인이 동반된 경우 ; 조절 안 되는 당뇨, 고탄수화물 식이, 과도한 음주,
  estrogen (피임약, HRT), drugs, hypothyroidism 등
  → TG가 1000 mg/dL까지도 상승 가능 → <u>pancreatitis</u> 발생 위험
- 진단 ; TG↑, hypertriglyceridemia의 가족력 有, 2ndary hypertriglyceridemia R/O
- 치료 ; 식이요법 등의 TLC가 중요
  - TLC 이후에도 TG가 500 mg/dL 이상이면 약물치료 시작 (fibrate, fish oil)
  - 다른 위험인자로 인한 CVD 고위험군은 statin으로 치료

4. Familial combined hyperlipidemia (FCHL)

- m/c primary dyslipidemia (1/100~200명), 대개 AD 유전, 원인 유전자 아직 모름 (→ polygenic)
- apoB 생산↑↑ → VLDL↑ and/or LDL↑ … small dense LDL particles↑
  - TG (VLDL)↑, LDL↑, HDL↓ … non-HDL↑ (>220 mg/dL)가 특징
  - type IIa (LDL↑), IIb (LDL & TG↑), IV (TG↑) 3가지 표현형으로 발현 (서로 전환도 가능)
  - 발현 양상에는 다른 요인도 관여 가능(e.g., diet, 운동, 체중, insulin sensitivity)
- dyslipidemia는 mild (소아 때는 잘 나타나지 않고 성인 때 현저해짐) / xanthoma는 없음
- premature CAD (FH보다는 늦음) ; 60세 이전 CAD의 ~20%, 모든 MI의 10%에서 발견
- 임상적으로 진단

  ┌ TG 200~600 mg/dL, total cholesterol 200~400 mg/dL, HDL <40 (50여성) mg/dL
  └ dyslipidemia and/or premature CAD의 가족력

- premature CAD 위험이 높으므로 적극적으로 치료해야 됨
  - 식이요법(e.g., 단순당 섭취↓), 유산소 운동, 체중감량, type 2 DM이면 철저한 혈당조절
  - TG 상승 여부와 상관없이 statin으로 치료 시작 → 목표치 도달 못하면 ezetimibe 등 추가 고려
    (∵ apoB↓에 효과적, TG저하약제보다 ASCVD 예방 효과가 확실함)
  - TG 상승(≥400 mg/dL)시 계산된 LDL 값은 부정확 → non-HDL을 target으로!

5. Familial dysbetalipoproteinemia (FDBL, type III hyperlipoproteinemia)

- 대개 AR 유전, 혈장에 remnant lipoprotein particles이 축적되는 mixed hyperlipidemia
- 원인 : apoprotein E defect (apo. E : CM remnant와 IDL이 liver의 LDL receptor에 결합되도록 하는 역할)
  ⇨ CM remnant, VLDL remnant, IDL↑ → cholesterol & TG 모두↑ (type III pattern)
- genotype E²/E²에서만 발생 (but, E²/E²의 1%에서만 발생) → dyslipidemia 발생에 2차 요인도 필요
  ; 고지방식, 비만, DM, hypothyroidism, renal disease, HIV 감염, estrogen 결핍, alcohol, drugs
- 임상양상 ; 20세 이후에 나타남 (남>여 [폐경전 여성은 드묾]), 1/2 이상에서 xanthoma 관찰됨
  - palmar striated xanthoma (xanthomata striata palmaris) : 손금의 편평 황색종 … 특징!
  - tuberous or tuberoeruptive xanthoma (무릎, 팔꿈치) / tendon xanthoma는 드묾
  - premature ASCVD (말초동맥질환PAD 위험은 FH보다 높음) → 적극적인 치료 필요
- 치료 ; 대사 조건의 영향을 많이 받으므로 동반 대사질환(e.g., 비만, DM)의 치료도 열심히
  - 식이요법에 반응이 매우 좋음(low-cholesterol, low-fat), 금주!, 운동, 체중감량
  - 약물치료 필요시 statin으로 치료 시작 → 목표치 도달 못하면 ezetimibe, fibrate, PCSK9i 등

c.f.) tendon xanthomata와 premature atherosclerosis가 발생할 수 있는 드문 유전질환
- sitosterolemia (phytosterolemia) ; AR 유전, 장에서 cholesterol과 식물성 sterols 흡수↑,
  FH와 달리 혈장 plant sterols↑↑, 식이요법에 반응 좋음
- cerebrotendinous xanthomatosis ; FH와 달리 신경, 인지, 안과 장애도 동반 (cholesterol 정상)
- lysosomal acid lipase 결핍 (cholesterol ester storage dz.) ; AR 유전, LDL↑, TG↑, HDL↓

■ 이차성(secondary) 이상지질혈증

Secondary dyslipidemia의 원인 ★

LDL ↑	TG (VLDL) ↑	HDL ↓	Cholesterol ↓

<u>Hypothyroidism</u>
Obstructive liver dz.
  (cholestasis)
<u>NS</u>
신장이식
<u>Anorexia nervosa</u>
Porphyria
Drugs ;
  carbamazepine,
  cyclosporine,
  thiazides
고지방식
	<u>비만</u>, <u>type 2 DM</u>, NS (severe), 신부전, 신장이식
	<u>Alcohol</u>, 스트레스, 임신, 활동 부족
	<u>Cushing 증후군</u>, Acromegaly, SLE
	Hypothyroidism (mild, LDL이 더 증가)
	Hepatitis, Pancreatitis, Sepsis
	Ileal bypass surgery
	Monoclonal gammopathy
	Lipodystrophy
	Glycogen storage dz.
	Drugs: 경구피임약(estrogen), isotretinoin,
	  β-blockers, corticosteroids, retinoids,
	  bile acid-binding resins, thiazides
		흡연, 비만
		type 2 DM
		CKD
		영양실조
		Gaucher's dz.
		β-blockers
		Steroids
		심한 TG ↑
		
		HDL ↑
		────
		<u>Alcohol</u>, 운동
		Estrogen
			영양실조
			흡수장애
			만성 간질환
			골수증식종양
			  (MPN)
			Monoclonal
			  gammopathy
			Hyperthyroidism
			만성 감염증
			  ; 결핵, AIDS

1. 비만(obesity)

- 지방조직↑ & insulin sensitivity↓
- 간에서의 VLDL 생산↑ & 단순당 섭취↑ → TG↑ and/or LDL↑, HDL↓

2. 당뇨병(DM)

(1) type 1 DM

- 혈당조절이 잘 되면 dyslipidemia는 드묾
- DKA는 흔히 hypertriglyceridemia를 동반 (→ insulin에 잘 반응)

(2) type 2 DM

- 혈당조절이 잘 되어도 dyslipidemia 동반이 흔함
- <u>insulin deficiency or resistance</u>
  ① LPL activity↓ → CM과 VLDL의 분해↓
  ② 지방조직에서 FFA 유리↑
  ③ 간에서 fatty acid 합성↑   ④ 간에서 VLDL 합성↑
  ⇨ <u>TG↑</u> (∵ VLDL↑), small dense LDL↑, HDL↓
- LDL의 증가는 대개 DM 자체보다는 다른 lipoprotein 대사이상 존재 or diabetic nephropathy의 합병 때문

3. 갑상선질환

- thyroid hormone : LDL receptor 유지에 중요
- <u>hypothyroidism</u>
  ① 간의 LDL receptor↓ → LDL clearance↓ → <u>LDL↑</u> (m/c) & total cholesterol↑
  ② mild TG↑(<300 mg/dL), IDL↑, apo A1↑, apo B↑ 동반도 흔함

③ HDL은 ↓ ~ ↑ 다양
- hypothyroidism 환자에서 CAD 증가는 여러 요인들 때문 (∵ dyslipidemia, diastolic HTN, 혈관내피 기능이상 [→ 말초혈관저항↑], CRP↑ 등)
• hyperthyroidism ; total, LDL, HDL cholesterol↓

4. 신장질환

(1) NS (nephrotic syndrome)
• albumin >2 g/dL → LDL과 cholesterol 증가
   (∵ 간에서 apo B 포함 lipoproteins 및 cholesterol 합성 증가 때문 ;
      ① plasma oncotic pr.↓ → 간의 apo B gene 전사 자극, ② lipoproteins catabolism 감소)
• albumin <1~2 g/dL → hypertriglyceridemia도 발생 (mixed dyslipidemia)
   (∵ 주로 LPL에 의한 VLDL→IDL로의 대사 감소 때문)
• chronic NS & dyslipidemia는 CVD 위험을 높이므로 사구체 손상을 촉진하므로
   lipid-lowering drugs 치료 필요 (NS 호전되면 dyslipidemia도 호전됨)

(2) CKD
• 신기능이 저하됨에 따라 TG-rich lipoproteins 생산↑ & 제거능력↓
   - mild TG↑ (150~400 mg/dL) & HDL↓ (→ non-HDL↑, apoB↑), small dense LDL↑
   - ESRD 단계에 이르면 LDL 분해↓ → total cholesterol & LDL↑, Lp(a)↑
• ESC/EAS[주] (2019)에서는 severe CKD (eGFR <30)은 초고위험군, moderate CKD (eGFR 30~59)는 고위험군으로 보고 각각 LDL을 70, 55 mg/dL 미만으로 유지하도록 권장함
   - 아직 투석 이전이면 statin ± ezetimibe 권장
   - 투석 환자 ; 이전부터 statin ± ezetimibe 사용 중이었으면 계속 사용 (특히 ASCVD 환자),
      ASCVD가 없는 환자에서 새롭게 시작은 권장× (∵ 사망률↓ 효과 無)
• NS 동반시 : combined dyslipidemia
• 신장이식 환자 : 면역억제제로 인한 dyslipidemia (LDL↑, TG↑) 발생 흔함 (→ 치료 어려움)

5. 간질환
• 간 : lipoprotein의 합성 및 배설의 주요 장소
• hepatitis (e.g., viral, alcoholic, drugs) : VLDL 합성↑
   → mild~moderate hypertriglyceridemia (m/c)
• severe hepatitis, liver failure → cholesterol & TG ↓↓
• cholestasis (e.g., PBC, 간외담도폐쇄)
   ① plasma cholesterol & phospholipid 증가 (∵ 배설장애)
   ② abnormal lipoprotein 출현 → lipoprotein X (m/c) → xanthomas
• hepatoma : paraneoplasstic syndrome의 일종으로 cholesterol↑
   (∵ tumor cells에서 cholesterol 합성의 feedback 장애로)

6. Alcohol

- hypertriglyceridemia (m/c) : type IV pattern
  ① TG 합성 ↑ : 간에서 FA의 산화 억제, FA의 합성 촉진
     → 여분의 FA는 TG로 ester화
     → ┌ VLDL로 분비 (hypertriglyceridemia)
        └ 간에 침착되어 fatty liver 유발 가능
  ② LPL activity 억제
- familial hypertriglyceridemia, multiple lipoprotein-type dyslipidemia 등의 기저질환이 있을 때
  음주하면 → VLDL ↑↑ & CM ↑↑ (type V pattern)
- 적당량의 alcohol 섭취는 HDL level ↑

7. Estrogen (경구피임약, HRT)

- 간에서 VLDL 및 HDL 생산 ↑ (TG는 약 15% 정도까지만 상승시킴)
- 간의 LDL receptor ↑ → LDL clearance ↑ → LDL ↓
  - 폐경후 여성에서 estrogen 치료는 LDL을 15% 낮춤
  - progesterone은 반대로 LDL ↑, HDL ↓
- familial hypertriglyceridemia, multiple lipoprotein-type dyslipidemia 등의 기저질환이 있을 때,
  estrogen 투여하면 → VLDL ↑↑, CM ↑↑, 심한 췌장염 등 유발 가능 (type IV → V로 전환)
- 젊은 여성(특히 hypercholesterolemia)에게 투여시 thromboombolism 위험 증가

8. Cushing's syndrome

- glucocorticoid ↑ → VLDL ↑ → TG ↑, HDL ↑
- LDL cholesterol도 약간 증가됨

9. 항고혈압제

- thiazide diuretics (용량에 비례)
  - 매우 고용량에서 total cholesterolemia ↑, LDL ↑ (5~10%), TG 약간 ↑
  - 일반적인 용량에서는 거의 영향 없거나 미미함
- β-blockers
  - 주로 오래된 약제들에서 TG ↑ (20~40%), HDL ↓ (약 10%) /cholesterolemia과 LDL 영향은 적음
    (e.g., atenolol, metoprolol, and propranolol)
  - labetalol, ISA+ (e.g., acebutolol, pindolol), vasodilating β-blockers (e.g., carvedilol) 등은
    지질에 영향 적음
- 다른 항고혈압제들은 지질에 영향이 없거나 유익한 영향을 끼침

Metabolic Syndrome (MS, syndrome X, insulin resistance syndrome)

1. 개요

- type 2 DM 및 CVD의 metabolic risk factors 군집을 질환으로 개념화한 것
- 진단기준 (metabolic syndrome) : NCEP-ATP Ⅲ 등

Risk factors ★
1. Abdominal obesity : 허리둘레
┌ 남자 >102 cm (40 inch) [우리나라 >90 cm]
└ 여자 >88 cm (35 inch) [우리나라 >85 cm]
2. Hypertriglyceridemia : TG ≥150 mg/dL
3. HDL 감소 (남자 <40 mg/dL, 여자 <50 mg/dL)
4. HTN : BP ≥130/85 mmHg or 고혈압 약물치료중
5. FBS ≥100 mg/dL or type 2 DM 진단/약물치료중

  * 이중 3가지 이상을 만족하면 진단 (대개 1은 기본)

- BMI보다 abdominal obesity가 더 metabolic risk factor와 관련

2. 특징/병태생리

① insulin resistance : 가장 기본
- 식후 hyperinsulinemia → 공복 hyperinsulinemia → hyperglycemia로 진행
- 초기에는 혈중 FFA 증가가 insulin resistance 발생에 크게 기여
  - FFA↑ → 간에서 glucose, TG, VLDL의 생산 증가 (HDL↓, small dense LDL↑도),
    근육에서 insulin-induced glucose uptake 억제 및 TG로 축적↑, glycogen 합성↓
  - FFA의 유래 ; 증가된 지방조직의 TG store가 세포내 lipases에 의해 분해 (主),
    조직의 TG-rich lipoprotein이 lipoprotein lipase (LDL)에 의해 분해
- insulin resistance 발생시 지방에서 FFA 유리 더욱↑, 혈당 증가시 insulin 분비 더욱↑ → 악순환
② abdominal obesity
- 내장 지방이 복부 피하지방보다 MS에 더 중요함 (→ 허리둘레보다는 CT/MRI 검사 필요)
  ↳ 지방조직 유래 FFA 등이 간으로 바로 전달
- 증가된 지방조직에서 pro-inflammatory cytokines (e.g., IL-1, IL-6, IL-18, resistin, TNF-α)
  CRP 등의 분비 증가도 insulin resistance 발생에 관여
- adiponectin (anti-inflammatory cytokine) 분비는 감소됨
- leptin resistance : 비만 → leptin↑ & leptin resistance → 염증, insulin resistance, dyslipidemia
  (↳ 정상적으로는 식욕 억제, 에너지 소비 촉진, insulin sensitivity 향상)
③ atherogenic dyslipidemia : TG↑, HDL↓, small dense LDL↑
- 간으로의 FAA 유입↑ → apoB-containing, TG-rich, VLDL 생산↑
  ⋯→ hypertriglyceridemia는 insulin resistance의 우수한 marker임!
- apoC-Ⅲ↑ → LPL 억제 → TG 더욱↑, ASCVD 위험 더욱↑
- TG↑에 의한 지단백 대사/조성 변화 → HDL↓, small dense LDL (more atherogenic)↑
④ glucose intolerance : IFG and/or IGT → type 2 DM으로 진행

⑤ 고혈압
- insulin resistance시 insulin의 혈관확장 작용은 상실되고, 신장에서 sodium 재흡수 작용은 보존됨 (백인에서는 sodium 재흡수 증가, 흑인/동양인에서는 변화×)
- insulin은 또한 sympathetic nervous system의 활성을 증가시킴
- 지방조직 내 angiotensinogen gene 발현↑ → 혈중 angiotensin II↑ → 혈관 수축
- 지방조직의 paracrine effects ; 활성 산소↑(→ 혈관내막 기능장애 → 국소 혈관 수축), leptin, pro-inflammatory cytokines (e.g., TNF-α) 등
- 종합적으로 insulin resistance는 MS 환자에서의 HTN 증가에 부분적으로 기여함

⑥ prothrombotic state
- cytokines과 FFA에 의해 간에서 fibrinogen 생산↑, 내장지방에서 PAI-1 생산↑ 때문
- metabolic syndrome의 risk factor가 많아질수록 혈전(clot)은 더 조밀해짐

⑦ oxidative stress ; mitochondrial oxidative phosphorylation 장애 → TG 및 관련 lipids 축적

⑧ 장내 세균총(gut microbiome)도 비만과 대사이상 발생에 기여함

3. 임상양상

- metabolic syndrome은 기본적으로 증상은 없음
- CVD 1.5~2배↑ (개별 CVD 위험인자들의 합보다 위험이 더 증가되는지는 논란)
- type 2 DM 3~5배↑
- NAFLD (~25~60%), NASH (~35%), cirrhosis ⋯→ ESLD, HCC
- polycystic ovary syndrome[PCOS] : 40~50%에서 MS 동반 → 9장 참조
- hyperuricemia : insulin resistance로 인해 신장에서 uric acid 재흡수↑, HTN 발생에도 기여
- 기타 ; obstructive sleep apnea[OSA] 동반 흔함, CKD↑(eGFR↓, albuminuria↑) ...

4. 치료

① 생활습관개선 (m/i) ; 체중감량, physical activity 증가, 식이요법
- 대개 장기간 비만 상태였으므로, 급하게 체중감량을 시도하는 것보다는 서서히 꾸준하게 실천
- 저탄수화물식이 초기 체중감량 및 TG↓ 효과는 크지만, 1년 이후에는 별 차이가 없으므로 총에너지 섭취를 줄이는 것만이라도 꾸준하게 실천
- 과일, 채소, 전곡(whole grains), 살코기, 생선 등의 건강한 식사패턴 유지
- physical activity : 60~90분/day 이상이 좋지만, 최소한 30분/day 이상의 중강도 활동 권장 (꼭 운동은 아니라도 에너지 소비를 위한 걷기, 청소 등 일상활동이라도 필요함)

② 기타 ; aspirin (Framingham 10yr risk 6 이상이면 권장), HTN 치료 (ACEi/ARB 권장), dyslipidemia 교정(e.g., statin), 혈당조절(e.g., prediabetes → metformin), 비만치료(→ 다음 장 참조)

③ insulin sensitivity 증가(e.g., metformin, TZDs) ; MS, NAFLD, PCOS 등에서 효과적

* (개별 위험인자가 아닌) metabolic syndrome 전반이 치료되면 CVD 발생도 감소됨

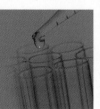

13
비만(Obesity)

정의 및 측정

- 가장 흔히 쓰이는 index 3가지
  ① average weight table
  ② IBW (ideal body weight) table : 120% 이상이면 obesity
  ③ 신체질량지수(body mass index, BMI) : m/c
  c.f) 브로카 공식에 의한 표준체중 = (신장 - 100) ×0.9
- 신체질량지수 : BMI (kg/m²) = 체중(kg)/(키:m)²
  - 평균 BMI ; 남자 22.4, 여자 22.5 (한국의 표준 BMI : 남자 22, 여자 21)
  - 건강 위험 증가 ; BMI 25 이상시

BMI에 의한 비만의 분류

	WHO	아시아(한국)
저체중	<18.5	<18.5
정상	18.5~24.9	18.5~22.9
과체중	25~29.9	23~24.9
비만 (1단계)	30~34.9	25~29.9
비만 (2단계)	35~39.9	30~34.9
비만 (3단계)	≥40	≥35

→ severe/extreme/massive obesity

- 복부비만 (체지방 분포도)
  - 심혈관질환, DM, dyslipidemia 등과 더 관련, 위험도 예측에 m/g!
  - **허리둘레** (더 선호됨), waist/hip ratio (허리둘레에 비해 장점이 없어 잘 안 쓰임)
    ↳ 한국 기준 : 남자 ≥90 cm (35 inch), 여자 ≥85 cm (33.5 inch)
- 체형별 비만의 분류
  ┌ 복부비만 (남성형, 사과형) : 성인병 위험 훨씬 높음
  └ 하체비만 (여성형, 서양배형) : 엉덩이와 허벅지에 지방 증가
  ┌ 내장지방형 : 복부비만이 많고, 더 위험
  └ 피하지방형

• 생체전기저항(bioelectrical impedence) 측정법 : 체성분 & 체지방량 측정
• CT/MRI : 복부 피하지방과 내장지방의 분리 측정 가능!
• DXA : 체지방, 수분, 골밀도 등을 측정 가능

원인

1. **유전적 요인** (40~70%)
   • 비만과 관련된 유전자 이상
     - *Lep (ob)* : leptin
     - *LepR (db)* : leptin receptor
     - *POMC* : proopiomelanocortin
     - *MC4R* : type 4 receptor for MSH (melanocortin)
     - *PC-1* : prohormone convertase 1
     - *TrkB* : neurotrophin receptor
     - *PPARγ* : peroxisome proliferator activated receptor
   • 비만을 일으키는 유전질환(syndrome) ; Prader Willi, Laurence-Moon-Biedl, Ahlstrom, Cohen, Carpenter, Edward ...

2. **활동부족, 칼로리 과다 섭취, 심리적 요인**

3. **기타 2차성 비만의 원인** : Cushing's syndrome, hypothyroidism, insulinoma, PCOS, CNS 이상 (e.g., craniopharyngioma, 외상, 염증), 약물 ...

■ 시상하부에서 식욕조절에 관여하는 물질
   ① 식욕촉진 (orexigenic)
   ┌ NPY (neuropeptide Y)
   │ MCH (melanin concentrating hormone)
   │ AgRP (Agouti-related peptide)
   └ orexin, galanin, endocannabinoid
     * GI peptides ; <u>Ghrelin</u> (대부분 위에서 합성됨; fundus의 P/D1 cells)
         ↳ 음식 섭취에 중요한 역할 (배고픔^{hunger}과 식사 개시를 조절)

   ② 식욕억제 (anorexigenic)
   ┌ α-MSH (melanocyte stimulating hormone), CRH, TRH
   │ CART (cocaine & amphetamine-related transcript)
   └ pro-opiomelanocortin (POMC), serotonin, oxytocin, melanocortin 4 receptor
     * hormones ; leptin (지방세포에서 분비), insulin, cortisol
     * GI peptides ; PYY (peptide YY) & CCK (소장에서 합성), pancreatic polypeptide (PP), GLP-1 (glucagon-related peptide-1) & oxyntomodulin (장관 L세포에서 식후 분비됨)

■ **adipocytokines** : 지방세포에서 분비되는 단백질성 호르몬

┌ anti-hyperglycemic ; leptin, adiponectin, visfatin, omentin
└ pro-hyperglycemic ; resistin, TNF-α, IL-6, RBP4 ...

* leptin : 지방세포의 에너지 저장 정도를 hypothalamus에 전달
  - leptin↑ → 식욕저하, 에너지(fat) 소비 촉진 (but, 대부분의 비만 환자는 functional leptin resistance를 보임 ; leptin or leptin receptor gene의 이상은 없고 leptin level은 증가)
  - leptin or leptin receptor 결핍 → 과식, 비만, central hypogonadism (성분화 장애)

* adiponectin : anti-inflammatory cytokine
  - 작용 ; insulin sensitivity 향상, inflammation 억제, 간에서 glucose 합성 억제, 근육에서 glucose 생산 증가 및 fatty acid 산화 촉진
  - metabolic syndrome, type 2 DM, NAFLD 환자에서는 감소됨!

비만 환자의 생리적 변화

• insulin 감수성 저하 → hyperinsulinemia
• GH↓, IGF-1 정상, adiponectin↓, leptin↑ (∵ leptin resistance)
• 남성에서 testosterone↓
• thyroid H. ; 고탄수화물식이시 ↑, 저탄수화물식이시 ↓
  - TSH는 식이에 영향을 받지 않는다
• 혈중 cortisol level ; 정상 (cortisol 생산은 증가 될 수도 있음)
  - CRH or ACTH에 대한 반응 정상
  - 1 mg overnight DMST도 90%에서 정상
• 혈중 지질 농도↑

비만과 관련된 증상/질환

남녀 모두에서	여성에서만
2형 당뇨병, insulin 저항성 이상지질혈증, 대사증후군 담석 및 담낭/담관 질환 정맥류, GERD, 식도 hernia, 지방간, 변비 호흡곤란, 수면무호흡증, hypoventilation, 천식 관상동맥질환, 고혈압, 심부전, 뇌졸중 골관절염(무릎, 고관절), 요통 고요산혈증/통풍, 신장질환, 긴장성 요실금 수술 후 감염 및 창상 지연 심리적 장애, 신체상 왜곡, 사회 낙인, 치매 식도암, 위암, 대장암, 간암, 담낭/담도암, 췌장암, 신장암	월경이상, 성조숙증 PCOS, 조모증 자궁내막암, 자궁경부암 난소암, 유방암 *남성 ; 여성형유방, 　　　발기부전, 　　　전립선암

■치료

┌ 1차 목표 : 치료전 체중의 5~10%를 6개월 내에 감량
└ 치료전 체중의 3-5%만 감량해도 심혈관질환의 위험인자를 개선 가능

1. 식이요법

- low calorie diet : 800~1,200 kcal/day (대부분의 환자에 시행)
- very low calorie diet (VLCD) : ≤800 kcal/day
  - 심한 (BMI >30) 환자에서 단기간만 시행
  - 장점 ; 빠른 체중감소, ketone 생산에 의한 배고픔 억제
  - 효과 ; 혈압/혈당/cholesterol/TG 감소, 폐기능/운동능력 향상
  - 금기 ; 임신, 암, 최근의 MI, CVA, 간질환, 치료안된 정신질환
- low-energy density 음식 : 물이나 fiber가 많이 함유된 음식은 같은 양으로 calorie 감소 효과
    (e.g., 수프, 과일, 채소, 오트밀, 근육질의 고기)
- 7500 kcal의 열량 부족시 → 체중 약 1 kg 감소
  - 1년동안 하루 100 kcal 씩 적게 섭취 → 약 5 kg 감소
  - 1주일동안 하루 1000 kcal 씩 적게 섭취 → 약 1 kg 감소
- low-carbohydrate, high-protein diet
  - 6개월째 체중감량 효과는 최대, CAD 위험 감소 효과 (HDL↑, TG↓)
  - 장기적인 효과는 논란 (1년 이후에는 차이 없음)
- 1주일에 1.5 kg 이상씩 체중을 감량하면 gallstone 발생 위험 증가 (→ UDCA로 예방)

2. 운동요법

- 생활의 일부로 즐길 수 있는 운동(유산소 및 근력 운동)을 규칙적으로 하는 것을 권장
- 유산소 운동 : 중강도 30~60분/day (or 20~30분씩 2회), 주당 5회 이상 권장 (≥150분/week)
- 근력 운동 : 8~12회 반복할 수 있는 중량으로 8~10 종목을 1~2세트, 주당 2회 권장

운동강도	%HR$_{max}$	예
저강도	50~64	천천히 걷기
중강도	64~74	보통~약간 빠르게 걷기, 자전거, 탁구, 수영
고강도	≥75	조깅, 축구, 계단오르기, 등산, 에어로빅, 근력운동

3. 인지행동요법

- self-monitoring, stress 관리, 자극 조절, 사회적 지원, 문제 해결 등
- 자신을 직시하고 보다 긍정적으로 발전하도록 돕는 인지 구조조정

4. 약물요법

■ 적응 ┌ BMI ≥30 or
      └ BMI ≥27이면서 비만관련 질환 동반 (e.g., HTN, DM, dyslipidemia)
          or 식이/운동요법으로 체중감량 실패시

* 우리나라 : BMI ≥25 환자에서 비약물치료로 체중감량에 실패한 경우
    (약물치료 시작 후 3개월 내에 5% 이상 체중감량이 없으면 약제 변경 or 중단)

* (1)은 단기간만 사용 / 나머지는 장기간 사용 가능
  (6)은 말초(위장관)에 작용하는 지방 흡수억제제 / 나머지는 central-acting anorexiant^{식욕억제제}

(1) Sympathomimetic adrenergic agents
  • 약제 ; phentermine (m/c), phendimetrazine, benzphetamine, diethylproprion, mazindol
  • NE 분비 자극 or reuptake 억제 → 식욕저하
  • CVD의 병력이 있거나 조절되지 않는 HTN 환자에게는 금기
  • 부작용 및 남용 위험으로 단기간만 사용 (~12주까지만), 효과는 별로임

(2) PHEN/TPM (phentermine/topiramate) 서방형(CR)^{controlled-release} [Qsymia®]
  • topiramate : anticonvulsant로 시험 중 체중감소 효과가 발견되어 비만치료제가 됨 (기전은 모름)
    → phentermine과 병합 사용시 체중감소 효과↑(7~9%) … 현재 비만치료제 중 가장 효과적
  • 부작용 ; 두근거림, 두통, paresthesia^{감각이상}, 구강건조, 변비, 미각이상, 불면, 녹내장
  • topiramate는 태아의 구순구개열 유발 위험이 있으므로 임산부는 금기

(3) Lorcaserin (selective 5-HT2_C receptor agonist) [Belviq®]
  • 시상하부의 식욕억제중추(pro-opiomelanocortin, POMC) 신경세포를 통해 식욕을 억제함
  • 체중감소 효과는 적음 (약 3%)
  • 부작용 ; 두통, 어지럼, 구역 (과거 serotonin계 약물들의 부작용이었던 심장판막질환은 없음)

(4) Naltrexone SR/bupropion SR (NB) [Contrave®]
  • bupropion : dopamine과 NE 재흡수 억제, POMC 신경세포 활성화 → 식욕억제
    (내인성 opioid인 β-endorphin은 POMC에 autoinhibition 작용을 하므로 naltrexone을 병합)
  • naltrexone : 체중감소를 억제하는 opioid 수용체에 대한 길항제, POMC 활성화 증대
  • 체중감소 효과는 4~5%
  • 부작용 ; N/V/C/D (구역이 가장 문제), 두통, 어지럼, 불면, 구강건조
  • 금기 ; seizure 병력, uncontrolled HTN (∵ 초기 3개월에는 pulse & BP 상승 가능)

(5) Liraglutide (GLP-1 agonist) [Victoza®]
  • type 2 DM 치료제 : 포만감 유도, 배고픔↓, 위배출시간 지연 → 음식 섭취량↓, 대사량↑
    → DM이 없는 비만 환자에서도 체중감소 효과(5~6%), 혈압/혈당/지질도 개선
  • 체중감량 목적으로는 DM (~1.8 mg/day)보다 고용량을 사용함 (~3.0 mg/day)
  • 부작용 ; N/V/C/D (구역이 문제 : 용량에 비례하므로, 저용량으로 시작해 단계적으로 용량↑),
  • 동물실험에서 thyroid C-cell tumors 발생 사례 → MTC 및 MEN 가족력/과거력시에는 권장×

(6) Orlistat [Xenical®]

- 최초로 FDA 승인을 받은 비만치료제, 약 4% 체중 감소
- intestinal lipase inhibitor → fat 흡수 감소 (하루 3회 투여시 30%↓)
- LDL cholesterol이나 insulin level도 감소됨
- 부작용 ; steatorrhea, 기름이 새어나오는 방귀, 변실금, 대변 횟수↑, 복통 등의 GI 증상
  (대개 초기에 나타나 시간이 지나면 자연 호전됨, fat 섭취를 조절하면 금방 호전됨)
  - 장기 복용시 지용성 vitamins (e.g., D, E, β-carotene)의 흡수도 감소
  - 전신적인 부작용과 약물상호작용은 적음

* metformin : 비만한 type 2 DM or prediabetes 환자의 치료에 효과적
* 갑상선호르몬 : lean body mass 감소 및 갑상선기능항진 상태의 부작용을 일으키므로 권장 안됨

5. 수술요법(bariatric surgery)

- 적응 ; 고도비만(BMI ≥40, 합병증이 존재시 BMI ≥35) 환자에서, 내과적 치료로 체중감량이
  어렵고, 약물남용이나 전신질환이 없을 때
  *우리나라 ; BMI ≥35 or 비만관련 질환을 가진 BMI ≥30 환자에서
    비수술치료로 체중감량에 실패한 경우
    (BMI ≥50인 병적 비만환자는 1차 수술로 위소매절제술 시행 가능)
- 특히 type 2 DM, HTN, OSA, dyslipidemia, NAFLD 등을 동반한 비만 환자에서 매우 유용
- restrictive op. : 위 내용물의 양을 제한하여 음식 섭취를 감소시킴
  ① laparoscopic adjustable gastric banding (AGB, 조절형위밴드술)
    - 수술 후 지속적인 관리가 중요하며, 환자의 증상/체중/포만감 등에 따른 밴드 조절이 필요함
    - 5년 뒤 20~25% 체중↓, 30~70%는 밴드를 제거하게 됨(∵ 밴드 미끄러짐, 밴드에 의한 미란)
    - 장기적인 효과가 적고 밴드 제거율이 높아 점점 시행 감소
  ② laparoscopic sleeve gastrectomy (SG, 위소매절제술) … 현재 m/c 시행
    - greater curvature의 ~80%를 절제하고 lesser curvature를 따라 바나나 모양의 잔위를 남김
    - 음식 섭취 제한 + 호르몬 변화 효과(e.g., 위 기저부에서 분비되는 ghrelin↓ → 식욕↓)
    - RYGB 만큼 우수한 체중↓ & 동반질환 호전 효과
    (5년 뒤 type 2 DM 관해율 66%, HTN 50%, dyslipidemia ~100%)
    - 간단하고 잔위의 내시경검사도 가능, 체중 감소에 실패해도 다른 수술로 전환 가능
    - Barrett's esophagus가 있는 경우에는 금기
  ③ intragastric balloon placement or aspiration therapy ; 효과 적고, 단기간만 사용 가능
- restrictive-malabsorptive bypass op. : 위 내용물의 양을 제한하면서 흡수도 줄임, 더 효과적임
  ① Roux-en-Y gastric bypass (RYGB) … 현재 2nd m/c 시행
    - 30~35% 체중감량 효과 (5년 뒤 ~50%에서 유지됨), 생존율↑ … 가장 효과적!
    - 호르몬 변화 효과 ; ghrelin↓, PYY↑ → 식욕↓ / GLP-1 & CCK↑ → anorectic state↑
    - 수술 후 혈당 조절 효과가 매우 우수함 → type 2 DM을 동반한 비만환자에게 추천
    - 우회된 위는 내시경검사가 어려우므로 환자에게 설명하고, 수술 전 내시경검사 시행
    - 수술 뒤 Cx ; stomal stenosis, marginal ulcers, dumping syndrome 등

② biliopancreatic diversion (BPD)

③ biliopancreatic diversion with duodenal switch (BPDDS)

- 수술 뒤 미세영양소 결핍 발생 위험 (e.g., zinc, vitamin B_{12}, folate, iron, calcium, vitamin D)

  ; RYGB에서 심하고, SG는 경미함 → 수술전 미세영양소 상태 검사 & 평생 보충 필요